D0456635

NARCISSE ET GOLDMUND

Paru dans Le Livre de Poche :

HERMANN HESSE

Narcisse et Goldmund

RÉCIT TRADUIT DE L'ALLEMAND PAR FERNAND DELMAS

CALMANN-LÉVY

Titre original :

NARZISS UND GOLDMUND

© Calmann-Lévy, 1948.
ISBN : 978-2-253-00004-4 – 1re publication – LGF

CHAPITRE PREMIER

Devant l'arc en plein cintre supporté par des colonnes doubles qui donne accès au couvent de Mariabronn, un châtaignier, fils esseulé du Midi, apporté là jadis par un pèlerin revenu de Rome, dressait tout au bord du chemin son tronc puissant. Sa couronne arrondie s'étendait au-dessus de la route en un geste de tendresse et respirait dans le vent comme une poitrine qui s'enfle. Au printemps, alors que tout, autour de lui, était déjà verdoyant et que les noyers du cloître avaient eux-mêmes revêtu leur jeune feuillage rougeâtre, ses feuilles se faisaient attendre longtemps encore. Puis, à l'époque des nuits les plus courtes, il dressait hors des touffes de feuilles, comme de pâles rayons blancs et verts, son étrange floraison. À ses senteurs âcres et fortes les souvenirs se levaient, les cœurs se serraient. En octobre, la cueillette des fruits et la vendange étaient déjà terminées quand, de sa couronne jaunissante, tombaient dans le vent d'automne ses châtaignes hérissées de piquants qui ne mûrissaient pas chaque année. Les gamins du couvent se battaient pour les ramasser et l'adjoint du prieur, le père Grégoire, originaire du pays latin, les faisait griller au feu de sa cheminée. Au-dessus de l'entrée du monastère il laissait lentement onduler sa ramure, le bel arbre étranger au cœur plein de tendresse, cet hôte un peu frileux venu d'un autre climat, que des liens mystérieux apparentaient aux sveltes colonnettes de grès accouplées au portail, à la parure fleurissant aux cintres des fenêtres, aux corniches et aux piliers ; chéri des Français et des Latins, cet étranger que les gens du pays considéraient bouche bée.

Déjà bien des générations d'élèves avaient passé, au monastère, sous l'arbre venu des pays lointains, leurs tablettes sous le bras, bavardant, riant et jouant, se querellant ; pieds nus ou chaussés, selon la saison ; une fleur à la bouche, une noix entre les dents ou une boule de neige à la main. Toujours, il en arrivait d'autres. Au bout de quelques années, il n'y avait plus là que de nouvelles figures qui, pour la plupart, se ressemblaient : des blondins aux cheveux bouclés. Certains restaient au cloître, devenaient novices, devenaient moines, recevaient la tonsure, portaient le froc et la corde, lisaient des livres, enseignaient les enfants, vieillissaient et mouraient. D'autres, une fois terminées leurs années d'études, étaient repris par leurs parents et rentraient dans des châteaux, des maisons de marchands et d'ouvriers, s'en allaient par le monde, s'adonnaient à leurs jeux, à leurs métiers, revenaient par hasard une fois ou l'autre au monastère. Devenus hommes, en amenant leurs fils à l'école des pères ils levaient un moment vers le châtaignier leurs yeux souriants tout pleins de souvenirs et disparaissaient à nouveau. Dans les cellules et les salles du couvent, entre les arcs massifs des fenêtres et les robustes doubles colonnes de grès rose, des hommes vivaient, enseignaient, étudiaient, administraient, dirigeaient. Ici on cultivait des sciences et des arts très divers, religieux et profanes, chaque génération transmettait à l'autre leurs lumières et leurs ombres. On écrivait des livres, on en commentait, on imaginait des systèmes, on recueillait des écrits de l'Antiquité, on peignait des enluminures, on entretenait les croyances populaires, on raillait les croyances populaires. Erudition et piété, naïveté et malice, sagesse des Evangiles et sagesse hellénique, magie noire et magie blanche, tout portait ici ses fruits, il y avait place pour tout. Il y avait place pour la vie solitaire et la pénitence, comme pour la vie de société et la bonne chère : il dépendait de la personnalité de l'abbé en fonctions et des courants dominants du moment que l'une ou l'autre tendance prît le dessus et l'emportât. A certaines époques, ce qui faisait la réputation du monastère, ce qui y attirait les visiteurs, c'étaient les exorcismes contre toutes les figures changeantes du diable ; à d'autres, c'était sa magnifique musique, parfois c'était la sainteté d'un des pères qui faisait des cures et des miracles, parfois les soupes de brochet et les pâtés de foie de cerf ; chaque chose en son temps. Et toujours il se trouvait, dans la troupe des moines et des élèves à la piété ardente ou tiède, parmi les ascètes et les gros bedons, toujours il y avait parmi tous ces hommes qui venaient là pour y vivre et y mourir telle ou telle personnalité originale, quelqu'un que tous aimaient ou redoutaient, quelqu'un qui semblait élu, une figure dont il était question longtemps encore quand ses contemporains étaient oubliés.

À l'époque dont nous parlons il se trouvait également au monastère de Mariabronn deux figures originales : un vieillard et un jeune homme. Parmi la foule des frères qui remplissaient les promenoirs, les chapelles et les salles de classe, il en était deux dont tous connaissaient l'existence et vers qui tous tournaient leurs regards. Il y avait l'abbé Daniel, le vieillard, et l'élève Narcisse, le jeune homme qui venait de commencer son noviciat et que, contrairement à toutes les traditions, en raison de ses dons exceptionnels, on employait déjà comme professeur, surtout en grec. De tous deux, l'abbé et le novice, on faisait grand cas dans la maison, on les observait, ils suscitaient la curiosité, l'admiration, l'envie – et on en médisait aussi en secret.

Presque tout le monde aimait l'abbé. Il n'avait pas d'ennemis. Il était toute bonté, toute simplicité, toute humilité. Les savants du couvent étaient seuls à mêler à leur vénération une nuance de dédain. Car l'abbé Daniel pouvait bien être un saint, il n'était tout de même pas un savant. Il avait cette simplicité qui est sagesse, mais son latin était médiocre et, du grec, il ne savait pas un mot.

Ceux-là, peu nombreux, qui à l'occasion souriaient un peu de la simplicité de l'abbé, étaient d'autant plus sous le charme de Narcisse, l'enfant prodige, le beau jeune homme au grec élégant, aux manières parfaitement chevaleresques, au regard de penseur tranquille et pénétrant, aux belles lèvres minces, sévères dans leur dessin. Les savants aimaient en lui sa connaissance merveilleuse du grec, presque tout le monde appréciait sa noblesse et sa délicatesse, beaucoup en étaient enthousiastes. De ce qu'il fût si assuré, si maître de lui, de ce qu'il eût des manières si courtoises, beaucoup lui tenaient rigueur.

Abbé et novice, chacun portait à sa manière son destin d'élu, dominait à sa manière, souffrait à sa manière. Chacun des deux se sentait plus apparenté à l'autre, plus attiré vers lui que vers tout le reste des hôtes du cloître ; et pourtant, ils ne trouvaient pas le chemin l'un de l'autre, et pourtant, le cœur de chacun ne pouvait s'échauffer en présence de l'autre. L'abbé traitait le jeune homme avec beaucoup de précautions, beaucoup d'égards, avait à son sujet de grands soucis, comme pour un frère d'une essence rare, délicate, une âme précocement mûrie, peut-être une âme en péril. Le jeune homme recevait tous les ordres, tous les conseils, tous les éloges de l'abbé dans une attitude impeccable, ne contredisait jamais, n'était jamais contrarié, et si le jugement de l'abbé sur son compte était exact, si son unique défaut était l'orgueil, il savait merveilleusement dissimuler ce défaut. On ne pouvait rien lui reprocher, il était parfait, il était supérieur à tous. Seulement il n'avait pas beaucoup de vrais amis, seulement sa distinction l'enveloppait comme une atmosphère de glace.

« Narcisse, lui dit le prieur à la suite d'une confession, je me reconnais coupable d'avoir porté sur toi un jugement sévère. Je t'ai souvent tenu pour orgueilleux et peut-être ai-je été alors injuste envers toi. Tu es bien solitaire, mon jeune frère. Tu as des admirateurs, mais pas d'amis. Je voudrais bien avoir parfois des motifs de te blâmer, mais je n'en ai aucun. Je voudrais bien que tu fasses parfois quelque sottise, comme font aisément les jeunes de ton âge. Tu n'en fais jamais. Je suis parfois inquiet pour toi, Narcisse. »

Le jeune homme leva vers le vieillard ses yeux noirs :

« Je souhaite vivement, mon vénéré père, ne vous donner aucun souci. Il est bien possible que je sois orgueilleux, vénéré père. Je vous prie de m'en punir. Il arrive que j'aie parfois moi-même le désir de me punir. Envoyez-moi dans un ermitage, père, ou faites-moi faire d'humbles besognes.

– Tu es trop jeune pour l'un et pour l'autre, cher frère, dit l'abbé. En outre, tu as de hautes aptitudes pour les langues et pour la pensée, mon fils, ce serait gaspiller les dons de Dieu que de vouloir t'employer à des travaux vulgaires. Tu deviendras sans doute un professeur et un savant. Ne le souhaites-tu pas toi-même ?

– Pardon, mon père, je ne suis pas exactement fixé sur mes désirs. Je prendrai toujours plaisir aux sciences ; comment en serait-il autrement ? Mais je ne crois pas que les sciences doivent être mon unique champ d'action. Sans doute ce ne sont pas toujours les désirs d'un homme qui règlent son destin et sa mission, mais quelque chose d'autre : une prédestination. »

L'abbé écoutait et la gravité se peignait sur son vieux visage. Pourtant un sourire y erra lorsqu'il dit : « Si j'ai bien appris à connaître les hommes, nous avons tous tendance, dans la jeunesse surtout, à confondre la Providence avec nos vœux personnels. Mais dis-moi, puisque tu penses connaître à l'avance ta mission, à quoi te crois-tu donc destiné ? »

Narcisse ferma à demi ses yeux sombres qui disparurent sous les longs cils noirs et resta silencieux.

« Parle, mon fils », reprit l'abbé après une longue attente.

À voix basse, les yeux baissés, Narcisse commença :

« Je crois savoir, vénéré père, que je suis avant tout destiné à la vie monacale. Je deviendrai moine, je pense, prêtre, adjoint au prieur, et peut-être abbé. Je ne crois pas cela parce que je le désire. Mes vœux ne vont point aux charges, mais elles me seront imposées. »

Longtemps tous deux restèrent silencieux.

« Pourquoi le crois-tu ? demanda avec hésitation le vieillard. En dehors de la science, quelles sont les dispositions que tu sens en toi et qui te permettent d'exprimer une telle conviction ?

– C'est, dit lentement Narcisse, la faculté de percevoir la nature et la destinée des hommes. Pas seulement la mienne, celle des autres également. C'est là un don qui m'oblige à servir les autres en les dominant. Si je n'étais né pour le cloître, je devrais devenir juge ou homme d'Etat.

– Il se peut, approuva l'abbé. As-tu mis à l'épreuve sur des cas particuliers ta faculté de pénétrer les hommes et leur destin ?

– Je l'ai mise à l'épreuve.

– Es-tu prêt à me donner un exemple ?

– Je suis prêt.

– Bon. Comme je ne suis pas disposé à pénétrer à leur insu dans le secret de mes frères, peux-tu me dire ce que tu crois savoir de moi, Daniel, ton abbé ? »

Narcisse leva ses cils et regarda l'abbé dans les yeux.

« Est-ce votre ordre, vénéré père ?

– Mon ordre.

– Il ne m'est pas facile de parler, père.

– À moi aussi il est difficile de t'obliger à parler, jeune frère, je le fais cependant. Parle. »

Narcisse baissa la tête et dit dans un murmure :

« C'est peu de chose ce que je sais de vous, vénéré père. Je sais que vous êtes un serviteur de Dieu qui aimerait mieux garder les chèvres ou sonner la cloche dans un ermitage et entendre les confessions des paysans que gouverner un grand monastère. Je sais que vous avez une tendresse particulière pour la Sainte Mère de Dieu et que c'est à elle que vous adressez de préférence vos prières. Il vous arrive parfois de prier pour que le grec et les autres sciences cultivées dans ce couvent n'apportent pas trouble et danger aux âmes qui vous sont confiées. Vous demandez parfois dans vos oraisons que la patience ne vous abandonne pas à l'égard de votre adjoint, le père Grégoire. Vous demandez parfois une douce mort. Et vous serez exaucé, je le crois, et vous aurez une douce fin. »

Le silence se fit dans la petite pièce où l'abbé donnait audience. À la fin le vieillard poursuivit :

« Tu es un rêveur et tu as des visions, prononça-t-il d'un ton cordial ; on peut aussi être induit en erreur par des visions pieuses et riantes. Ne te fie pas à elles, pas plus que je ne m'y fie moi-même. Peux-tu voir, mon frère le songe-creux, ce que, dans mon cœur, je pense de tout ceci ?

– Je puis voir, père, que vous avez là-dessus des dispositions fort bienveillantes. Voici ce que vous vous dites : « Ce jeune élève court quelque danger. Il a des visions ; peut-être a-t-il trop médité. Peut-être pourrais-je lui imposer une pénitence, elle ne lui fera pas de mal. Mais la pénitence que je vais lui donner, je vais me l'imposer à moi-même. » Voilà ce que vous êtes en train de penser. »

L'abbé se leva. Il fit signe en souriant au novice de se retirer.

« C'est bon, dit-il. Ne prends pas tes visions trop au sérieux, jeune frère. Dieu exige de nous bien autre chose encore que d'avoir des visions. Admettons que tu aies flatté un vieillard en lui promettant une mort facile. Admettons que le vieil homme ait pris plaisir à entendre cette promesse. Maintenant cela suffit. Tu réciteras un rosaire demain après la messe du matin ; tu le réciteras en toute humilité et du fond du cœur, pas seulement des lèvres. Et j'en ferai autant. Va-t'en maintenant, Narcisse, nous avons assez parlé. »

Une autre fois l'abbé dut servir d'arbitre entre le plus jeune des pères chargés de l'enseignement et Narcisse. Ils ne pouvaient se mettre d'accord sur un point du programme scolaire. Narcisse réclamait avec beaucoup d'insistance certaines modifications dans les études et savait du reste les justifier par des arguments convaincants, mais le père Lorenz, par une sorte de jalousie, ne voulait pas se rendre à ces raisons et toujours ils se remettaient à en parler. Des journées de bouderie et de silence maussade s'écoulaient alors jusqu'à ce que Narcisse, convaincu d'avoir raison, mît à nouveau la question sur le tapis. À la fin, le père Lorenz, un peu froissé, déclara :

« Eh bien, Narcisse, nous allons mettre fin à la discussion. Tu sais bien que c'est à moi et non à toi de trancher la question. Tu n'es pas mon collègue, mais mon assistant, et tu dois te soumettre à moi. Mais je ne te dépasse pas en science ni en talent, si je suis ton supérieur hiérarchique, et puisque la chose te tient tant au cœur, je ne veux pas trancher le débat moi-même. Nous allons le soumettre à notre père l'abbé et le prier de décider. »

Il en fut ainsi et l'abbé Daniel écouta avec patience et bienveillance les deux savants et leurs conceptions diverses de l'enseignement de la grammaire. Quand ils eurent fini d'exposer à fond et de justifier leurs opinions, le vieillard leur lança un regard plein de malice, secoua un peu sa vieille tête et dit : « Chers frères, vous ne croyez sûrement ni l'un ni l'autre que je m'entends à ces choses aussi bien que vous. C'est bien de la part de Narcisse d'avoir à cœur les affaires de l'école au point de s'efforcer d'améliorer le programme scolaire. Mais si son supérieur est d'un autre avis, Narcisse n'a qu'à se taire et à obéir et toutes les améliorations scolaires ne compenseraient pas le mal qui naîtrait si, à cause d'elles, l'ordre et l'esprit d'obéissance étaient ébranlés dans cette maison. Je blâme Narcisse de n'avoir pas su céder. Et à vous deux, jeunes savants, je souhaite de ne manquer jamais de supérieurs plus bêtes que vous, il n'y a rien de meilleur contre l'orgueil. » Il les congédia sur cette innocente plaisanterie, mais n'oublia nullement, les jours suivants, d'avoir l'œil à ce que la bonne entente subsistât entre les deux maîtres.

Et voici qu'il arriva qu'une nouvelle figure apparut dans le monastère où passaient tant de visages, et que cette nouvelle figure n'était pas une de celles que l'on ne remarque pas ou qu'on oublie vite. C'était un garçon annoncé à l'avance par son père et qui arriva par une journée de printemps pour faire ses études à l'école du couvent. Le père et le fils attachèrent leurs chevaux près du châtaignier et, de l'entrée, le portier vint à leur rencontre. Le garçon leva les yeux sur l'arbre encore dans sa nudité hivernale. « Jamais jusqu'ici je n'ai vu un arbre pareil, dit-il, un bel arbre, bien curieux. Je voudrais bien savoir comme il s'appelle. »

Le père, un homme d'un certain âge, au visage soucieux, un peu pincé, ne fit pas la moindre attention à la question de son fils. Mais le portier, à qui le gamin plut tout de suite, le renseigna. L'enfant lui dit gentiment merci, lui tendit la main, et ajouta :

« Je m'appelle Goldmund, et viens ici en classe. »

L'homme lui répondit d'un sourire aimable et, précédant les deux arrivants, franchit le portail et gravit le large escalier de pierre. Goldmund pénétra sans hésiter dans le monastère avec le sentiment d'y avoir déjà rencontré deux êtres dont il pouvait devenir l'ami : l'arbre et le portier.

Les nouveaux venus furent d'abord reçus par le père qui dirigeait l'école, puis aussi, vers le soir, par l'abbé lui-même.

À tous deux, le père, un fonctionnaire d'Empire, présenta son fils Goldmund et il fut invité à rester un moment comme hôte dans la maison. Toutefois, il n'accepta l'hospitalité que pour une nuit, disant qu'il devait repartir le lendemain. Il offrit en présent au monastère l'un de ses deux chevaux et le don fut accepté. La conversation avec les ecclésiastiques se déroula sur un ton cérémonieux et froid, mais les regards de l'abbé aussi bien que du père directeur s'arrêtèrent avec complaisance sur Goldmund qui gardait respectueusement le silence. Ce joli garçon aux manières affectueuses leur plut tout de suite. Le lendemain ils laissèrent partir le père sans regret ; ils étaient bien contents de garder le fils. Goldmund fut présenté aux maîtres et on lui donna un lit au dortoir des élèves. Respectueusement et le visage plein de tristesse, il dit adieu à son père qui prenait, à cheval, le chemin du retour, le suivit des yeux jusqu'à ce qu'il disparût entre le grenier à blé et le moulin sous l'étroite voûte de la porte extérieure du monastère. Quand il se détourna une larme pendait à ses longs cils blonds, mais déjà, d'une tape amicale sur l'épaule, le portier prenait possession de lui.

« Mon petit, lui dit-il pour le consoler, il ne faut pas être triste. Presque tous les élèves ont, au début, un tout petit peu le mal du pays. Ils regrettent leur père, leur mère, leurs frères et sœurs. Mais tu ne tarderas pas à voir qu'on peut vivre ici également, et pas mal du tout.

— Merci, frère portier, dit le garçon, je n'ai ni frère ni sœur, je n'ai pas de mère ; j'ai seulement mon père.

— Pour le remplacer, tu trouveras ici des camarades et de la science et de la musique et des jeux nouveaux que tu ne connais pas encore, et ceci et cela, tu verras. Et quand tu auras besoin de quelqu'un qui t'aime bien tu n'as qu'à venir chez moi. »

Goldmund lui adressa un sourire : « Oh ! je vous remercie beaucoup. Si vous voulez me faire une joie, je vous en prie, montrez-moi bientôt où se trouve le petit cheval que mon père a laissé ici. Je voudrais bien lui dire bonjour et voir s'il est bien lui aussi. »

Le portier l'emmena tout de suite dans l'écurie près de la grange. Là, dans la pénombre tiède montait une forte odeur de chevaux, de fumier et d'avoine et, dans l'un des boxes, Goldmund trouva le cheval qui l'avait porté ici. Il enlaça ses bras autour du col de l'animal qui l'avait déjà reconnu et tendait vers lui sa tête, posa sa joue sur le large front tacheté de blanc, le caressa tendrement et lui glissa à l'oreille :

« Bonjour, Bless, ma bonne petite bête, vas-tu bien ? M'aimes-tu toujours ? As-tu bien mangé ? Songes-tu encore à la maison, toi aussi ? Bless, mon petit cheval, mon bon bougre, quelle chance que tu sois resté ici ! Je viendrai souvent te voir et je veillerai sur toi. » Il tira de la doublure de sa manche un bout de pain de son déjeuner qu'il avait mis de côté et le donna au cheval en petits morceaux. Ensuite il lui dit au revoir et suivit le portier à travers la cour vaste comme la place du marché d'une grande ville et plantée en partie de tilleuls. À l'entrée des bâtiments il remercia le portier et lui donna la main, puis il s'aperçut qu'il ne savait plus le chemin de la salle de classe qui lui avait été indiqué la veille. Souriant et rougissant un peu il pria le frère de le conduire ; ce que celui-ci fit bien volontiers. Alors il entra dans la classe où une douzaine d'enfants et de jeunes gens étaient assis sur des bancs, et le maître auxiliaire Narcisse se détourna.

« Je suis Goldmund, dit-il, le nouvel élève. »

Narcisse lui répondit d'un bref salut, sans sourire, lui indiqua une place sur le banc du fond, et poursuivit tout de suite la leçon.

Goldmund s'assit. Il était surpris de trouver là un si jeune maître à peine plus âgé que lui de quelques années, surpris également et profondément heureux de trouver ce jeune maître si beau, si distingué, si grave et en même temps si sympathique et si aimable. Le portier avait été gentil avec lui, l'abbé l'avait accueilli avec tant de bienveillance, là-bas dans l'écurie il y avait Bless, et c'était une parcelle de la maison, et puis il y avait ce professeur extraordinairement jeune, grave comme un savant, distingué comme un prince, avec cette voix assurée, froide, précise, persuasive. Il écoutait avec gratitude, sans bien comprendre toutefois de quoi il était question. Il se sentit redevenir heureux. Il était tombé chez de braves gens qui méritaient sa tendresse et il était prêt à les aimer et à gagner leur amitié. Le matin, au lit, à son réveil, il s'était senti le cœur gros. Il était encore las du voyage. En prenant congé de son père il n'avait pas pu s'empêcher de pleurer un peu. Mais maintenant cela allait bien, il était content. Il regardait longuement le jeune maître ; ses yeux revenaient toujours à lui. Il prenait joie à sa silhouette svelte et tendue, à ses yeux froids qui lançaient des éclairs, à ses lèvres sévères formant les syllabes avec tant de clarté et de sûreté, à sa voix ailée, infatigable.

Mais quand la leçon eut pris fin et que les élèves se levèrent à grand bruit, Goldmund sursauta et s'aperçut, un peu honteux, qu'il avait dormi un bon moment. Et il ne fut pas le seul à s'en apercevoir, ses voisins eux aussi l'avaient remarqué et avaient fait passer la nouvelle en chuchotant. À peine le jeune maître avait-il quitté la salle que les camarades tiraillèrent et poussèrent Goldmund de tous côtés.

« As-tu dormi ton content ? demanda l'un en lui faisant une grimace.

– Un fameux élève, railla un autre, ça fera une brillante lumière de l'Église, ça pionce dès la première leçon.

– Qu'on le mette au lit, le petiot », proposa un autre. Et ils l'empoignèrent par les bras et par les jambes pour l'emporter au milieu des rires. Ainsi réveillé en sursaut, Goldmund se mit en colère, tapa à droite et à gauche, essaya de se dégager, reçut des bourrades. À la fin on le laissa tomber à terre tandis que l'un des gamins le retenait encore par un pied. Il se libéra avec violence, se jeta sur le premier qui se présenta et se trouva aussitôt engagé avec lui dans une lutte ardente. Son adversaire était un fort gaillard et tous regardaient avec curiosité les lutteurs. Comme Goldmund n'avait pas le dessous et donnait à son robuste adversaire de solides coups de poing, il se fit des amis parmi les camarades avant même de connaître leurs noms. Mais tout à coup, les voilà envolés et à peine étaient-ils disparus que le père Martin, le préfet des études, entrait et se trouvait face à face avec le nouveau venu resté seul. Surpris, il regarda le gamin dont les yeux se levaient avec embarras vers lui dans un visage cramoisi et quelque peu marqué de coups.

« Mais qu'est-ce qui t'arrive ? demanda-t-il. C'est bien toi Goldmund, n'est-ce pas ? Est-ce qu'ils t'ont fait quelque chose, les garnements ?

– Oh ! non, dit le petit, j'en suis venu à bout.

– De qui es-tu venu à bout ?

– Je ne sais pas. Je ne connais encore personne. Il y en a un qui s'est battu avec moi.

– Ah ! Est-ce lui qui a commencé ?

– Je ne sais pas. Non, c'est moi, je crois, qui ai commencé. Ils se sont moqués de moi, alors je me suis fâché.

– Hé ! tu débutes bien, mon garçon. Donc, mets-toi bien ceci en tête. Si jamais tu recommences à te battre ici dans la classe, ce sera une punition. Et maintenant, tâche de venir goûter. En route ! » Et ses yeux souriants suivirent Goldmund qui se sauvait tout honteux et s'efforçait de réparer avec ses doigts le désordre de ses cheveux blonds.

Goldmund était lui-même d'avis que son premier exploit dans cette vie monacale était bien incorrect, bien extravagant. Assez contrit, il chercha et trouva ses camarades de classe en train de goûter. Mais l'accueil fut plein de considération et de bienveillance. Chevaleresque, il se réconcilia avec son ennemi et se sentit, de cette heure, bienvenu parmi eux.

CHAPITRE II

S'IL avait ainsi de bons rapports avec tout le monde, ce ne fut cependant pas tout de suite qu'il trouva un véritable ami. Parmi ses camarades il n'en était aucun dont il se sentît particulièrement proche ou vers lequel il fût attiré. Mais eux furent surpris de trouver, dans le hardi boxeur qu'ils avaient tendance à prendre pour un batailleur sympathique, un très paisible compagnon, plutôt disposé, semblait-il, à se faire la réputation d'un élève modèle.

Il y avait dans le monastère deux personnes vers qui le portait son cœur; qui lui plaisaient, qui retenaient ses pensées, pour qui il éprouvait de l'admiration, de la tendresse, du respect : l'abbé Daniel et le maître auxiliaire Narcisse. Il eût volontiers considéré l'abbé comme un saint. Sa simplicité, sa bonté, son clair regard plein de sollicitude, l'humilité avec laquelle il s'acquittait de sa tâche de commandement et de direction comme d'un service imposé, la bonté, la discrétion qui s'exprimaient dans son attitude, tout l'attirait irrésistiblement vers lui. Son plus cher désir eût été d'être attaché à la personne du pieux abbé, d'être sans cesse à ses côtés pour obéir et servir. Il lui aurait offert en incessant hommage toute sa ferveur enfantine, ardente au sacrifice. Il aurait appris de lui une vie pure, noble, orientée vers la sainteté. Car Goldmund était décidé à ne pas se contenter d'achever ses études au monastère, mais aussi, s'il se pouvait, à rester au cloître tout à fait et pour toujours, à consacrer sa vie à Dieu. Telle était sa volonté, tels étaient le vœu et l'ordre de son père, et telles étaient sans doute la décision et la volonté de Dieu. Personne ne semblait s'en douter et cependant sur ce joli garçon rayonnant de vie pesait une tare, une tare originelle qui le vouait secrètement à l'expiation et au sacrifice.

L'abbé lui-même ne s'en apercevait pas, bien que le père de Goldmund y eût fait devant lui quelques allusions et eût formulé nettement le vœu que son fils restât pour toujours au couvent. Une tache secrète paraissait marquer la naissance de Goldmund, quelque chose sur quoi on gardait le silence semblait exiger un holocauste. Mais le père, avec ses airs de se donner de l'importance, n'avait pas fait bonne impression à l'abbé qui lui avait opposé une réserve polie et n'avait pas fait grand cas de ses allusions.

Le second des hôtes du monastère qui avait aussi éveillé l'amour de Goldmund avait le regard plus perçant, mais il se tenait à distance. Narcisse s'était bien rendu compte qu'un bel oiseau aux plumes d'or avait pris son envol vers lui. Dans la solitude où l'enfermait sa distinction, il avait tout de suite flairé en Goldmund son égal, bien qu'il parût, en tout, contraire. Narcisse était brun et sec; Goldmund avait le teint clair et florissant. Narcisse était un penseur féru d'analyse, Goldmund un rêveur, une âme enfantine. Mais un trait commun dominait les contraires : tous deux étaient des êtres d'élite. Tous deux se distinguaient des autres par des dons et des signes visibles et tous deux avaient reçu du destin une mission particulière.

Narcisse s'intéressait chaudement à cette jeune âme dont il n'avait pas tardé à discerner la nature et la destinée. Goldmund admirait avec ferveur son beau professeur dont l'intelligence le dépassait tant. Mais Goldmund était timide; il ne savait pas d'autre moyen de gagner Narcisse que de s'épuiser à devenir un élève attentif et docile. Et ce n'était pas seulement la timidité qui le tenait à l'écart. C'était aussi l'obscur sentiment que Narcisse était pour lui un danger. Il ne pouvait avoir à la fois pour idéal et pour modèle le bon et modeste abbé et ce Narcisse trop intelligent, si savant, à l'esprit si perspicace. Et néanmoins, de toutes les forces de son âme enfantine, il tendait à se modeler sur ces deux figures inconciliables. Il en souffrait souvent. Parfois, au cours de ses premiers mois d'école, Goldmund sentait dans son cœur un tel désarroi, se voyait tiraillé en des sens si divers, qu'il était tenté de se sauver ou de décharger sa misère et sa colère intérieures dans ses rapports avec ses camarades. Parfois, une petite taquinerie ou quelque insolence de ses condisciples l'enflammait tout d'un coup d'une fureur si féroce et si méchante, lui, le débonnaire, qu'il avait toutes les peines du monde à se retenir et qu'il lui fallait se détourner en silence, les yeux clos, pâle comme un mort.

Alors il allait voir à l'écurie le cheval Bless, appuyait sa tête sur son cou, l'embrassait, pleurait près de lui. Peu à peu sa détresse s'accrut et se manifesta aux yeux des autres, ses joues s'amaigrirent, son regard s'éteignit, son rire, que tous aimaient, devint rare.

Il ne savait plus lui-même où il en était. Il avait le désir, la volonté, d'être un bon élève, d'être admis bientôt au noviciat et de devenir alors un frère pieux et doux. Il était persuadé que, de toutes ses forces et de toutes ses facultés, il tendait à cet idéal de douceur et de piété. Il ne percevait en lui aucun autre vœu. Aussi trouvait-il bien étrange et pénible de constater que ce but simple et beau était si difficile à atteindre. Avec quelle stupéfaction il découvrait parfois en lui des inclinations et des dispositions blâmables : la dissipation et la répugnance dans ses études, le goût de la rêverie et des chimères, ou bien la somnolence pendant les leçons, l'esprit de révolte et l'aversion qui le dressaient contre le professeur de latin, la susceptibilité, l'impatience, la colère à l'égard de ses camarades. Et le plus embarrassant était que son amour pour Narcisse s'accordait si mal avec son amour pour l'abbé Daniel. D'autre part, il croyait parfois sentir avec une certitude intime que Narcisse, de son côté, l'aimait, s'intéressait à lui, l'attendait.

Bien plus qu'il ne l'imaginait, l'enfant hantait les pensées de Narcisse qui souhaitait devenir l'ami de cet aimable garçon au clair et joli visage. Il voyait en lui le pôle opposé au sien, une nature complémentaire de la sienne ; il aurait voulu l'attirer à lui, le diriger, lui révéler sa propre personnalité, l'élever, l'amener à s'épanouir. Mais il restait sur la réserve. Il le faisait pour beaucoup de raisons qui, presque toutes, étaient en lui conscientes. Avant tout il était retenu et freiné par l'horreur qu'il avait pour ces maîtres et ces moines qui – le cas n'était pas rare – s'amourachaient d'un élève ou d'un novice. Trop souvent il avait senti avec répugnance peser sur lui les yeux pleins de désir d'hommes plus âgés, trop souvent il avait opposé un silence hostile à leurs amabilités et à leurs cajoleries. Maintenant il les comprenait mieux. Lui aussi était tenté de s'abandonner à sa tendresse pour le joli Goldmund, de faire jaillir son gracieux rire, de passer doucement sa main dans ses cheveux blonds pour les caresser. Mais jamais il ne le ferait, jamais. En outre, en qualité de maître auxiliaire placé au rang des professeurs sans pourtant en avoir la charge et l'autorité, il était accoutumé à une prudence et à une vigilance particulières. Il était habitué à se tenir devant les jeunes gens qui n'avaient que quelques années de moins que lui comme s'il avait vingt ans de plus qu'eux. Il était habitué à s'interdire sévèrement toute préférence pour un élève, à s'obliger à une justice et à une sollicitude spéciales à l'égard de quiconque lui était antipathique. Sa mission le mettait au service de l'esprit, à lui était consacrée sa vie austère, et c'était seulement à son insu, aux instants où sa vigilance se relâchait tout à fait, qu'il se permettait des jouissances d'orgueil : le sentiment d'en savoir plus long que les autres, d'être plus fort qu'eux. Non, si attrayante que fût l'amitié de Goldmund, elle était un danger et il ne devait pas la laisser s'approcher du centre même de sa vie. Au centre de sa vie – et c'est ce qui lui donnait son sens – il y avait le service de l'esprit, le service de la parole. Renonçant à tout avantage personnel il devait conduire de haut et d'une âme égale ses élèves – et pas eux seuls – vers les sphères supérieures de l'esprit.

Déjà, depuis un an et plus, Goldmund était au monastère de Mariabronn. Cent fois déjà il s'était livré avec les autres, sous les tilleuls de la cour et sous le beau châtaignier, aux jeux des écoliers : course, balle, voleurs, batailles de boules de neige. Le printemps était venu et Goldmund se sentait las et souffrant ; souvent il avait mal à la tête et, en classe, il avait peine à se tenir attentif et à demeurer l'esprit en éveil.

Un soir, Adolphe vint le trouver ; leur première rencontre, autrefois, avait dégénéré en pugilat, mais cet hiver, il s'était mis à étudier Euclide avec lui. C'était à l'heure qui suit le repas du soir, une heure de liberté, au cours de laquelle il était permis de jouer dans les couloirs, de bavarder dans les chambres, et aussi de se promener dans la cour extérieure du monastère.

« Goldmund, dit-il en l'entraînant en bas de l'escalier, je vais te raconter une histoire, une bonne histoire. Mais tu es un garçon modèle et tu veux devenir un jour évêque, pour sûr. Donne-moi d'abord ta parole que tu te comporteras en bon camarade et que tu n'iras pas me moucharder aux professeurs. »

Goldmund la donna sans hésiter. Il y avait deux sentiments de l'honneur qui, parfois, entraient en conflit, il connaissait cela : l'honneur du monastère et l'honneur du camarade. Mais, comme partout les lois non écrites étaient plus fortes que les lois écrites, et jamais, tant qu'il serait écolier, il ne faillirait aux lois de l'honneur tel que le concevaient ses compagnons.

En parlant à mi-voix, Adolphe l'entraîna par le portail, sous les arbres. Il y avait là, raconta-t-il, quelques hardis lurons – et il en était - qui avaient reçu des générations précédentes une tradition : n'oublier jamais, au grand jamais, qu'ils n'étaient pas des moines, sauter le mur du monastère pour une soirée, se rendre au village. C'était là un jeu et une aventure dont un type comme il faut ne pouvait pas se priver. On reviendrait dans le courant de la nuit.

« Mais alors, la porte est fermée », objecta Goldmund.

Bien sûr, naturellement elle était fermée ; mais c'était précisément là le charme de l'expédition. On savait trouver les voies secrètes par où rentrer ; ce n'était pas la première fois.

Goldmund rappela ses souvenirs. Il avait déjà entendu l'expression « aller au village ». On signifiait par là les fugues nocturnes des élèves en quête de toutes sortes de jouissances secrètes et d'aventures interdites par le règlement du cloître sous les peines les plus sévères. C'était inquiétant. « Aller au village » était un péché, c'était défendu. Mais il se rendait fort bien compte que c'était justement à cause de cela que, pour des « types comme il faut », courir ainsi un danger pouvait faire partie du code de l'honneur, et qu'en un certain sens, c'était pour lui une distinction d'être invité à cette partie aventureuse.

Bien volontiers il eût dit non et serait rentré en hâte se mettre au lit. Il était si las, se sentait si malheureux, tout l'après-midi il avait eu mal à la tête. Mais il avait un peu honte devant Adolphe. Et qui sait ? peut-être y avait-il là-bas, dans l'expédition, quelque chose de beau et de nouveau, quelque chose qui pouvait vous faire oublier le mal de tête et l'abrutissement et toutes les misères. C'était une envolée dans le monde, défendue certes et clandestine, pas très brillante, mais peut-être tout de même une libération, une expérience à vivre. Il restait hésitant tandis qu'Adolphe essayait de le convaincre et, soudain, il se mit à rire et dit oui.

Sans qu'on le voie, il se perdit avec Adolphe sous les tilleuls dans la vaste cour déjà sombre dont la porte sur l'extérieur était fermée à cette heure. Son camarade le conduisit dans le moulin du couvent où, dans la pénombre et au bruit incessant des roues, il était facile de se glisser sans qu'on vous voie ni vous entende. En passant par une fenêtre, on arrivait, dans l'obscurité complète, sur un échafaudage de poutres humides et glissantes. Il fallait en enlever une et la placer au-dessus du ruisseau pour le franchir. Et alors on était dehors, sur la grand-route, qui, brillant d'un éclat pâle, se perdait dans la forêt obscure. Tout cela était excitant, mystérieux, plein d'attrait pour l'enfant.

À l'orée du bois il y avait déjà un camarade, Conrad, et, après une longue attente, un autre encore arriva en faisant sonner ses talons : le grand Eberhardt. Tous quatre marchèrent à travers la forêt; au-dessus les oiseaux de nuit se faisaient entendre et quelques étoiles scintillaient d'un éclat humide entre des nuages immobiles. Conrad bavardait et disait des blagues; par moments, les autres l'accompagnaient d'un éclat de rire, et pourtant, au-dessus d'eux, planait la nuit dans sa splendeur solennelle qui leur inspirait un sentiment d'angoisse et faisait battre leurs cœurs plus vite.

Par-delà la forêt, au bout d'une petite heure, ils atteignirent le village. Tout semblait déjà dormir. Les pignons bas, traversés par l'armature sombre des poutres, reflétaient une pâle clarté. Nulle part il n'y avait de lumière. Adolphe marchait en tête. En silence ils se faufilèrent autour de quelques maisons, passèrent, par-dessus une palissade, dans un jardin et leurs pas s'enfoncèrent dans la terre molle des plates-bandes, butèrent sur des marches, s'arrêtèrent devant le mur d'une maison. Adolphe frappa à un volet, attendit, frappa encore; on perçut du bruit à l'intérieur, et bientôt une faible lueur brilla, le volet s'ouvrit, et l'un après l'autre, ils grimpèrent pour entrer dans une cuisine à l'âtre ténébreux et au sol de terre battue. Toute petite, sur le poêle, une lampe à huile, la mèche surmontée d'une petite flamme dansante. Une jeune fille, une jeune paysanne, était là, debout, toute sèche. Elle donna la main aux nouveaux venus. Derrière, une seconde forme émergea des ténèbres, une enfant très jeune avec de longues tresses sombres. Adolphe apportait des présents à ses hôtes : une moitié de pain blanc du monastère et quelque chose dans un sac en papier. Goldmund supposa que c'était un peu d'encens volé ou bien de la cire de cierge; quelque chose comme ça. La fillette aux tresses sortit. Elle chercha son chemin à la porte en tâtonnant, resta longtemps dehors et revint portant une cruche de terre grise avec une fleur bleue dessus qu'elle tendit à Conrad. Il but et fit passer. Tous burent. C'était du cidre fort.

À la lueur de la lampe minuscule ils s'assirent. Les filles sur de petits escabeaux grossiers; autour d'elles, par terre, les écoliers. On parlait à voix basse en buvant du cidre de temps en temps. Adolphe et Conrad menaient la conversation. De temps en temps l'un d'eux se levait et caressait la maigre sur les cheveux et la nuque, lui glissant quelque chose à l'oreille. On ne touchait pas à la petite. Probablement la grande était la servante; la jolie petite, la fille de la maison. Peu importait du reste à Goldmund; cela ne l'intéressait pas, car il ne reviendrait jamais plus. L'évasion clandestine et la marche de nuit, par la forêt, ça, c'était beau; c'était chose nouvelle, excitante, mystérieuse et pas dangereuse pourtant. Bien sûr c'était défendu. Pour avoir transgressé cette défense il ne se sentait cependant pas la conscience bien lourde. Mais ce qui se passait ici, cette visite nocturne chez des filles, c'était plus que défendu, il le sentait, c'était un péché. Pour les autres, cela aussi n'était peut-être qu'un petit écart, pas pour lui; pour lui qui se savait destiné à la vie ascétique, pas de jeu avec les filles qui fût permis. Non, jamais il ne reviendrait. Mais son cœur anxieux battait fort dans la faible lueur de la lampe éclairant la misérable cuisine.

Ses compagnons se donnaient de grands airs devant les filles, faisaient les malins, sortant des formules latines qu'ils mêlaient à la conversation. Tous trois semblaient avoir les faveurs de la servante et s'approchaient d'elle de temps en temps pour lui faire d'un geste gauche de petites caresses dont le plus tendre consistait en un timide baiser. Ils semblaient connaître exactement les limites de ce qui, ici, leur était permis. Et comme toute la conversation devait être tenue à mi-voix, la scène avait, au fond, un caractère comique; mais ce n'était pas là le sentiment de Goldmund. Accroupi sur le sol, il fixait la petite flamme sans dire un mot. Parfois il jetait de côté un regard un peu lourd de désir et attrapait au passage une des tendresses échangées entre les autres. Son vœu le plus cher eût été de ne rien regarder d'autre que la petite aux tresses; or, c'était précisément cela qu'il s'interdisait. Mais chaque fois que sa volonté faiblissait et que son regard s'égarait sur le délicieux visage calme de la fillette, il rencontrait immanquablement ses yeux sombres rivés sur lui. Comme sous l'empire d'un charme, ils ne le quittaient pas.

Il s'était écoulé une heure – jamais encore Goldmund n'en avait trouvé une si longue –, les élèves étaient au bout de leurs formules et de leurs caresses; le silence se fit; on restait là un peu embarrassé. Eberhardt se mit à bâiller. La servante alors invita au départ. Tous se levèrent, tous lui donnèrent la main. Ensuite, ils donnèrent tous la main à la fillette. Goldmund le dernier. Puis Conrad descendit le premier par la fenêtre, Eberhardt et Adolphe le suivirent. Quand

Goldmund à son tour passa à l'extérieur, il se sentit retenu à l'épaule par une main. Il ne put s'arrêter; ce fut seulement quand il fut à terre, dehors, qu'il se détourna en hésitant. La petite aux tresses se penchait à la fenêtre.

« Goldmund ! » murmura-t-elle. Il s'arrêta.

« Reviendras-tu ? » demanda-t-elle.

Il fit signe que non. Elle tendit ses deux mains à l'extérieur, lui saisit la tête. Il sentit sur ses tempes ses petites mains chaudes. Elle se pencha très bas au-dehors jusqu'à ce que ses yeux sombres fussent tout contre ceux de Goldmund.

« Reviens ! » murmura-t-elle, et ses lèvres touchèrent les siennes dans un baiser d'enfant.

Vite, en courant, il rejoignit les autres à travers le jardin, trébucha sur les plates-bandes, sentit l'odeur de la terre et du fumier, se déchira les mains à un rosier, grimpa par-dessus l'enclos et, trottant à la suite des autres, quitta le village et se dirigea vers la forêt. « Plus jamais ! » commandait sa volonté. « Revenir demain ! » suppliait son cœur dans un sanglot.

Les oiseaux de nuit ne rencontrèrent personne. Ils rentrèrent à Mariabronn sans être inquiétés, franchirent le ruisseau, traversèrent le moulin, atteignirent la cour des tilleuls et, se faufilant par des fenêtres séparées en deux par des colonnettes, ils rentrèrent dans le monastère et dans le dortoir.

Le lendemain, il fallut des bourrades pour réveiller le grand Eberhardt tant était profond son sommeil. Tous furent rendus à temps à la messe du matin, au petit déjeuner et en classe. Mais Goldmund avait mauvaise mine, si mauvaise mine que le père Martin lui demanda s'il était malade. D'un regard, Adolphe le mit en garde, et il déclara qu'il se trouvait bien. Mais en grec, vers midi, Narcisse ne le quitta pas des yeux. Il voyait bien lui aussi que Goldmund était souffrant, mais il ne dit rien et se contenta de l'observer. À la fin de la leçon il l'appela vers lui. Pour ne pas éveiller l'attention des élèves, il le chargea d'une commission à la bibliothèque et l'y suivit.

« Goldmund, dit-il, puis-je faire quelque chose pour toi ? Je vois que tu es en détresse. Peut-être souffres-tu ? Alors nous allons te mettre au lit et te faire donner la soupe des malades et un verre de vin. Tu n'as pas aujourd'hui la tête au grec. »

Il attendit longtemps une réponse. Tout pâle, l'enfant levait sur lui des yeux égarés, baissait la tête, la relevait, remuait les lèvres, voulait parler et ne le pouvait. Tout à coup il se pencha de côté, appuya son front sur un pupitre entre deux petites têtes d'anges en chêne qui l'encadraient, et éclata en si violents sanglots que Narcisse se sentit gêné et détourna un moment les yeux avant de saisir et de relever l'enfant tout en pleurs.

« Bon », dit-il avec plus de bienveillance que Goldmund n'en avait jamais senti dans ses paroles, « bien, *amice*, pleure toujours, tu ne tarderas pas à aller mieux. Allons, assieds-toi, ne parle pas, cela n'est pas nécessaire. Je vois que tu es à bout : tu as sans doute eu peine à tenir toute la matinée et à dissimuler ta détresse. Tu t'en es bien tiré ! Pleure maintenant, c'est ce que que tu peux faire de mieux. Non ? C'est déjà fini ? Te voilà de nouveau sur pied ? Eh bien, allons maintenant à l'infirmerie ; tu te mettras au lit, et, ce soir, cela ira déjà mieux. Viens. »

Il le conduisit, en évitant les salles de classe, dans une chambre de malade, lui désigna un des deux lits vides, et, quand Goldmund eut docilement commencé à se déshabiller, s'en alla chez le directeur le porter malade. Il lui fit aussi apporter de la cuisine, comme il l'avait promis, la soupe des malades et un verre de vin ; deux avantages très appréciés des écoliers légèrement souffrants.

Couché dans son lit d'infirmerie, Goldmund essayait de trouver une issue au labyrinthe de ses pensées. Il y a une heure, peut-être eût-il été capable de se rendre compte de ce qui le mettait aujourd'hui dans un si indicible état de lassitude, de la tension mortelle de son âme qui lui laissait la tête vide et les yeux en feu. C'était l'effort violent, renouvelé à chaque minute, échouant à chaque minute, pour oublier la soirée de la veille – ou plutôt, pas la soirée, pas la folle et délicieuse équipée hors du monastère fermé, ce n'était pas la promenade en forêt par la passerelle glissante sur le sombre ruisseau du moulin, ni l'escalade des enclos, la sortie et l'entrée par les fenêtres et les couloirs, mais uniquement la minute passée devant la fenêtre sombre de la cuisine, le souffle de la fillette, ses paroles, l'attouchement de sa main, le baiser de ses lèvres.

Mais à tout cela s'était encore ajouté quelque chose, une nouvelle terreur, un grand événement nouveau ; Narcisse s'était intéressé à lui, Narcisse l'aimait. Narcisse s'était donné de la peine pour lui – lui, le jeune homme distingué, supérieur, le sage aux lèvres minces légèrement ironiques. Et lui-même ! Il s'était effondré devant l'autre, il s'était tenu honteux, balbutiant, et, à la fin, sanglotant devant lui. Au lieu de gagner ce noble esprit avec de nobles armes : le grec, la philosophie, l'héroïsme intellectuel, le stoïcisme plein de dignité, il s'était laissé aller devant lui dans une faiblesse lamentable. Jamais il ne se pardonnerait cela; jamais il ne pourrait plus le regarder dans les yeux sans rougir.

Mais l'extrême tension s'était déchargée dans les larmes. La calme solitude de la chambre, le bon lit, faisaient du bien, le désespoir avait perdu plus de la moitié de sa puissance. Au bout d'une petite heure, un frère lai entra apportant une bouillie, un petit morceau de pain blanc avec un gobelet de ce vin rouge qu'on ne donnait autrement aux élèves qu'aux jours de fête. Goldmund mangea et but, vida l'assiette à demi, la mit de côté, se reprit à réfléchir, mais sans succès. Il saisit de nouveau son assiette et mangea quelques cuillerées. Et quand, un peu plus tard, la porte s'ouvrit doucement, quand Narcisse entra pour s'informer du malade, il dormait et les couleurs étaient revenues sur ses joues. Longtemps Narcisse le considéra avec tendresse; sa curiosité était en éveil, un peu aussi son envie. Il le voyait. Goldmund n'était pas malade, il n'aurait plus à lui envoyer du vin le lendemain. Mais il savait bien que le charme était rompu et qu'ils deviendraient amis. Aujourd'hui c'était Goldmund qui avait besoin de lui, à qui il pouvait rendre service. Une autre fois ce serait peut-être à son tour d'être faible, d'avoir besoin d'aide et de tendresse. Et, de cet enfant, il pourrait les accepter si les choses en venaient là.

CHAPITRE III

Ce fut une étrange amitié celle qui s'établit entre Narcisse et Goldmund. Il n'était guère de gens à qui elle plût et, parfois, on pouvait avoir l'impression qu'elle leur déplaisait à eux-mêmes.

Ce fut Narcisse, le penseur, qui, d'abord, eut le plus à en souffrir. Tout, pour lui, était pensée, l'amour aussi. Il n'avait pas le bonheur de pouvoir s'abandonner sans réfléchir à une inclination. Il était, dans cette amitié, le meneur de jeu, et, longtemps, il fut seul à prendre pleinement conscience de son destin, de sa portée et de son sens. Longtemps, au cœur même de son amour, il resta solitaire, sachant bien que son ami ne lui appartiendrait vraiment que quand il l'aurait révélé à lui-même. Goldmund s'abandonnait en se jouant, et sans rien approfondir, à l'intimité, à la ferveur de sa nouvelle vie. Narcisse accueillait avec le sentiment d'une pleine responsabilité cette haute faveur du destin.

Pour Goldmund, ce fut d'abord une libération et une guérison. La vue et le baiser d'une belle jeune fille venaient d'éveiller, et en même temps de refouler sans espoir, son juvénile besoin de tendresse. Il le sentait au plus profond de lui-même, la vie qu'il avait jusqu'ici rêvée, tout ce à quoi il croyait, tout ce à quoi il se jugeait appelé et destiné, était mis en péril dans sa racine même par ce baiser reçu à la fenêtre, par le regard de ces yeux sombres. Voué par son père à la vie monacale, acceptant de toute sa volonté cette vocation, orienté avec toute l'ardeur d'un premier enthousiasme vers un idéal de piété ascétique et héroïque, il avait senti indéniablement à sa première rencontre fugitive avec la femme, au premier appel de la vie à ses sens, au premier salut que lui avait adressé l'éternel féminin, que là se trouvaient son ennemi et son démon, que la femme était son danger. Et voici que le destin lui jetait une planche de salut; voici que se présentait à lui, dans la pire détresse, cette amitié qui ouvrait à son désir un jardin en fleurs, à son besoin de vénération un nouvel autel. Là, il lui était permis d'aimer sans péché, de faire don de soi-même, de livrer son cœur à un ami plus âgé, plus sage, qu'il admirait, de substituer à l'embrasement périlleux des sens la flamme d'un noble sacrifice, de sublimer sa tendresse.

Pourtant, dès le premier printemps de cette amitié, pénétrant à sa grande surprise dans des régions glacées, il se heurta à d'étranges obstacles, à de mystérieuses, à d'effroyables exigences. Car il ne lui venait pas à l'esprit de se représenter l'ami comme son contraire et comme le pôle opposé au sien. Il pensait qu'il n'était besoin que de l'amour, que du don sincère de soi-même, pour ne faire qu'un cœur de deux cœurs, pour effacer les différences et concilier les contraires. Mais qu'il était donc âpre et sûr de lui, lucide et inflexible, ce Narcisse! L'innocent abandon d'un cœur reconnaissant au cours d'une promenade commune à la campagne n'avait pour lui aucun attrait, lui semblait n'avoir rien à faire avec l'amitié. On eût dit qu'il ignorait les chemins qui ne mènent nulle part, la marche errante dans le rêve, qu'il ne voulait point les admettre. Sans doute, quand Goldmund avait paru malade, il s'était montré inquiet à son sujet, sans doute il le conseillait et l'aidait fidèlement dans tout ce qui concernait l'étude et la science, lui expliquant les passages difficiles des textes, lui ouvrant des vues sur le royaume de la grammaire, de la logique, de la théologie; mais jamais il n'avait l'air vraiment satisfait de l'ami, jamais il ne paraissait d'accord avec lui, bien souvent même on eût dit qu'il se moquait de lui, ne le prenait pas au sérieux. Goldmund sentait bien que ce n'était pas là simple attitude de maître d'école, que ce n'était pas pour l'aîné et le plus fort une manière de se donner de l'importance; il voyait bien qu'il y avait autre chose derrière, quelque chose de plus profond, de plus sérieux. Mais il n'arrivait pas à se rendre compte de ce que c'était et ainsi son amitié pour Narcisse le laissait souvent triste et désemparé.

En réalité Narcisse n'ignorait nullement ce que lui offrait son ami; il ne fermait pas les yeux à sa beauté en fleur, à sa vitalité orientée dans le sens de la nature, à l'opulence de ses dons en plein épanouissement. Il n'était rien moins qu'un maître d'école soucieux de gaver de grec une jeune âme ardente, de payer de logique sa tendresse ingénue. Au contraire, son affection pour le blondin était trop ardente et c'était là pour lui le danger, car aimer n'était pas pour lui une fonction naturelle, mais un miracle. Il ne lui était pas permis de s'éprendre de Goldmund, de se borner à contempler avec délices ces jolis yeux, le rayonnement épanoui de ces cheveux blonds. Il ne pouvait permettre à son amour, même pour un instant, de s'attarder dans la sensualité. Car Narcisse, qui se sentait destiné pour son existence entière à la vie ascétique du moine, à l'effort vers la sainteté, était vraiment promis à une telle existence. Une seule forme d'amour lui était permise : la plus haute. Mais Narcisse ne croyait pas que Goldmund fût appelé à la vie ascétique. Il s'entendait mieux que tout autre à lire dans la conscience des hommes et ici où il aimait, les choses lui apparaissaient dans une clarté plus vive. Il discernait la véritable nature de Goldmund et la comprenait à fond, car elle était une moitié perdue de sa propre nature. Il la pénétrait, toute bardée qu'elle fût d'une solide enveloppe de chimères, fruit d'une éducation à contresens et de préceptes paternels. Il soupçonnait depuis longtemps le secret tout simple de cette jeune existence. Son devoir lui apparaissait clair : dévoiler ce secret à celui qui en était porteur, le débarrasser de sa gangue, restituer à son ami sa nature vraie. Ce serait pénible et le plus dur était qu'il y pourrait peut-être perdre son amitié.

Il se rapprocha de son but avec une infinie lenteur. Des mois s'écoulèrent avant qu'une sérieuse attaque, un entretien pénétrant jusqu'au fond des choses fût seulement possible. Tant ils étaient loin l'un de l'autre en dépit de toute leur amitié, tant entre eux l'arc était tendu. Ils cheminaient l'un près de l'autre, l'un voyant, l'autre aveugle ; que l'aveugle ignorât sa cécité, c'était pour lui un soulagement.

Ce fut en cherchant à tirer au clair l'incident qui, naguère, avait poussé vers lui en une heure de faiblesse le jeune homme tout ébranlé que Narcisse ouvrit la première brèche. Ses investigations furent moins difficiles qu'il n'avait pensé. Goldmund sentait depuis longtemps le besoin de se confesser des événements de la fameuse nuit, mais il n'y avait personne, hors l'abbé, en qui il se sentît assez de confiance et l'abbé n'était pas son confesseur. Quand Narcisse, en une heure qui lui sembla propice, rappela à l'ami le souvenir de ce début de leur liaison et aborda doucement le secret, l'autre, sans ambages, lui répondit : « C'est dommage que tu n'aies pas encore reçu les ordres et ne puisses m'entendre en confession, j'aurais aimé me décharger de ce poids et j'aurais volontiers expié par une pénitence. Mais je ne pouvais pas dire cela à mon confesseur. »

Avec prudence, avec ruse, Narcisse creusa plus avant. Il était sur la piste. « Tu te souviens, risqua-t-il, de ce matin où tu avais l'air malade ; tu ne l'as pas oublié, car c'est ce jour-là que nous sommes devenus amis. J'y ai pensé bien souvent. Peut-être ne t'en es-tu pas aperçu, mais j'étais, à ce moment-là, tout désemparé.

– Toi ? désemparé ? s'écria son ami. Ah ! non ! C'est moi qui l'étais, c'est moi qui me tenais là, la gorge serrée sans pouvoir dire un mot et qui, à la fin, me mis à pleurer comme un enfant. Fi ! J'en ai honte encore à cette heure ; j'ai cru que je ne pourrais jamais me présenter devant toi. Dire que tu m'as vu si lamentablement faible ! »

Narcisse avança en tâtonnant :

« Je comprends que cela te fut désagréable. Un garçon aussi ferme et aussi courageux que toi, pleurer devant un étranger et, qui plus est, devant un professeur ; ça n'allait pas en effet avec ton tempérament. Mais quand il est secoué par la fièvre, un Aristote lui-même peut bien se comporter drôlement. Et moi qui te croyais malade ! Mais alors tu ne l'étais vraiment pas. Ce n'était pas la fièvre ? Et c'est pour cela que tu avais honte. Personne n'a honte d'être terrassé par la fièvre, en effet. Tu avais honte parce que tu étais sous le coup d'autre chose, parce que je ne sais quoi avait pris de l'empire sur toi. Il s'était donc produit un fait extraordinaire ? »

Goldmund hésita un peu, puis il dit lentement :

« Oui, il était arrivé une chose extraordinaire. Laisse-moi supposer que tu es mon confesseur ; il faut bien du reste que ce soit dit un jour. »

La tête baissée, il fit à son ami le récit de cette nuit.

Narcisse répliqua en souriant :

« Ah ! oui, « aller au village », c'est en effet défendu. Mais il y a bien des choses défendues qu'on peut faire et puis en rire tout simplement ; ou bien on peut se confesser et c'est réglé et ça ne vous concerne plus. Pourquoi ne te permettrais-tu pas, comme presque tous les élèves, quelques petites folies ? Est-ce donc si grave ? »

Goldmund ne se retint plus ; il laissa éclater sa colère : « Tu parles vraiment comme un maître d'école. Tu sais exactement de quoi il retourne. Naturellement je ne vois pas grand mal à donner une fois une chiquenaude au règlement et à prendre part à une farce d'élèves, bien que ce ne soit pas précisément une préparation à la vie monacale.

– Halte ! s'écria Narcisse avec vivacité. Ne sais-tu pas, mon ami, que pour beaucoup de pieux moines ce fut là un exercice préliminaire indispensable ? Ne sais-tu pas que l'une des voies les plus courtes qui mènent à la sainteté, c'est la vie débauchée ?

– Ah ! tais-toi, ordonna Goldmund. Je voulais dire que ce n'était pas ce petit brin de désobéissance qui me pesait sur la conscience. C'était autre chose : la fillette. C'était une impression que je ne peux pas rendre. Le sentiment que, si je cédais à cette tentation, si j'allongeais seulement la main pour toucher la jeune fille, je ne pourrais jamais plus revenir en arrière : le péché alors me dévorerait comme la gueule de l'enfer et ne me lâcherait jamais plus. Alors c'en serait fini de tous les beaux rêves, de toute la vertu, de tout l'amour de Dieu et du bien. »

Narcisse, plongé dans ses pensées, fit un signe de tête.

« L'amour de Dieu, dit-il lentement en cherchant ses mots, n'est pas toujours la même chose que l'amour du bien. Ah ! si seulement la vie était aussi simple que cela ! Ce qui est bon, nous le connaissons ; c'est dans les commandements. Mais, sais-tu, Dieu n'est pas seulement dans les commandements. Ils constituent une toute petite partie de son immensité. Tu peux être en règle avec les commandements et te trouver bien loin de Dieu !

– Mais ne comprends-tu donc pas ? gémit Goldmund.

– Bien sûr, je te comprends. Tu sens dans la femme, dans le sexe, la quintessence de ce que tu appelles « le monde », « le péché ». Tous les autres péchés, te semble-t-il, ou bien tu n'es pas capable de les commettre, ou bien, si tu les commettais, ils ne t'écraseraient pourtant pas. Tu pourrais les confesser et les réparer. Mais cette seule faute-là, non.

– Bien sûr, c'est là mon sentiment.

– Tu vois bien que je te comprends. Tu n'as pas non plus tellement tort. L'histoire d'Eve et du serpent, ce n'est pas une vaine fable, bien sûr. Et pourtant, tu n'as pas raison, mon cher. Tu aurais raison si tu étais l'abbé Daniel ou bien ton saint patron Chrysostome, si tu étais un évêque ou un prêtre, ou un simple petit moinillon ; mais tu ne l'es pas. Tu es un élève et si tu as le désir de rester au cloître pour toujours ou si ton père a ce désir pour toi, tu n'as pas fait de vœu, tu n'as pas reçu les ordres. Si aujourd'hui ou demain tu étais séduit par une jolie fille et succombais à la tentation, tu n'aurais pas rompu ton serment, violé ton vœu.

– Pas un serment écrit, s'écria Goldmund très ému, mais bien une promesse non écrite, ce que je porte en moi de plus sacré. Ne vois-tu pas que ce qui vaut pour beaucoup d'autres ne vaut pas pour moi ? Tu n'as pas toi-même reçu les ordres, tu n'as pas encore prononcé de vœux et tu ne te permettrais jamais de toucher une femme. Ou bien est-ce que je me trompe ? N'es-tu pas ainsi ? N'es-tu pas celui pour qui je te tenais ? N'as-tu pas, toi aussi, depuis longtemps prêté dans ton cœur le serment que tu n'as pas encore prononcé devant tes supérieurs, et ne te juges-tu pas engagé par lui à jamais ? N'es-tu pas semblable à moi ?

– Non, Goldmund, je ne suis pas semblable à toi, pas comme tu le crois. Sans doute, je tiens, moi aussi, un serment que je n'ai pas prononcé ; en cela tu as raison. Mais je ne suis nullement semblable à toi. Je vais te dire aujourd'hui une parole à laquelle tu penseras un jour. Je te dis : « Notre amitié n'a pas d'autre but, n'a pas d'autre sens, que de te montrer comme tu es absolument différent de moi. »

Goldmund resta interdit. Narcisse s'était exprimé sur un ton qui n'admettait pas de réplique. Il se tut. Mais pourquoi l'ami parlait-il ainsi ? Pourquoi le serment inexprimé de Narcisse serait-il plus sacré que le sien propre ? Ne voyait-il en lui qu'un enfant ? Ne le prenait-il nullement au sérieux ? Les complications et les tristesses de cette étrange amitié recommençaient.

Narcisse était fixé sur la nature du secret de Goldmund. C'était Eve, notre première mère, qui se cachait là-dessous. Mais comment se pouvait-il qu'en un jeune homme, si beau, si sain, si florissant, les besoins sexuels se heurtent dès leur éveil à une hostilité si âpre ? Il fallait qu'un démon se fût mis à l'œuvre, un ennemi secret, qui eût réussi à diviser contre lui-même un magnifique être humain et à le mettre en révolte contre ses instincts essentiels. Bon, il fallait trouver ce démon, l'exorciser, le faire apparaître ; alors on pourrait le vaincre.

Pendant ce temps-là les camarades de Goldmund l'évitaient de plus en plus, le laissaient de côté, ou, plutôt, se sentaient délaissés par lui et, dans un certain sens, trahis. Sa liaison avec Narcisse ne plaisait à personne. Les malintentionnés s'en indignaient et la prétendaient contre nature – particulièrement ceux qui s'étaient amourachés de l'un des deux jeunes gens. Mais ceux-là aussi qui voyaient bien qu'il ne pouvait le moins du monde être question de vice branlaient la tête. Personne ne prenait joie à l'accord de ces deux jeunes êtres. En se rapprochant l'un de l'autre ils s'étaient, semblait-il, par un aristocratique orgueil, retranchés du reste de la communauté scolaire qu'ils jugeaient avec dédain. Ce n'était pas là de la bonne camaraderie, c'était anormal dans un cloître, ce n'était pas chrétien.

Des bruits, des accusations, des calomnies vinrent aux oreilles de l'abbé Daniel. Il en avait bien vu de ces amitiés de jeunes gens en plus de quarante ans passés au monastère. Cela faisait partie de la vie du cloître, cela l'agrémentait parfois de façon gracieuse ou constituait parfois un danger. Il décida de ne pas s'en mêler, gardant les yeux ouverts sans intervenir. Une amitié si vive et si exclusive était chose rare, non pas certes sans péril ; mais comme il ne doutait pas un instant de sa pureté, il laissa les choses suivre leur cours. Si Narcisse n'avait été dans une situation exceptionnelle entre les élèves et les professeurs, l'abbé n'aurait pas hésité à les séparer en plaçant entre eux quelques consignes impératives. Il n'était pas bon pour Goldmund de se tenir à l'écart de ses condisciples et de n'avoir qu'un ami plus âgé, un professeur. Mais pouvait-on gêner dans sa carrière de choix et écarter des fonctions enseignantes Narcisse, cet être d'élite, si richement doué, considéré par tous ses maîtres comme leur égal et même comme leur supérieur ? S'il n'était pas resté à la hauteur de sa tâche, si cette amitié l'avait incliné à la partialité ou à la négligence, il l'aurait aussitôt relevé de ses fonctions.

Mais il n'y avait rien contre lui, rien que des bruits, rien que la défiance envieuse des autres.

En outre l'abbé n'ignorait pas les dons exceptionnels de Narcisse, sa connaissance étrangement pénétrante des hommes, où il entrait bien peut-être quelque présomption. Il ne surestimait pas de tels dons, il en était d'autres qu'il aurait préféré trouver en Narcisse. Mais il ne doutait pas que celui-ci eût décelé en l'élève Goldmund une personnalité originale. En Goldmund, rien d'autre ne l'avait frappé, lui, l'abbé, en dehors de la grâce irrésistible de sa nature, que le zèle prématuré et même un peu vieillot avec lequel il semblait dès maintenant, simple élève et hôte du cloître, se considérer comme faisant partie du monastère et presque comme un de leurs frères en religion. Il ne pensait pas avoir lieu de craindre que Narcisse favorisât et plus encore stimulât ce zèle touchant, mais qui manquait de maturité. Ce qui était à redouter pour Goldmund, c'était plutôt que son ami lui transmette une certaine prétention intellectuelle et son orgueil de savant. Mais justement pour cet élève-là le danger ne lui semblait pas grand ; on pouvait courir ce risque. Quand il considérait comme il était plus simple, plus commode, comme il était de tout repos, pour un directeur, d'administrer des hommes du commun plutôt que de grandes et fortes natures, il ne pouvait s'empêcher de soupirer et de sourire. Mais il ne voulait pas se laisser gagner par la défiance, il ne voulait pas se montrer ingrat envers Dieu qui lui avait confié deux êtres d'élite.

Narcisse réfléchissait beaucoup sur le cas de son ami. Depuis longtemps son aptitude exceptionnelle à pénétrer et à sentir le tempérament et la vocation des autres l'avait renseigné sur Goldmund. Le rayonnement de vie qui émanait de ce jeune homme l'indiquait nettement : il portait tous les signes d'un individu richement doué dans ses sens et dans son âme, d'un artiste peut-être, en tout cas d'un homme de grande puissance affective dont c'était le destin et le bonheur de s'enflammer promptement et de faire don de soi-même. Pourquoi donc cet être sentimental, cet homme aux sens affinés et riches qui pouvait éprouver si intensément le charme d'une fleur, d'un lever de soleil, d'un cheval, d'un vol d'oiseau, d'une musique, et les aimer, pourquoi s'acharnait-il à vouloir être un intellectuel et un ascète ? Narcisse médita longtemps là-dessus. Il savait que le père de Goldmund avait favorisé cette tendance de l'enfant. Mais pouvait-il l'avoir suscitée ? Par quelle formule magique avait-il ensorcelé son

fils pour que celui-ci crût voir là sa vocation et son devoir?
Quel homme pouvait-il bien être, ce père? Quoiqu'il eût,
bien des fois, amené la conversation sur lui et que Goldmund
ne se soit pas privé d'en parler, Narcisse ne parvenait pas
pourtant à se le représenter, il n'arrivait pas à le voir. N'était-
ce pas étrange et suspect? Quand Goldmund parlait d'une
truite qu'il avait prise étant enfant, quand il décrivait un
papillon, imitait le cri d'un oiseau, racontait quelque chose
d'un camarade, d'un chien, d'un mendiant, alors les images
se levaient, on voyait ces êtres. Quand il parlait de son père,
on ne voyait rien. Non, si ce père avait été vraiment dans la
vie de Goldmund une figure importante, puissante, domi-
nante, il aurait su le décrire autrement, évoquer d'autres
images de lui. Narcisse n'avait pas beaucoup de considération pour ce père, il ne lui plaisait pas, il se demandait même
parfois s'il était bien le père de Goldmund. C'était une idole
sans réalité. Mais d'où tenait-il sa force? Comment avait-il
pu remplir l'âme de son fils de rêves si étrangers à son
essence?

Goldmund aussi se perdait en réflexions. Si sûr qu'il fût
de l'amour de son ami, il n'en avait pas moins toujours le
sentiment pénible de ne pas être pris par lui assez au sérieux,
d'être toujours traité un peu comme un enfant. Et que voulait
dire Narcisse en lui donnant toujours à entendre qu'il n'était
pas semblable à lui?

Cependant ces songeries ne remplissaient pas les journées
de Goldmund. Il n'était pas capable d'une longue méditation.
Il avait autre chose à faire tout le long du jour. Souvent il
était fourré chez le frère portier avec qui il s'entendait à merveille. Il ne cessait de solliciter ou de faire naître par ruse
l'occasion de monter une heure ou deux le cheval Bless et il
était fort bien avec les quelques employés du monastère, en
particulier avec le meunier; souvent il épiait les loutres en
compagnie de son domestique ou bien ils faisaient des crêpes
avec la fine farine des prélats que Goldmund savait reconnaître les yeux fermés, rien qu'à l'odeur, parmi toutes les
autres. Encore qu'il fût souvent avec Narcisse, bien des
heures lui restaient cependant pour se laisser aller à ses
anciennes habitudes et s'abandonner à ses anciennes joies.
Les offices étaient eux aussi pour lui le plus souvent une
jouissance. Il aimait chanter dans le chœur des élèves, réciter
un rosaire devant un autel de son choix, entendre le beau
latin solennel de la messe, contempler, à travers le nuage
d'encens, l'or étincelant des objets du culte et des ornements

sacrés, ainsi que les calmes et vénérables figures des saints debout sur les colonnes, les évangélistes avec les bêtes symboliques, saint Jacques avec sa besace et son chapeau de pèlerin.

Il se sentait attiré par ces figures de pierre et de bois. Il avait plaisir à imaginer entre elles et sa personne des rapports mystérieux ; il y voyait comme des parrains, des protecteurs et des guides de sa vie, immortels et omniscients. De même il percevait une affinité secrète et charmante entre son âme tendre et les colonnes, les chapiteaux des fenêtres et des portails, les ornements des autels, les crosses et les couronnes aux gracieux profils, ces feuilles et ces fleurs à la folle végétation qui se dégageaient de la pierre des piliers et se repliaient de façon si suggestive et si émouvante. Cette existence à côté du monde végétal et animal d'une seconde nature, muette celle-là, créée par l'homme ; la présence de ces personnages, de ces animaux et de ces plantes en pierre et en bois, cela lui semblait un précieux et profond mystère. Souvent il passait une de ses heures de loisir à reproduire ces figures, ces têtes d'animaux, ces bouquets de fleurs, et il essayait parfois de dessiner aussi de vraies fleurs, de vrais chevaux, des visages humains véritables.

Il aimait aussi beaucoup les chants d'église, en particulier les cantiques à la Vierge. Il avait du goût pour le déroulement invariable et sûr de ces chants, le retour incessant des implorations et des louanges. Il était capable d'en suivre le sens dans un recueillement plein de ferveur aussi bien que d'oublier ce sens pour aimer seulement le rythme solennel de ces vers et les accueillir en lui, se laissant pénétrer de leurs sonorités profondes et traînantes, de la densité et de l'éclat de leurs voyelles, de leurs pieuses répétitions. Au fond de son cœur il n'était pas attiré par la science, ni par la grammaire, ni par la logique, bien qu'elles eussent aussi pour lui leur beauté, mais il leur préférait le monde imagé et sonore de la liturgie.

Et toujours il y avait des instants où il savait rompre l'isolement qui l'enveloppait au milieu de ses condisciples. À la longue, il lui était pénible et ennuyeux de rester environné de froideur et tenu à distance. Toujours il trouvait moyen de faire rire à son pupitre un camarade grognon, d'amener à bavarder un voisin de lit silencieux. Il se donnait de la peine pendant une heure, se mettait en frais pour se montrer aimable et ramenait à lui pour quelques instants les yeux, le visage, le cœur de quelques compagnons. Deux fois, par ces efforts de rapprochement, il provoqua, bien contre son gré, l'invitation à « venir au village ». Alors il prenait peur et s'écartait vite avec un frisson. Non, il n'irait plus « au village ». Il avait réussi à oublier la fillette aux tresses, à n'y plus penser jamais ou, du moins, presque jamais.

CHAPITRE IV

Longtemps les travaux d'approche de Narcisse contre le secret de Goldmund étaient restés sans résultats. Longtemps il avait essayé, en vain semblait-il, de l'éveiller, de lui enseigner la langue dans laquelle le secret pourrait se divulguer.

De ce que son ami lui avait révélé sur son origine et sur le pays de son enfance, aucune image ne s'était formée. On se trouvait en présence d'un père dont la silhouette était floue, les lignes imprécises, mais que l'enfant vénérait ; et de la légende d'une mère disparue ou morte depuis longtemps déjà et qui n'était plus qu'un nom sans relief. Habile à lire dans les âmes, Narcisse avait peu à peu constaté que son ami était de ceux qui ont perdu une partie de leur passé, de ceux qui, sous la pression de quelque contrainte ou de quelque sortilège, ont dû se résigner à en oublier un fragment. Il se rendit compte que de simples questions ou de simples exhortations seraient vaines en pareil cas, il vit aussi qu'il avait trop compté sur la puissance de la raison et beaucoup parlé pour rien.

Mais ce qui n'était pas resté vain, c'était l'amour qui le liait à son ami et l'habitude de la vie commune. En dépit de toutes les profondes différences de leurs natures, tous deux avaient beaucoup appris l'un de l'autre ; entre eux, à côté de la langue de la raison, il s'était peu à peu formé un parler de l'âme, un langage de signes, de même que, entre deux agglomérations, il y a bien une route sur laquelle circulent les voitures et les cavaliers, mais à côté se tracent beaucoup de petites sentes, de chemins de traverse, de sentiers détournés ; chemins pour les enfants, sentiers pour les amoureux, sentes à peine visibles pour les chiens et les chats. Fécondée par la tendresse, l'imagination de Goldmund avait peu à peu trouvé moyen de pénétrer par des voies magiques dans la pensée de son ami et dans sa langue, et celui-ci, de son côté, avait appris à comprendre et à sentir sans paroles bien des façons de voir et des manières d'être de Goldmund. Lentement, dans la lumière de l'amour, de nouveaux contacts s'établissaient d'âme à âme, les mots ne venaient qu'après. Ainsi, à leur surprise à tous deux, un jour de congé, une conversation s'engagea dans la bibliothèque entre les amis, conversation qui les fit pénétrer jusqu'au cœur de leur amitié, leur en découvrit le sens, et projeta au loin de nouvelles lumières.

Ils avaient parlé de l'astrologie qu'on ne pratiquait pas au monastère et qui y était interdite. Narcisse avait expliqué que l'astrologie était un effort pour ordonner en un système la variété des mille tempéraments des hommes et aussi leurs sorts et leurs destins. À ce moment Goldmund intervint : « Tu parles toujours de différences – j'ai constaté, à la longue, que c'est là ce qui te caractérise le mieux. Lorsque tu parles de la grande différence qui existe par exemple entre toi et moi, j'ai toujours l'impression que cette différence ne consiste en rien d'autre qu'en ton bizarre acharnement à découvrir partout des différences.

NARCISSE. – Bien sûr tu es dans le vrai. Les distinctions en effet n'ont pas grande importance pour toi ; pour moi, elles sont la seule chose qui compte. Je suis, par tout mon être, un savant ; mon destin, c'est la science. Et faire de la science, ce n'est, pour parler comme toi, rien d'autre que de s'acharner à découvrir des différences. On ne saurait mieux définir son essence. Pour nous, hommes de science, rien de plus important que d'établir des distinctions ; la science, c'est l'art des distinctions. Ainsi, découvrir sur chaque homme les caractères qui le distinguent des autres, c'est apprendre à le connaître.

GOLDMUND. – Ah ! oui. Celui-ci a des sabots de paysan : c'est un paysan ; cet autre une couronne sur la tête : c'est un roi. Ce sont des distinctions bien sûr ; mais elles sont à la portée d'un enfant sans qu'il soit besoin de toute votre science.

NARCISSE. – Seulement quand le roi et le paysan ont le même vêtement, l'enfant ne sait plus les distinguer.

GOLDMUND. – La science non plus.

NARCISSE. – Si pourtant, peut-être. La science n'est pas plus sage que l'enfant, il faut en convenir, mais plus patiente. Elle ne se contente pas de noter les caractères les plus frappants.

GOLDMUND. – Un enfant intelligent non plus. Il reconnaîtra le roi à son regard ou à son allure. Bref, vous autres savants, vous êtes orgueilleux ; vous nous croyez toujours, nous autres, plus bêtes que vous. On peut être très intelligent sans le secours de la science.

NARCISSE. — Je suis heureux que tu commences à t'en rendre compte. Tu ne tarderas pas beaucoup à t'apercevoir que, quand je parle de différence entre toi et moi, je ne songe pas à l'intelligence. Je ne dis pas que tu es plus intelligent ou plus bête, meilleur ou plus mauvais : je dis seulement que tu es autre.

GOLDMUND. — C'est facile à comprendre. Mais tu ne parles pas seulement de la différence des caractères, tu fais également allusion à des différences dans la destinée, dans le sort qui nous est réservé. Pourquoi, par exemple, aurais-tu un autre destin que moi ? Tu es, comme moi, un chrétien. Tu es, comme moi, résolu à mener la vie monastique. Tu es, comme moi, un fils de notre bon Père céleste. Notre but à tous deux est le même : la béatitude éternelle. Notre destin est le même ; le retour à Dieu.

NARCISSE. — Très bien ; dans le catéchisme un homme en vaut un autre, en effet, mais pas dans la vie. Le disciple préféré qui reposait sa tête sur la poitrine du Sauveur et l'autre disciple, celui qui le trahit, ils n'ont pas eu tous deux, ce me semble, le même destin.

GOLDMUND. — Tu es un sophiste, Narcisse. Ce n'est pas par cette voie-là que nous allons nous rapprocher l'un de l'autre.

NARCISSE. — Il n'est pas de voie par laquelle nous puissions nous rapprocher.

GOLDMUND. — Ne dis pas cela !

NARCISSE. — Je le dis comme je le pense. Nous n'avons pas plus à nous rapprocher les uns des autres que le soleil et la lune, la mer et la terre. Nous deux, mon cher ami, nous sommes le soleil et la lune, la mer et la terre. Notre but n'est pas de nous fondre l'un dans l'autre, mais de discerner l'un l'autre ce que nous sommes et d'apprendre chacun à voir et à honorer ce qu'il est vraiment : le contraire et le complément de son ami. »

Goldmund resta interdit, la tête basse. La tristesse se lisait sur son visage.

À la fin il déclara : « Est-ce pour cela que, si souvent, tu ne prends pas au sérieux mes idées ? »

Narcisse hésita un moment à répondre, puis il dit d'une voix nette et dure : « C'est pour cela. Il faut que tu t'y habitues, cher Goldmund, c'est toi-même seulement que je prends au sérieux. Crois-le bien, je prends au sérieux chaque intonation de ta voix, chacun de tes gestes, chacun de tes sourires. Mais tes idées, je les prends moins au sérieux. Je prends en toi au sérieux ce que je considère comme essentiel et nécessaire. Pourquoi veux-tu que ce soit justement à tes idées que je donne tant de considération, alors que tu as reçu tant d'autres dons ? »

Goldmund eut un sourire amer : « Je le disais bien, tu m'as toujours tenu pour un enfant. »

Narcisse ne fléchit pas. « Je considère une partie de tes pensées comme enfantines. Nous disions tout à l'heure, souviens-toi, qu'un enfant avec son bon sens n'était nullement plus bête qu'un savant. Mais quand l'enfant veut dire son mot sur la science, le savant ne va pas le prendre au sérieux ! »

Goldmund répliqua vivement : « Tu te moques de moi aussi quand nous ne parlons pas de science. Ainsi tu fais toujours comme si toute ma piété, tous mes efforts pour faire des progrès dans l'étude, comme si mon désir de vie monastique n'étaient qu'enfantillages. »

Narcisse le considéra d'un air grave. « Je te prends au sérieux quand tu es Goldmund. Mais tu ne l'es pas toujours. Mon vœu le plus cher, c'est que tu sois tout à fait Goldmund. Tu n'es pas un savant, tu n'es pas un moine. Un savant et un moine, ça se fabrique avec du bois de bien peu de prix. Tu t'imagines que tu es pour moi trop peu savant, trop peu logicien, ou que ta piété n'est pas assez ardente. Mais non ! Tu es pour moi trop peu toi-même. »

Bien que Goldmund se fût retiré après cet entretien, confus et même blessé, il n'en manifesta pas moins lui-même, au bout de quelques jours, le désir de le poursuivre. Cette fois, Narcisse réussit à lui présenter des différences qui les distinguaient, une image telle que Goldmund fut plus à même de l'accepter.

Narcisse s'était échauffé au cours de sa démonstration. Il sentait que Goldmund était aujourd'hui plus ouvert à ses paroles et les accueillait en lui de meilleure grâce. Il se rendit compte qu'il avait prise sur lui. Il se laissa entraîner par le succès à en dire plus qu'il n'avait eu l'intention, il se laissa emporter par ses propres paroles.

« Vois, dit-il, il n'y a qu'un point où j'aie sur toi l'avantage. J'ai les yeux ouverts tandis que tu n'es qu'à demi éveillé ou que parfois tu dors tout à fait. J'appelle un homme en éveil celui qui, de toute sa conscience, de toute sa raison, se connaît lui-même, avec ses forces et ses faiblesses intimes qui échappent à la raison, et sait compter avec elles. Apprendre cela, voilà le sens que peut avoir pour toi notre rencontre. Chez toi, Goldmund, la nature et la pensée, le monde conscient et le monde des rêves sont séparés par un abîme. Tu as oublié ton enfance. Des profondeurs de ton âme elle cherche à reprendre possession de toi. Elle te fera souffrir jusqu'à ce que tu entendes son appel. Il suffit là-dessus ! Comme je te l'ai dit, je suis en éveil bien plus que toi. En cela je te dépasse de cent coudées et c'est pour cela que je puis te servir. Dans tout le reste, mon cher, tu me dépasses sans conteste. Plutôt tu me dépasseras dès que tu te seras trouvé toi-même. »

Goldmund avait écouté avec surprise ; mais à la formule « tu as oublié ton enfance », il fit un mouvement convulsif comme touché d'une flèche sans que Narcisse, qui, à son habitude, tenait en parlant les yeux baissés ou fixes devant soi, comme s'il trouvait ainsi mieux ses mots, s'en fût aperçu. Il ne remarqua pas que le visage de Goldmund se convulsait tout à coup et se mettait à pâlir.

« Supérieur à toi ! moi ! » balbutia-t-il, simplement pour dire quelque chose. Et ses traits se figèrent.

« Bien sûr, poursuivit Narcisse, les natures du genre de la tienne, les hommes doués de sens délicats, ceux qui ont de l'âme, les poètes, ceux pour qui toute la vie est amour nous sont presque toujours supérieurs, à nous, chez qui domine l'intellect. Vous êtes, par votre origine, du côté de la mère. Vous vivez dans la plénitude de l'être. La force de l'amour, la capacité de vivre intensément les choses est votre lot. Nous autres, hommes d'intellect, bien que nous ayons l'air souvent de vous diriger et de vous gouverner, nous ne vivons pas dans l'intégrité de l'être, nous vivons dans les abstractions. À vous la plénitude de la vie, le suc des fruits, à vous le jardin de l'amour, le beau pays de l'art. Vous êtes chez vous sur terre, nous dans le monde des idées. Vous courez le risque de sombrer dans la sensualité, nous d'étouffer dans le vide. Tu es artiste, je suis penseur. Tu dors sur le cœur d'une mère, je veille dans le désert. Moi, c'est le soleil qui m'éclaire, pour toi brillent la lune et les étoiles. Ce sont des jeunes filles qui hantent tes rêves ; moi, ce sont mes écoliers… »

Goldmund, ouvrant de grands yeux, avait écouté Narcisse parler dans une sorte d'ivresse, se grisant en quelque sorte de ses paroles. Plus d'une d'entre elles l'avait touché comme une épée. Les dernières le firent pâlir, il ferma les yeux et, quand Narcisse s'en aperçut, et, pris d'inquiétude, posa des questions, il répondit, blême, d'une voix éteinte :

« Il m'est arrivé une fois de m'effondrer devant toi, et de ne pouvoir m'empêcher de pleurer, tu te souviens ? Il ne faut pas que cela se répète. Je ne me le pardonnerais jamais ; je ne te le pardonnerais pas à toi non plus. Va-t'en vite et laisse-moi seul. Tu m'as dit des choses terribles. »

Narcisse fut très ému. Il s'était laissé emporter par ses paroles. Il avait eu l'impression de parler mieux qu'à l'ordinaire. Maintenant, il se rendait compte avec une profonde stupéfaction que l'une quelconque de ses formules avait touché son ami quelque part au vif. Il lui était pénible de le laisser seul en un tel instant et il hésita quelques secondes. Le front plissé de Goldmund lui signifia sa volonté et il se sauva tout confus pour abandonner son ami à la solitude dont il avait besoin.

Cette fois la surexcitation dans l'âme de Goldmund ne se déchargea pas en pleurs. Conscient d'avoir reçu une blessure profonde et incurable, comme si son ami lui avait donné soudain un coup de couteau en pleine poitrine, il s'arrêta, respirant à grand-peine, le cœur serré à en mourir, le visage blanc comme un linge, les mains insensibles. C'était à nouveau la même misère que naguère, plus intense seulement de quelques degrés. À nouveau il se sentait étouffer, contraint de regarder en face un spectacle terrible, quelque chose d'absolument intolérable. Mais cette fois les sanglots libérateurs ne vinrent pas l'aider à surmonter l'épreuve. Sainte Mère de Dieu ! De quoi s'agissait-il donc ?

L'avait-on égorgé ? Avait-il tué ? Quelles paroles terribles avaient été prononcées là ?

Il exhalait son souffle en haletant. Comme un homme empoisonné il était rempli à éclater du sentiment d'avoir à se débarrasser de quelque chose de mortel, profondément entré en lui. Avec des mouvements de nageur il se précipita hors de la pièce et s'enfuit, inconscient, dans les coins les plus silencieux, les plus déserts du monastère, par les couloirs et les escaliers, au grand air, à l'air libre. Il était arrivé au refuge le plus profond du cloître, au promenoir ; au-dessus des vertes plates-bandes le soleil brillait de toute sa clarté, à travers l'air où les pierres maintenaient la fraîcheur, où le parfum de roses s'infiltrait, douceureux et incertain.

Sans s'en douter, Narcisse venait de faire ce qu'il s'était longtemps proposé. Il avait évoqué par son nom le démon dont son ami était possédé ; il lui avait tenu tête. Éveillé par l'une quelconque des paroles de Narcisse, le secret s'était cabré, provoquant une douleur intense. Longtemps, Narcisse erra dans le couvent, cherchant son ami, mais il ne le trouva nulle part.

Goldmund était debout sous un des lourds arcs en plein cintre qui menaient du promenoir au jardinet. De chaque colonne supportant l'arc, trois têtes d'animaux, des têtes de chien ou de loup en pierre, abaissaient sur lui des yeux ronds. Le mal le minait affreusement, cherchant vainement à s'ouvrir un chemin vers la lumière, vers la raison. En regardant machinalement au-dessus de lui il aperçut l'un des chapiteaux avec les trois têtes d'animaux, et aussitôt il eut le sentiment que les trois bêtes étaient installées en lui, dans ses entrailles, aboyant et roulant leurs yeux féroces.

« Je vais mourir », sentit-il avec un immense effroi. Et tout de suite après, tremblant d'angoisse, il se dit : « Voilà que je perds l'esprit, les trois gueules de bêtes me dévorent. »

Il s'affaissa, pantelant, au pied de la colonne. La douleur était trop intense, elle avait atteint son paroxysme. Autour de lui, tout se brouilla ; il perdit connaissance, le visage au sol, dans le soulagement tant désiré du non-être.

Cette journée n'avait guère donné de joies à l'abbé. Une fois encore deux des plus vieux moines, en proie à leur vieille jalousie, étaient venus à lui, excités, braillards, s'accusant l'un l'autre et se querellant furieusement pour des niaiseries. Il les avait écoutés – bien trop longtemps –, les avait admonestés, mais en vain, et les avait finalement congédiés, chacun avec une pénitence assez dure, gardant au cœur le sentiment que tout cela était peine perdue. Epuisé, il s'était retiré dans la chapelle de la crypte, il avait prié, il s'était relevé sans avoir trouvé réconfort. Il venait maintenant, attiré par le discret parfum des roses, respirer un instant dans le promenoir. Il y trouva l'élève Goldmund étendu sans connaissance sur les dalles. Il le regarda tristement, effrayé par la pâleur éteinte de ce visage d'ordinaire si jeune et si beau. C'était aujourd'hui une mauvaise journée ; il ne manquait plus que cela ! Il essaya de relever le jeune homme, mais il n'était pas de force à porter un tel fardeau. Avec de profonds soupirs il partit, ce vieil homme, appeler deux des plus jeunes frères pour qu'ils l'emportent et il envoya aussi chercher le père Anselme, qui était un guérisseur. En même temps il fit appeler Narcisse. Celui-ci fut vite trouvé et arriva bientôt.

« Sais-tu déjà ? lui demanda-t-il.

– Il s'agit de Goldmund? Oui, vénéré père. Je viens d'apprendre qu'il est malade ou victime d'un accident et qu'on vient de l'emporter.

– Oui. Je l'ai trouvé étendu dans le promenoir, où il n'avait que faire, à vrai dire. Ce n'est pas un accident; il est sans connaissance. Cela ne me plaît pas. Il me semble que tu ne dois pas être étranger à l'événement, ou tout au moins que tu es au courant de quelque chose. N'est-il pas ton intime? C'est pour cela que je t'ai appelé. Parle! »

Narcisse, comme toujours maître de son attitude et de son langage, fit un bref rapport sur son entretien d'aujourd'hui avec Goldmund et sur la vivacité surprenante avec laquelle celui-ci avait accueilli ses paroles. L'abbé branla la tête, non sans marquer quelque mécontentement.

« Ce sont là de curieux entretiens, dit-il, en s'efforçant de rester calme. La conversation dont tu viens de me rendre compte, on pourrait presque l'appeler une intervention dans la vie intérieure d'autrui; c'est le rôle d'un directeur de conscience que tu prends là. Or, tu n'es pas le directeur de conscience de Goldmund. Tu n'as pas encore les ordres. Comment se fait-il que tu parles sur le ton d'un conseiller à un élève sur des sujets qui ne regardent que son directeur? Les conséquences, tu le vois, ont été mauvaises.

– Les conséquences, dit Narcisse d'un ton calme et sûr, nous ne les connaissons pas encore, vénéré père. Sa violente réaction m'a un peu effrayé, mais je ne doute pas que les suites de notre conversation soient bonnes pour Goldmund.

– Nous verrons ces suites. Je ne parle pas d'elles en ce moment, mais de ta façon d'agir. Qu'est-ce qui t'a amené à avoir de telles conversations avec Goldmund?

– Vous le savez, il est mon ami. J'ai pour lui une affection particulière et je vois clair en lui, je crois. Vous appelez ma conduite à son égard celle d'un directeur de conscience; je n'ai en aucune façon usurpé une autorité religieuse. Je croyais seulement le connaître mieux qu'il ne se connaît lui-même. »

L'abbé haussa les épaules.

« Je sais. C'est ta spécialité. Espérons que tu n'as ainsi causé aucun dommage. Goldmund est-il malade? Je veux dire, y a-t-il chez lui quelque chose qui ne va pas? Est-il affaibli? Dort-il mal? N'a-t-il pas d'appétit? Souffre-t-il de quelque manière?

– Non. Jusqu'à présent il a été en bonne santé. En bonne santé physique.

– Et pour le reste ?

– Moralement il souffre, c'est sûr. Vous le savez, il est à l'âge où la lutte contre l'instinct sexuel commence.

– Je sais, il a dix-sept ans.

– Dix-huit ans.

– Dix-huit ans en effet. C'est assez tard. Mais cette lutte-là, c'est chose normale. Chacun doit y passer. On ne peut pas dire pour cela qu'il soit malade moralement.

– Non, vénéré père, pas seulement à cause de cela. Mais Goldmund avait auparavant, depuis longtemps déjà, l'âme malade. C'est pourquoi ces combats sont plus dangereux pour lui que pour d'autres. Il souffre, je crois, d'avoir oublié une partie de son passé.

– Tiens ! Quelle partie ?

– Sa mère, et tout ce qui se rattache à elle. Moi non plus je ne sais rien là-dessus. Je sais seulement que là doit être l'origine de sa maladie. Goldmund prétend ne rien savoir de sa mère, si ce n'est qu'il l'a perdue de bonne heure. Mais il donne l'impression d'avoir honte d'elle. Et pourtant ce doit être d'elle qu'il a hérité la plupart de ses dons ; ce qu'il peut raconter de son père ne le fait pas apparaître comme susceptible d'avoir un fils si beau, si doué, si distingué. Tout cela, je ne le sais pas parce qu'on me l'a exposé, mais je le déduis de certains indices. »

L'abbé, qui, au début, avait un peu souri en lui-même de ces remarques – elles lui paraissaient le fait d'un blanc-bec prétentieux – et pour qui toute l'affaire était importune et fatigante, se mit à réfléchir. Il se souvint du père de Goldmund, cet homme quelque peu guindé et distant. En y réfléchissant, il se rappela aussi quelques paroles de celui-ci au sujet de la mère de Goldmund. Elle l'avait couvert de honte, avait-il dit, et abandonné. Il s'était efforcé d'étouffer dans son fils tout petit le souvenir de sa mère et des vices qu'il eût pu hériter d'elle. Il y avait réussi et l'enfant était disposé à offrir sa vie à Dieu en expiation des fautes maternelles.

Jamais l'abbé n'avait été plus mal disposé qu'aujourd'hui pour Narcisse. Et pourtant, comme ce songe-creux avait bien deviné, comme il semblait en effet bien connaître Goldmund !

Pour finir, Narcisse, interrogé à nouveau sur l'incident de ce jour, déclara :

« La violente émotion qui s'est aujourd'hui emparée de Goldmund n'était pas dans mes vues. Je lui ai fait remarquer qu'il ne se connaît pas lui-même, qu'il a oublié sa jeunesse et sa mère. Il faut qu'une quelconque de mes paroles l'ait touché et ait pénétré dans les ténèbres contre lesquelles je lutte depuis longtemps déjà. Il était comme pétrifié. Il me regardait comme s'il ne me connaissait plus et ne se connaissait plus lui-même. Je lui ai dit bien des fois qu'il dormait et n'était pas vraiment éveillé. Il est réveillé maintenant, je n'en doute nullement. »

On le congédia sans le blâmer, mais avec la défense d'aller voir le malade pour le moment.

Pendant ce temps le père Anselme avait fait étendre sur le lit le jeune homme évanoui et s'était installé près de lui. Le ramener à la conscience par des moyens violents, cela ne lui semblait pas indiqué. Le malade avait trop bonne mine. Le bon visage ridé du vieillard se pencha avec bienveillance sur l'adolescent. Il commença par tâter le pouls et par ausculter le cœur. « Certainement, se dit-il, le gamin avait avalé quelque chose d'inimaginable, de l'oseille en masse, ou quelque autre stupidité ; on connaissait ça. » Il ne pouvait pas voir la langue. Le père aimait bien Goldmund, mais ne pouvait sentir son ami, ce jeune maître trop précoce. « Il y était maintenant. Sûrement Narcisse était pour quelque chose dans cette stupide histoire. Mais aussi qu'avait-il besoin, ce frais garçon aux yeux clairs, ce brave enfant de la nature, de se lier précisément avec ce savant orgueilleux, ce grammairien vaniteux pour qui son grec avait plus d'importance que tout ce qui vit dans le monde ! »

Quand, au bout d'un certain temps, la porte s'ouvrit et que l'abbé entra, le père était toujours assis là, les yeux fixés sur le visage du malade évanoui. Quelle bonne jeune figure sans malice c'était là ! Et on avait beau rester à côté, vouloir lui venir en aide, on n'y arriverait sans doute pas. Certes il pouvait y avoir à l'origine une colique ; il ordonnerait du vin chaud, peut-être de la rhubarbe. Mais plus il scrutait le visage crispé, pâle et verdâtre, plus ses soupçons se portaient dans un autre sens, plus scabreux. Le père Anselme avait de l'expérience. Plus d'une fois, au cours de sa longue existence, il avait vu des possédés. Il hésitait à exprimer, ne fût-ce que pour lui-même, ses soupçons. Il attendrait, il observerait. Mais, pensait-il avec fureur, si ce pauvre garçon avait été ensorcelé, alors on n'aurait pas besoin de chercher bien loin le coupable et gare à lui !

L'abbé s'approcha, regarda le malade, lui souleva doucement une paupière.

« Peut-on le réveiller ? demanda-t-il.

– J'aimerais attendre encore. Le cœur est sain. Il ne faut laisser personne l'approcher.

– Il y a danger ?

– Je ne crois pas. Pas la moindre blessure. Pas trace de coups ou de chute. Il est évanoui. C'est peut-être une colique ; des douleurs très violentes vous font perdre connaissance. Si c'était un empoisonnement il y aurait de la fièvre. Non, il reviendra à lui ; sa vie n'est pas en danger.

– Ça ne peut pas venir du moral ?

– Je ne voudrais pas le nier. On ne sait pas. Peut-être a-t-il eu une grande frayeur. Appris la mort de quelqu'un ? Une violente querelle, un affront ? Alors tout s'expliquerait.

– Nous ne savons pas. Veillez à ce que personne ne l'approche. Je vous prie de rester à son chevet jusqu'à ce qu'il revienne à lui. Si cela va mal, appelez-moi, même la nuit. »

Avant de s'en aller, le vieillard se pencha encore une fois sur le malade. Il pensait au père et au jour où il lui avait amené ce gai et joli blondin. Comme chacun s'était tout de suite attaché à lui ! Lui-même avait plaisir à le voir. Mais, sur un point, Narcisse avait vraiment raison : ce garçon ne rappelait en rien son père ! Ah ! que de soucis partout ! Comme on pouvait peu de chose ! N'avait-il rien négligé en ce qui concernait ce pauvre enfant ? Lui avait-on donné le confesseur qui lui convenait ? Etait-ce normal que personne dans la maison ne fût aussi bien renseigné sur lui que Narcisse ? Mais pouvait-il lui venir en aide, lui, encore novice, qui n'était ni frère ni prêtre et dont les pensées et les opinions, en dépit de toute leur supériorité, avaient toutes quelque chose de désagréable, presque d'antipathique. Et Narcisse lui-même n'avait-il pas été depuis longtemps mal dirigé ? Dieu le savait. Ne se cachait-il rien de mauvais derrière le masque de sa docilité ? N'était-il pas païen peut-être ? Et tout ce que deviendraient un jour ces deux jeunes gens, il l'aurait pour une part sur la conscience !

Lorsque Goldmund revint à lui, il faisait sombre. Il se sentait la tête vide, il avait le vertige. Il était couché dans un lit, mais ne savait où il se trouvait. Oh ! il ne se le demanda guère, ça lui était bien égal. Mais où avait-il été ? D'où revenait-il ? De quel pays lointain, de quelles aventures ? Il était allé quelque part, très loin, il avait vu des choses extraordinaires, magnifiques, épouvantables aussi et inoubliables – et que, pourtant, il avait oubliées. Où était-ce ? Qu'était-ce donc qui avait surgi là devant lui, si grand, si douloureux, si ravissant – pour disparaître ensuite ?

Il écoutait tout au fond de lui-même, là où, aujourd'hui, quelque chose s'était déclenché, où quelque chose s'était passé – qu'était-ce donc ? Des images confuses remontaient à sa mémoire en écheveaux inextricables. Il voyait des têtes de chien, trois têtes de chien et humait le parfum des roses. Oh ! qu'il avait eu mal ! Il ferma les yeux. Oh ! quelle douleur terrible ç'avait été. Il se rendormit.

Il se réveilla encore, et au moment même où se dissipait et glissait hors de son atteinte la vision de son rêve, il en retrouva l'image et tressaillit d'une volupté douloureuse. Il vit ; il était devenu voyant. Il « la » vit. Grande, rayonnante, la bouche pleinement épanouie, la chevelure resplendissante. Il vit sa mère. En même temps il crut entendre sa voix. « Tu as oublié ton enfance ! » Quelle était cette voix ? Il réfléchit et le sut. C'était Narcisse. Narcisse ? En un clin d'œil, en un éclair aveuglant, il retrouva tout : il se souvint, il avait pris conscience. Ô mère, mère ! Des montagnes de décombres, des océans d'oubli s'étaient évanouis, avaient disparu. Ils reposaient à nouveau sur lui, les yeux bleu clair, le regard royal de celle qu'il avait indiciblement aimée, de celle qu'il avait perdue.

Le père Anselme, qui sommeillait près du lit dans un fauteuil, se réveilla. Il entendit remuer le malade, perçut son souffle. Il se leva avec précaution.

« Il y a quelqu'un ici ? demanda Goldmund.

– C'est moi. Sois tranquille. Je vais faire de la lumière.

– Suis-je donc malade ? demanda le garçon.

– Tu as perdu connaissance, mon petit. Donne ta main. Nous allons chercher ton pouls. Comment te sens-tu ?

– Bien. Je vous remercie, père Anselme. Vous êtes bien bon. Je ne souffre plus. Je suis seulement las.

– Naturellement tu es las. Tu vas bientôt te remettre à dormir. Prends auparavant une gorgée de vin chaud, il est prêt. Nous allons boire un verre ensemble, mon garçon. À notre bonne camaraderie ! »

Il avait eu soin de tenir dans de l'eau chaude une petite cruche de vin.

« Nous avons donc dormi tous deux un bon moment, dit le médecin en riant. Un fameux garde-malade qui ne peut pas se tenir éveillé, vas-tu penser. Eh oui, nous sommes des hommes. Buvons un peu maintenant de ce breuvage magique, mon petit. Rien de tel qu'une petite beuverie clandestine la nuit. À la tienne ! »

Goldmund rit, trinqua et goûta. Le vin chaud, parfumé à la cannelle et à l'œillet, était bien sucré. Jamais il n'avait bu pareille boisson. Il lui vint à l'esprit qu'une fois déjà il avait été malade. Alors c'était Narcisse qui s'était occupé de lui. Cette fois c'était le père Anselme qui le traitait gentiment. Il en était très heureux. C'était tout à fait charmant et drôle d'être là, couché à la lueur de la petite lampe, et de boire un gobelet de vin chaud sucré avec le vieux père.

« As-tu mal au ventre ? demanda le vieillard.

– Non.

– Tiens ! je pensais que tu devais avoir la colique, Goldmund. Donc ce n'est pas ça. Montre ta langue ? Eh bien, c'est bon, votre vieil Anselme n'y a encore une fois rien compris. Tu resteras demain bien tranquille au lit ; je viendrai t'examiner. Et ton vin, tu l'as fini ? Ça va bien. J'espère qu'il te fera du bien. Je vais regarder s'il en reste un peu. Il y en aura bien encore un demi-gobelet si nous partageons en frères. Tu nous as fait une peur, Goldmund ! Te voir allongé dans le promenoir comme un cadavre ! Tu n'as vraiment pas mal au ventre ? »

Ils rirent et partagèrent équitablement le reste du vin des malades. Le père fit des plaisanteries et Goldmund, de ses yeux redevenus clairs, lui lançait des regards amusés et reconnaissants. Puis le vieux alla se mettre au lit.

Goldmund resta encore un moment éveillé. Lentement les images remontaient du fond de son être : les paroles de son ami flamboyaient à nouveau. Encore une fois elle apparut dans son âme, la belle femme blonde et rayonnante, sa mère. Son image lui traversa l'esprit avec la violence du foehn, nuage de vie et de tendresse, chargé d'une suprême exhortation. Ô mère ! Comment se pouvait-il qu'il l'eût si longtemps oubliée ?

CHAPITRE V

GOLDMUND avait bien jusque-là gardé de sa mère quelques souvenirs, mais il les tenait de récits d'autres personnes ; son image n'était plus vivante en lui et il n'avait confié à Narcisse qu'une toute petite partie du peu qu'il croyait savoir d'elle. Sa mère, c'était un sujet dont on n'avait pas le droit de parler.

On en avait honte. C'était une danseuse, une belle femme restée tout près de la nature, d'une origine très haute, mais impure et païenne. Le père de Goldmund l'avait, racontait-il, ramassée dans la misère et dans la honte. Comme il ignorait si elle n'était pas païenne, il l'avait fait baptiser et instruire dans la religion. Il l'avait épousée, en avait fait une femme de qualité et lui avait donné un rang important. Mais elle, au bout de quelques années de docilité et de vie régulière, s'était remise à ses anciennes pratiques, avait causé du scandale, séduit les hommes, délaissé son foyer pendant des jours et des semaines, s'était fait une réputation de sorcière et enfin, après que son mari l'eut été querir et l'eut ramenée bien des fois auprès de lui, elle avait disparu pour toujours. Pendant un temps encore son souvenir avait survécu sous la forme d'une mauvaise réputation flamboyante comme une queue de comète et puis s'était éteint. Son mari se remit lentement des années d'inquiétude, d'effroi, de honte, des surprises incessantes qu'elle lui avait réservées; à la place de cette femme qui avait mal tourné, il prit soin du petit garçon, semblable à sa mère de silhouette et de visage, et l'éduqua. Devenu grincheux et dévot, il développa en Goldmund la conviction qu'il devait offrir sa vie à Dieu pour expier les fautes de sa mère.

C'était à peu près là ce que le père de Goldmund racontait d'ordinaire sur la femme qu'il avait perdue, bien qu'il n'aimât pas en parler, et c'est à ces événements qu'il avait fait allusion devant l'abbé en lui remettant son fils. Tout cela était aussi venu à la connaissance de l'enfant comme une légende d'épouvante, mais il avait appris à écarter ces souvenirs et presque à les oublier. Quant à la figure véritable de sa mère, il en avait tout à fait perdu le souvenir; elle s'était évanouie, cette image si différente, toute différente, qui n'était pas le produit des récits de son père, ou des domestiques, ou d'obscurs racontars sur une vie déréglée. Les souvenirs de sa mère, tels qu'il les avait lui-même réellement vécus, étaient disparus. Et voici que cette vision, étoile de son enfance, s'était de nouveau levée en lui.

« Je ne peux pas comprendre comment j'ai pu oublier cela, disait-il à son ami. Jamais, dans ma vie, je n'ai aimé quelqu'un comme ma mère, de façon aussi ardente et absolue. Jamais je n'ai vénéré et admiré ainsi quelqu'un, elle était pour moi le soleil et la lune. Dieu sait comment il fut possible de ternir dans mon âme cette figure rayonnante et d'en faire peu à peu la méchante sorcière irréelle et falote qu'elle a été depuis des années pour mon père et pour moi. »

Narcisse avait depuis peu terminé son noviciat et pris l'habit. Son attitude à l'égard de Goldmund s'était étrangement modifiée. Goldmund, qui, auparavant, avait souvent regimbé contre ses avis et ses exhortations où il ne voyait que prétention importune et zèle intempestif, était, depuis le grand événement, plein d'admiration et d'étonnement devant la sagesse de son ami. Tant de ses paroles s'étaient accomplies comme des prophéties ! À quelles profondeurs avait pénétré en lui le regard de cet être devant qui on se sentait frissonner ! Il avait deviné avec tant d'exactitude le secret de sa vie, sa blessure cachée, et l'avait guérie avec tant d'adresse !

Car le jeune homme semblait guéri. Non seulement son évanouissement n'avait eu aucune suite fâcheuse, mais encore ce qu'il y avait dans la nature de Goldmund d'enfantin et de vieillot, de factice : cet esprit monacal un peu précoce, cette croyance à une vocation particulière au service de Dieu, s'était comme fondu. L'adolescent semblait tout ensemble devenu plus jeune et plus vieux depuis qu'il avait trouvé le chemin de lui-même ; tout cela il le devait à Narcisse.

Mais depuis un moment Narcisse se comportait à l'égard de son ami avec une grande prudence ; il avait pris devant lui une attitude d'extrême modestie, ne manifestait plus sa supériorité, évitait tout pédantisme. Il avait l'impression que Goldmund tirait ses forces de sources mystérieuses qui lui étaient étrangères à lui-même. Il avait pu provoquer leur afflux, mais il n'y avait point part. Il voyait avec joie son ami se libérer de sa tutelle et s'en affligeait pourtant par moments. Il avait le sentiment de ne représenter plus qu'une marche déjà franchie, l'écorce d'un fruit qu'on a rejetée. Il voyait approcher la fin de cette amitié qui avait eu pour lui tant de prix. Sur Goldmund il en savait toujours davantage que Goldmund lui-même, car si celui-ci avait retrouvé son âme et se sentait prêt à obéir à son appel, il n'avait aucune idée du pays où cet appel le conduirait. Narcisse, lui, l'imaginait bien, mais sa science était inutile : les voies de son enfant chéri menaient dans des contrées où il ne poserait jamais le pied. Le goût de Goldmund pour la science avait beaucoup décru. Dans les conversations avec son ami il ne prenait plus plaisir à la discussion ; il se souvenait avec dépit de tant de leurs entretiens d'autrefois. Tout récemment, sous l'influence du noviciat qu'il accomplissait, ou à la suite de la transformation qu'il avait provoquée chez Goldmund, un besoin de retraite, d'ascèse, d'exercices spirituels était apparu chez lui, une tendance à jeûner, à prier longuement, à se confesser souvent, à s'imposer de lui-même des pénitences. Goldmund savait comprendre ce besoin et il allait jusqu'à le partager. Depuis sa guérison, son instinct avait pris beaucoup plus de vigueur. S'il ignorait encore complètement les buts assignés à sa vie, il sentait néanmoins très nettement et souvent avec angoisse que son destin se préparait ; un âge d'innocence et de paix, d'attente et de ménagement avait maintenant pris fin ; toutes les forces encloses en lui étaient désormais tendues et parées. Il arrivait souvent que cette impression confuse fît ses délices, le tînt éveillé la moitié de la nuit comme un doux rêve d'amour ; souvent aussi elle était sombre et lourde d'angoisse. Il avait retrouvé sa mère si longtemps perdue ; cela, c'était la béatitude suprême, mais où allait le conduire son appel ? Dans les incertitudes et les complications de la vie, dans la misère et peut-être dans la mort. Il ne menait certes pas dans la paix, la douceur, la sécurité, dans une cellule de moine, dans la communauté à vie du monastère : il n'avait rien de commun, cet appel, avec les ordres de son père qu'il avait si longtemps confondus avec ses propres vœux. C'est dans ce sentiment souvent violent, anxieux et brûlant comme une intense sensation physique que la piété de Goldmund enfonçait ses racines. Il laissait ruisseler dans des prières longuement répétées à la sainte mère de Dieu la tendresse débordante qui l'entraînait vers sa mère. Mais souvent ses prières s'achevaient dans ces rêves étranges et magnifiques qu'il faisait maintenant si souvent : rêves de jour, les sens à demi éveillés, rêves d'elle, auxquels tout son corps prenait part. Alors le monde maternel l'enveloppait de son parfum, jetait sur lui des regards sombres et mystérieux, tout chargés d'amour, bruissait dans ses profondeurs comme la mer et le paradis, balbutiait des sons caressants dépourvus de sens ou plutôt débordants de sens, lui mettait à la bouche un goût de sucre et de sel, faisait passer sur ses yeux et ses lèvres altérées de soyeuses chevelures. Et ce qu'il découvrait dans sa mère, ce n'était pas seulement tout le charme du monde : l'azur de son doux regard chargé d'amour, la grâce de son sourire, promesse de bonheur, le réconfort qui coulait de ses formules de tendresse ; il y avait aussi quelque part en elle, voilés sous cette grâce, toute l'épouvante, toutes les ténèbres, tous les désirs avides, toute l'angoisse, tout le péché, toute la détresse, toutes les contraintes de la naissance et de la mort.

Le jeune homme sombrait au fond de ces rêves, dans la trame compliquée de leurs sens et de leurs symboles. Ce n'étaient pas seulement les délices du passé qui revenaient au jour, exerçant à nouveau leur charme : l'enfance et l'amour maternel, matin doré et rayonnant de la vie ; en eux vibrait aussi l'avenir avec ses menaces et ses promesses, ses attraits et ses périls. Ces songes, où sa mère, la Madone et l'amante ne faisaient qu'un, lui apparaissaient parfois dans la suite comme des crimes épouvantables et des blasphèmes, comme des péchés mortels qu'il ne pourrait jamais expier ; d'autres fois il voyait en eux la délivrance totale et la parfaite harmonie. La vie mystérieuse était là qui le dévisageait : un monde de ténèbres impénétrables, une forêt hérissée de broussailles épineuses, toute pleine de dangers fabuleux – mais ce mystère, c'était le mystère maternel : il venait d'elle, il menait à elle, il était le petit cercle ténébreux, le petit abîme plein de menaces au fond de ses yeux lumineux.

Bien des faits oubliés de son enfance remontèrent à la surface dans ces rêves. Venues d'insondables profondeurs, de régions inaccessibles, bien des petites fleurs du souvenir fleurirent dans l'éclat doré d'un regard, exhalant un parfum lourd de prescience confuse : souvenirs de sentiments enfantins se rapportant peut-être à des faits réels, peut-être à des songes. Parfois il rêvait de poissons noirs et dorés qui nageaient vers lui, nageaient en lui, le traversaient, messagers d'un monde plus beau, porteurs de délicieuses nouvelles de bonheur, et puis s'éloignaient en frétillant et disparaissaient comme des ombres, ne laissant après leur départ que de nouveaux secrets et non des messages. Souvent il voyait dans ses rêves nager des poissons, voler des oiseaux et chaque poisson et chaque oiseau était sa créature, soumise à son vouloir, docile à sa direction, comme son souffle, rayonnait de lui comme un de ses regards, comme une de ses pensées, revenait en lui. Souvent il rêvait d'un jardin, un jardin enchanté, planté d'arbres comme ceux des contes, avec des fleurs immenses, des grottes bleuâtres et profondes ; parmi les herbes brillaient les yeux étincelants de bêtes inconnues, aux branches glissaient des serpents lisses et nerveux, aux vignes et aux buissons pendaient des baies énormes, humides et brillantes, elles s'enflaient dans sa main qui les cueillait et versaient un jus pareil à du sang, ou bien prenaient des yeux et se déplaçaient avec des mouvements langoureux et perfides ; sa main cherchait-elle une branche pour s'appuyer à un arbre, il voyait et sentait entre le tronc et la branche une touffe épaisse de cheveux emmêlés comme les poils au creux des aisselles. Une fois, il rêva de lui-même ou de son saint patron, de Goldmund-Chrysostome; il avait une bouche d'or, et de sa bouche d'or sortaient des mots et ces mots étaient une foule de petits oiseaux qui s'en allaient en voltigeant.

Une fois, il fit ce rêve : il était grand et adulte, mais, assis par terre comme un enfant, il avait devant lui de la glaise et modelait comme un gamin, dans cette glaise, des figures : un petit cheval, un taureau, un petit bonhomme, une petite bonne femme. Il avait plaisir à ce jeu et il faisait aux bêtes et aux humains des parties sexuelles ridiculement grosses; ça lui semblait fort drôle dans son rêve. Puis, lassé de ce jeu, il continua son chemin, et alors, il eut le sentiment de quelque chose de vivant derrière lui qui s'approchait silencieusement et, se retournant, il vit, avec une profonde surprise et un grand effroi – qui n'était cependant pas sans joie – ses petites figures de glaise devenues grandes et vivantes. Immenses, géantes, elles défilèrent devant lui en silence, et, grandissant encore, s'en allèrent par le monde, silencieuses et gigantesques, hautes comme des tours.

Il vivait davantage dans ce monde de ses rêves que dans la réalité. Le monde réel : salle de classe, cour du monastère, bibliothèque, dortoir, chapelle, restait à la surface, une mince peau frémissante sur le monde surréel des images saturé de rêve. Un rien suffisait à percer un trou dans cette mince pellicule, quelque chose d'évocateur dans la consonance d'un mot grec au milieu de la leçon terre à terre, une onde de parfum venue du sac à herboriser du père Anselme, un coup d'œil jeté sur une tige du feuillage de pierre qui ruisselait là-haut de la colonne supportant l'arc d'une fenêtre – de petites impulsions de ce genre, et c'était assez pour perforer la peau de la réalité et déchaîner, derrière le réel paisible et desséché, les abîmes, les torrents et les voies lactées de ce monde d'images de l'âme. Une initiale latine devenait le visage parfumé de sa mère, une syllabe traînante de l'*Ave* devenait la porte du paradis, une lettre grecque se transformait en un cheval en pleine course, en un serpent se dressant sur sa queue qui se traînait dans le grand silence parmi les fleurs, s'en allait – et déjà, à sa place, il n'y avait plus que la page austère de la grammaire.

Il était rare qu'il parlât de cela; une ou deux fois seulement il fit allusion en conversant avec Narcisse à cet univers de ses songes.

« Je crois, dit-il, qu'un pétale de fleur ou un vermisseau sur le chemin contient et révèle beaucoup plus de choses que tous les livres de la bibliothèque entière. Avec des lettres et des mots on ne peut rien dire. Parfois j'écris une lettre grecque quelconque, un thêta ou un oméga, et je n'ai qu'à tourner un tout petit peu la plume ; voilà que la lettre prend une queue et devient un poisson et évoque en une seconde tous les ruisseaux et tous les fleuves de la terre, toute sa fraîcheur et son humidité, l'océan d'Homère et les eaux sur lesquelles marcha saint Pierre, ou bien la lettre devient un petit oiseau, dresse la queue, hérisse ses plumes, se gonfle, rit et s'envole. Eh bien, Narcisse, tu ne fais sans doute pas grand cas de ces lettres-là ? Mais je te le dis, c'est avec elles que Dieu a écrit le monde.

– J'en fais grand cas au contraire, dit tristement Narcisse, ce sont des lettres magiques, on peut avec elles conjurer tous les démons. Ah ! pour ce qui est de faire avancer la science, elles sont sans intérêt. L'intelligence aime ce qui est fixe, ce qui a forme ; elle veut pouvoir se fier à ses signes, elle aime ce qui est, non ce qui est en devenir ; le réel, non le possible. Elle ne tolère pas qu'un oméga devienne un serpent ou un oiseau. L'intelligence ne peut pas vivre dans la nature, mais seulement en face d'elle, comme son contraire. Me crois-tu maintenant quand je te dis que tu ne seras jamais un savant ? »

Oh ! bien sûr, Goldmund le croyait depuis longtemps ; sur ce point il était d'accord.

« Je ne suis plus du tout entiché de la quête de votre intelligence, dit-il en riant à demi, il en est de l'intelligence et de la science comme de mon père, je croyais l'aimer beaucoup et lui ressembler ; tout ce qu'il disait était pour moi parole d'évangile. Mais à peine ma mère était-elle à nouveau présente en moi que je sus ce que c'était que l'amour et, à côté de son image, celle de mon père était tout à coup devenue mesquine, maussade et presque antipathique. Et maintenant j'ai tendance à considérer tout ce qui est intellectuel comme étant du domaine paternel, comme privé de sens maternel, hostile à l'esprit maternel, et à le dédaigner un peu. »

Il plaisantait, et pourtant ne réussit pas à chasser la tristesse du visage de son ami. Narcisse le contempla en silence et son regard était comme une caresse. Puis il dit : « Je te comprends bien, nous n'avons plus lieu de discuter maintenant, tu es éveillé, et tu as aussi maintenant reconnu que nous sommes différents l'un de l'autre, la différence entre ceux qui sont de la race du père et ceux qui sont du côté de la mère, la différence entre l'âme et l'intelligence. Et maintenant tu ne vas pas tarder à t'apercevoir aussi que ta vie au monastère et ton inspiration à la condition monacale étaient une erreur, une invention de ton père qui voulait par là laver du péché la mémoire de ta mère, ou peut-être simplement se venger d'elle. Ou bien t'imagines-tu encore que c'est ta destinée de rester toute ta vie au couvent? »

Goldmund considérait tout pensif les mains de son ami, ces mains fines, austères et tendres à la fois, maigres et blanches. Personne ne pouvait mettre en doute que ce fussent des mains d'ascète et de savant.

« Je ne sais », dit-il de cette voix chantante, un peu hésitante, s'attardant longuement sur chaque son, qui était la sienne depuis quelque temps. « Je ne sais vraiment pas. Tu juges mon père avec quelque sévérité. Il n'a pas eu la vie facile. Mais peut-être as-tu raison là aussi. Voici plus de trois ans que je suis à l'école du cloître et il n'est pas encore venu me voir une fois. Il espère que je resterai ici pour toujours. Ce serait peut-être aussi la meilleure solution. Ne l'ai-je pas toujours souhaité? Cependant aujourd'hui je ne sais plus au juste ce que je désire vraiment et ce que je veux. Autrefois tout était simple, aussi simple que les lettres dans l'abécédaire. Maintenant il n'y a plus rien de simple, pas même les lettres. Tout a pris de multiples significations et de multiples visages. Je ne sais ce que je deviendrai; ce sont choses à quoi je ne puis penser pour le moment.

– Il n'y faut pas penser non plus, dit Narcisse. On verra bien où ton chemin te mène. Il a commencé par te ramener à ta mère et il t'en rapprochera encore. Pour ce qui est de ton père, mon jugement n'est pas trop sévère. Voudrais-tu retourner près de lui?

– Non, Narcisse, certes non. Sans cela je le ferais dès que j'aurais fini mes classes, ou même dès maintenant. Car, puisque je ne deviendrai point un savant, j'ai appris assez de latin, de grec, et de mathématiques. Non, je ne veux pas retourner chez mon père. »

Ses yeux pensifs se perdaient dans le vague et tout à coup il s'écria: « Mais comment t'y prends-tu pour dire toujours des paroles ou pour poser des questions qui font en moi la lumière et m'éclairent sur moi-même? Maintenant encore c'est ta question sur mon désir de retourner chez mon père qui m'a tout à coup montré que je ne le veux pas. Comment t'y prends-tu? Tu as l'air de tout savoir. Tu m'as dit tant de choses sur toi et sur moi que je n'ai pas bien comprises au moment où je les ai entendues et qui, plus tard, ont pris pour moi une extrême importance. C'est toi qui as dit que j'étais de la race de ma mère et tu as découvert que je me trouvais sous l'empire d'un charme et que j'avais oublié mon enfance. D'où te vient cette connaissance des hommes ? Puis-je aussi l'acquérir ? »

Narcisse, souriant, branla la tête.

« Non, mon cher, tu ne le peux. Il y a des hommes qui peuvent apprendre beaucoup, mais tu n'es pas de ceux-là. Jamais tu ne seras de ceux qu'enrichit l'étude. Et à quoi bon ? Tu n'en as pas besoin. Tu as d'autres dons. Tu as plus de dons que moi, tu es plus riche que moi et tu es aussi plus faible ; tu as devant toi une route plus belle et plus dure que la mienne. Parfois tu n'as pas voulu m'entendre, souvent tu as regimbé comme un poulain ; ce n'était pas toujours facile et j'ai été obligé quelquefois de te faire mal. Il m'a fallu t'éveiller, car tu dormais. En te rappelant ta mère je t'ai d'abord fait mal, très mal ; on t'a trouvé étendu comme mort dans le promenoir. Il le fallait. Non, ne caresse pas mes cheveux ! Non, non, ne le fais pas ! C'est une chose que je ne puis souffrir.

— Et ainsi, je ne peux rien apprendre, je resterai toujours bête, toujours un enfant ?

— Il s'en trouvera d'autres de qui tu pourras apprendre ; ce que tu pouvais apprendre de moi, enfant, tu en es venu à bout maintenant.

— Oh ! non, s'écria Goldmund ; ce n'est pas dans ces conditions-là que nous sommes devenus amis ! Qu'est-ce que ce serait qu'une amitié qui au bout d'une brève étape aurait atteint son but et n'aurait plus qu'à prendre fin ? En as-tu assez de moi ? Est-ce que tu ne peux plus me souffrir ? »

Narcisse allait et venait nerveusement, le regard fixé au sol ; puis il s'arrêta devant son ami.

« Tais-toi, dit-il, tu sais bien que j'ai toujours autant de goût à notre amitié. »

Il considéra l'ami d'un œil indécis, reprit sa marche, s'arrêta encore et de son visage sec et maigre un regard assuré tomba sur Goldmund. À mi-voix, mais d'un ton dur et décidé, il dit :

« Ecoute, Goldmund, notre amitié fut bonne, elle a eu un but et elle l'a atteint, elle t'a éveillé. J'espère qu'elle n'a pas pris fin ; j'espère qu'elle se renouvellera sans cesse et mènera à des buts nouveaux. Pour l'instant aucun n'est en vue. Le tien est incertain, je ne puis ni t'y conduire ni t'accompagner.

Interroge ta mère, interroge son image et prête l'oreille. Mon but à moi n'est pas incertain. Il est ici, au monastère. Il fait appel à moi à chaque heure. J'ai le droit d'être ton ami, mais je n'ai pas le droit d'aimer. Je suis moine; j'ai prononcé un vœu. Avant de recevoir l'ordination je vais me faire décharger de mes fonctions d'enseignement et me tenir à l'écart de longues semaines pour jeûner et faire des exercices de piété. Pendant ce temps-là je n'aurai aucune conversation profane, pas même avec toi. »

Goldmund comprit, il dit tristement :

« Ainsi, tu vas faire ce que j'aurais fait moi aussi si j'étais entré dans les ordres pour toujours. Et quand tu auras achevé tes exercices, quand tu auras assez jeûné, prié et veillé, quel sera alors ton but ?

– Tu le sais, dit Narcisse.

– En effet. Tu seras dans quelques années professeur en titre, peut-être déjà directeur de l'école. Tu amélioreras l'enseignement, tu agrandiras la bibliothèque. Peut-être écriras-tu toi-même des livres ? Non ? Eh bien, tu n'en écriras pas. Mais quel sera ton but ? »

Narcisse eut un léger sourire. « Le but ? Peut-être mourrai-je comme directeur de l'école ou comme abbé ou comme évêque. Peu importe. Le but, le voici : me placer là où je puis le mieux servir, où ma nature, mes qualités et mes dons trouveront le meilleur terrain, le plus vaste champ d'action. Il n'est pas d'autre but. »

GOLDMUND. – Pas d'autre but pour un moine ?

NARCISSE. – Oh ! oui. Des buts, cela ne manque pas. Ce peut être l'objet de la vie d'un moine d'apprendre l'hébreu, de commenter Aristote, ou de décorer l'église d'un monastère, ou bien de s'enfermer et de méditer ou de faire cent autres choses. Pour moi ce ne sont pas des buts. Je ne veux ni accroître la richesse du couvent ni réformer l'ordre ou l'Eglise. Je veux, dans la mesure où cela m'est possible, servir l'esprit, tel que je le comprends, rien d'autre. N'est-ce pas là un but ? »

Longtemps Goldmund réfléchit avant de répondre.

« Tu as raison, dit-il, t'ai-je été une grande gêne dans ta marche vers ton but ?

– Une gêne ! Ô Goldmund, personne ne m'a plus servi que toi. Tu m'as créé des difficultés, mais je ne suis pas un ennemi des difficultés. Elles m'ont appris bien des choses ; je les ai surmontées en partie. »

Goldmund lui coupa la parole ; il lui dit en riant à demi :

« Tu les as merveilleusement surmontées ! Mais dis-moi, en m'aidant, en me guidant, en me libérant, en rendant la santé à mon âme, as-tu vraiment servi l'esprit ? Tu as probablement ainsi fait perdre au cloître un novice plein de zèle et de bonne volonté et tu as peut-être dressé contre l'esprit un adversaire, quelqu'un qui fera, qui croira, qui poursuivra tout juste le contraire de ce que tu crois bon !

– Pourquoi pas ? dit Narcisse avec une extrême gravité. Mon ami, me connais-tu encore si peu ? Il est probable que j'ai étouffé en toi un futur moine et que j'ai par contre ouvert en toi la voie à un destin qui sort de l'ordinaire. Même si demain tu mettais le feu à tout notre beau monastère et t'en allais annoncer par le monde quelque folle hérésie, je ne regretterais pas un instant de t'avoir aidé à trouver ta voie. »

Il posa amicalement les deux mains sur les épaules de son ami.

« Voici encore, mon petit Goldmund, une chose qui s'accorde avec mon but. Que je sois abbé, professeur, confesseur ou quoi que ce soit, je ne voudrais pas avoir jamais l'occasion de rencontrer un homme de valeur, plein de force et d'originalité sans pouvoir le comprendre, l'aider à s'épanouir et à aller de l'avant. Et je te le dis : quoi qu'il advienne de toi et de moi, que nous tournions tous deux d'une manière ou d'une autre, jamais, au moment où tu m'appelleras sérieusement et où tu croiras avoir besoin de moi, tu ne me trouveras sourd à ton appel, jamais. »

Cela sonnait comme un adieu, et, vraiment, c'était un avant-goût de l'adieu. En se tenant là debout devant son ami, en contemplant son air résolu, son œil fixé sur son but, Goldmund sentit sans erreur possible qu'ils n'étaient plus frères et camarades placés sur le même plan, mais que leurs voies s'étaient déjà séparées. Celui qui se tenait devant lui n'était pas un rêveur et n'attendait pas les appels du destin ; c'était un moine, il était engagé, il s'était donné à un ordre précis et à un devoir, il était un serviteur et un soldat de l'ordre et de l'Eglise, de l'esprit. Quant à lui – c'était devenu clair pour lui aujourd'hui – il n'était pas ici à sa place, il était sans patrie, un monde qu'il ne connaissait pas l'attendait. Il en avait été de même jadis pour sa mère. Elle avait abandonné sa maison et son foyer, son mari et son enfant, la vie collective et l'ordre social, le devoir et l'honneur, pour s'en aller dans l'inconnu où, sans doute, elle avait sombré depuis longtemps. Elle n'avait aucun but, comme lui-même n'en avait aucun. Avoir des buts, c'était donné à d'autres, pas à

lui. Oh ! comme Narcisse avait bien vu cela depuis longtemps déjà ; comme il avait eu raison !

Peu après ce jour, Narcisse avait pour ainsi dire disparu. Il
semblait qu'il fût devenu invisible. C'était un autre maître qui
donnait ses leçons, son pupitre à la bibliothèque restait vide. Il
était encore là, il n'était pas tout à fait invisible, on pouvait
l'apercevoir marchant dans le promenoir, on pouvait
l'entendre parfois murmurer des prières dans l'une des chapelles, à genoux sur les dalles ; on savait qu'il avait commencé
la grande retraite, qu'il jeûnait et se levait trois fois dans la nuit
pour se livrer à des exercices de piété. Il était encore là et était
cependant passé dans un autre monde. On pouvait le voir –
bien rarement – mais on ne pouvait pas l'atteindre, avoir rien
de commun avec lui, on ne pouvait pas lui parler. Goldmund
le savait, il réapparaîtrait, il occuperait à nouveau son pupitre,
sa chaise au réfectoire, il parlerait de nouveau – mais de ce
qu'il avait été, rien ne reviendrait plus. Narcisse ne lui appartiendrait plus. En songeant à cela, il comprit nettement que
c'était le seul Narcisse qui lui avait fait aimer et considérer le
cloître et la condition monacale, la grammaire et la logique,
l'étude et la pensée. Son exemple l'avait entraîné, son idéal
avait été d'être comme lui. Sans doute l'abbé était encore là, il
l'avait vénéré lui aussi, il l'avait aimé lui aussi et trouvé en lui
un noble modèle. Mais les autres – les maîtres, les condisciples, le dortoir, le réfectoire, l'école, les devoirs, les offices,
tout le cloître – sans Narcisse, cela ne l'intéressait plus. Que
faisait-il encore ici ? Il attendait. Il restait sous le toit du
monastère comme un voyageur indécis s'abrite pendant
l'averse sous un toit quelconque ou sous un arbre, simplement
pour atttendre, simplement comme un hôte, simplement par
crainte des rigueurs du monde étranger.

La vie de Goldmund à ce moment-là, ne fut plus
qu'attente et adieux. Il alla revoir tous les lieux qu'il avait
aimés ou qui avaient pris une signification dans sa vie. Il
constata avec une étrange surprise qu'il se trouvait là bien
peu d'êtres et de figures dont il aurait peine à se séparer. Il y
avait Narcisse et le vieil abbé Daniel, et encore le brave père
Anselme, et aussi peut-être encore le gentil portier et peut-
être encore son voisin le meunier bon vivant. Mais ces gens,
eux aussi, avaient déjà presque perdu toute réalité. Plus
pénible serait l'adieu à la grande madone de pierre de la chapelle, aux apôtres du portail. Longtemps il se tint devant eux,
et aussi devant les belles sculptures des stalles du chœur,
devant la fontaine du promenoir, devant la colonne aux trois

têtes de bêtes; il s'adossa, dans la cour aux tilleuls, au châtaignier. Tout cela, ce serait pour lui, un jour, un souvenir, un livre d'images, enclos dans son cœur. Déjà maintenant, alors qu'il vivait encore au milieu de toutes ces choses, elles commençaient à lui échapper, perdaient leur réalité, se muaient en fantômes du passé. Avec le père Anselme qui avait de l'amitié pour lui, il allait chercher des simples, chez le meunier du couvent, il regardait travailler les valets et se faisait, de temps en temps, inviter à boire un verre de vin et à manger des poissons frits; mais il restait étranger à toutes ces choses, ne les regardait plus que comme des souvenirs. De même que dans la pénombre de l'église et dans la cellule de pénitent son ami Narcisse marchait et vivait, mais n'était plus pour lui qu'une ombre, de même tout, autour de lui, avait perdu sa réalité, tout évoquait l'automne, la saison de ce qui passe et disparaît.

La seule chose qui restait réelle et active, c'était la vie au fond de lui-même : le martèlement anxieux de son cœur, l'aiguillon douloureux du désir, les joies et les angoisses de ses rêves. C'est à cela qu'il appartenait, qu'il se donnait. Au milieu de ses études et de sa lecture il lui arrivait de se perdre dans ses pensées et de tout oublier, de se livrer seulement aux courants et aux voix de sa vie intérieure qui l'entraînaient dans des puits profonds pleins de sombres mélodies, dans des abîmes colorés pleins d'aventures féeriques dont les milles sonorités étaient celles de la voix de sa mère, dont les yeux étaient tous les yeux de sa mère.

CHAPITRE VI

UN jour, le père Anselme fit venir Goldmund dans sa pharmacie, sa jolie chambre qu'embaumaient délicieusement les simples. Goldmund savait s'y reconnaître. Le père lui montra une plante desséchée, soigneusement conservée entre des feuilles de papier, et lui demanda s'il la connaissait et pouvait lui décrire avec précision son aspect, là-bas, dans les champs. Certes, Goldmund en était capable : la plante s'appelait l'herbe de la Saint-Jean. Il lui fallut indiquer nettement tous ses caractères. Satisfait, le vieillard chargea son jeune ami de ramasser, au cours de l'après-midi, une bonne botte de cette herbe et il lui indiqua les points du voisinage où elle se plaisait particulièrement.

« Tu vas avoir, pour ta peine, un après-midi de vacances, mon cher, tu ne t'en plaindras pas et tu n'y perdras rien. La connaissance de la nature est une science elle aussi, et il n'y a pas que votre grammaire idiote. »

Goldmund le remercia chaudement de cette mission. Ramasser des plantes pendant quelques heures au lieu de rester sur les bancs de l'école lui faisait un plaisir extrême. Pour mettre le comble à sa joie il demanda au palefrenier de lui confier Bless, le cheval, et tout de suite après le déjeuner il passa prendre à l'écurie la bête qui lui fit un chaleureux accueil et s'en alla en trottant dans la chaude lumière du jour. Une petite heure durant, plus peut-être, il chevaucha, jouissant du grand air et du parfum des champs, et surtout de la joie d'être en selle, puis il songea à la mission dont il était chargé et chercha un des endroits que le père lui avait indiqués. Là, il attacha le cheval sous un érable qui donnait de l'ombre, bavarda avec lui, lui donna du pain, et se mit enfin en quête des plantes. Il y avait là des terres en friche couvertes de mille espèces d'herbes. De petits pavots mal venus avec leurs dernières fleurs pâlies et beaucoup de capsules déjà mûres se dressaient au milieu des tiges de vesces desséchées, de chicorée sauvage aux fleurs bleu ciel et de renouée décolorée. Quelques tas de bornes empilées entre deux champs servaient de refuges aux lézards, c'est là que se trouvaient les premières tiges à fleurs jaunes des herbes de la Saint-Jean, et Goldmund se mit à les cueillir. Quand il en eut une bonne poignée il s'assit sur les pierres et se reposa. Il faisait chaud et son regard se porta avec envie vers l'ombre épaisse de la forêt lointaine, mais il ne voulait tout de même pas s'éloigner tant des plantes et de son cheval que, du point où il était, il pouvait encore apercevoir. Il resta assis sur les cailloux chauds, bien tranquille pour voir revenir les lézards qui s'étaient enfuis, sentit les herbes de la Saint-Jean et éleva leurs petits pétales contre la lumière pour regarder leurs mille pertuis d'aiguilles.

C'est curieux, pensa-t-il, chacune de ces centaines de petites feuilles a ainsi perforé en elle ce ciel étoilé comme une fine broderie. Tout était ainsi bizarre et incompréhensible : les lézards, les plantes et aussi les pierres, tout. Le père Anselme, qui avait tant d'amitié pour lui, ne pouvait plus quérir lui-même son herbe de la Saint-Jean. C'étaient ses jambes qui n'allaient plus, il y avait des jours où il n'était plus en état de remuer et toute sa médecine et tout son art ne

pouvaient pas le guérir. Peut-être allait-il mourir un jour prochain et les simples continueraient à embaumer sa chambre,
mais le vieux père ne serait plus là ! Peut-être aussi vivrait-il
longtemps encore, dix, vingt ans, et il aurait encore les mêmes
cheveux clairsemés et les mêmes drôles de rides en faisceaux
autour des yeux ; mais lui Goldmund, où en serait-il dans vingt
ans ? Ah ! tout était incompréhensible et triste au fond, bien
que tout fût beau aussi. On ne savait rien. On vivait, on trottait
sur la terre ou on chevauchait par les bois et tant de choses
vous lançaient des regards provocants ou prometteurs ou vous
remplissaient le cœur de désirs ; une étoile dans le soir, une
campanule bleue, un lac verdâtre avec ses roseaux, le regard
d'un homme ou d'une vache, et parfois on avait le sentiment
que quelque chose d'inouï allait se produire à l'instant même,
quelque chose qu'un avait longtemps souhaité, qu'un voile qui
couvrait tout allait tomber ; et puis, cela passait et il ne se produisait rien, l'énigme ne se dénouait pas, le charme mystérieux
restait sur les choses et, à la fin, on devenait vieux, avec des
airs finauds comme le père Anselme, avec l'allure d'un sage
comme l'abbé Daniel, et peut-être qu'on ne savait toujours
rien et qu'on restait là toujours à attendre, l'oreille tendue.

Il ramassa une coquille vide d'escargot, elle fit un petit
bruit en frôlant les pierres ; le soleil l'avait rendue brûlante. Il
se perdit dans la contemplation des sinuosités de la coquille,
de la rainure en spirale et de la fantaisiste et minuscule couronne en miniature où elle prend fin, de l'ouverture vide avec
ses reflets nacrés. Il ferma les yeux pour se rendre compte
des formes en les tâtant seulement avec ses doigts ; c'était là
une vieille habitude et un jeu. Tournant l'escargot entre ses
doigts il les fit glisser sur lui en suivant les volumes, sans
faire pression, comme pour une caresse, jouissant du miracle
de ces formes, du charme exercé par ce corps. C'était là,
pensa-t-il rêveur, un des inconvénients de l'école et de la cul-
ture scientifique : l'intelligence semblait avoir tendance à
représenter les choses comme si elles étaient planes et
n'avaient que deux dimensions. Il eut le sentiment qu'en cela
apparaissait un défaut capable de vicier toute activité intellectuelle ; mais il n'arriva pas à fixer cette idée et la coquille
échappa à ses doigts. Il se sentit las et somnolent. Il s'endormit au soleil la tête penchée sur ses plantes, qui, en se fanant,
répandaient un parfum de plus en plus fort. Les lézards couraient sur ses chaussures, les herbes flétries s'étalaient sur ses
genoux ; sous l'érable, Bless attendait et s'impatientait.

De la forêt lointaine quelqu'un arriva : une jeune femme

dans une robe bleue passée, un petit mouchoir rouge attaché autour de ses cheveux noirs, le visage bruni par le soleil d'été. La femme s'approcha, un ballot à la main, un petit œillet velu rouge vif à la bouche.

Elle aperçut cet homme assis, le considéra longuement de loin avec curiosité et défiance, vit qu'il dormait, s'approcha avec précaution sur ses pieds nus et bruns, s'arrêta devant Goldmund, tout près de lui, et le regarda. Sa défiance s'évanouit : le joli garçon endormi ne semblait pas dangereux ; il lui plaisait. Que venait-il faire ici dans les champs en friche ? Elle constata en souriant qu'il avait cueilli des fleurs ; elles étaient déjà fanées.

Goldmund, sortant des forêts de ses rêves, ouvrit les yeux. Sa tête reposait mollement ; elle était couchée dans le giron d'une femme. Sur ses yeux surpris pleins de sommeil, étaient fixés, tout près, des yeux inconnus, chauds et bruns. Il ne prit pas peur, il n'y avait aucun danger ; les chaudes prunelles sombres déversaient doucement sur lui leur lumière. Alors, sous ses regards étonnés, la femme se mit à sourire d'un sourire charmant, et lentement, il se mit à sourire lui aussi. La bouche de la femme s'abaissa sur ses lèvres entrouvertes. Ils se saluèrent dans un tendre baiser qui, tout de suite, irrésistiblement, éveilla en Goldmund le souvenir du soir passé « au village » et de la petite fille en tresses. Mais le baiser ne finissait point. La bouche de la femme s'attardait sur la sienne, poursuivait son jeu, taquinait, provoquait, et, finalement, elle s'empara de ses lèvres avec une avidité furieuse, prit possession de son sang, l'éveilla jusqu'en ses profondeurs et, dans un long jeu muet, la femme brune se donna au jeune homme, l'initiant doucement, le laissant chercher et trouver, excitant son ardeur et apaisant sa flamme. Au-dessus de lui se tendit la brève et délicieuse béatitude d'amour, elle s'embrasa dans l'éclat d'une flambée ardente, s'apaisa, s'éteignit. Il demeurait là, les yeux clos, la figure sur la poitrine de la femme. On n'avait pas dit un mot. La femme gardait le silence, caressait doucement ses cheveux, le laissait lentement revenir à lui. Enfin, il ouvrit les yeux.

« Dis, qui donc es-tu ? demanda-t-il.

– Je suis Lise, dit-elle.

– Lise, répéta-t-il, savourant le nom. Lise ! ma chérie ! »

Elle approcha la bouche de son oreille et y murmura : « Dis-moi, c'était la première fois ? Tu n'en as encore aimé aucune avant moi ? » Il secoua la tête, puis soudain se dressa, jeta les yeux autour de lui, regarda au-delà du champ et au ciel.

« Oh ! s'écria-t-il, le soleil est déjà très bas. Il faut que je rentre.

– Où donc ?

– Au monastère, chez le père Anselme.

– À Mariabronn ? C'est de là que tu es ? Ne veux-tu donc pas rester encore près de moi ?

– Je voudrais bien.

– Alors reste donc !

– Non, ce ne serait pas bien. Il faut encore que je ramasse d'autres herbes.

– Es-tu au cloître ?

– Oui, je suis élève. Mais je n'y resterai plus. Est-ce que je peux venir chez toi, Lise ? Où habites-tu ? Où est ta maison ?

– Je n'habite nulle part, mon trésor. Mais ne veux-tu pas me dire ton nom ? – Ah ! c'est Goldmund que tu t'appelles ? Donne-moi encore un baiser, petite Bouche d'Or, après tu pourras partir.

– Tu n'habites nulle part ? Où passes-tu donc la nuit ?

– Avec toi, si tu veux, dans la forêt ou sur le foin. Viendras-tu cette nuit ?

– Oh ! oui ! Où cela ? Où est-ce que je te retrouverai ?

– Sais-tu imiter le cri du hibou ?

– Je n'ai jamais essayé !

– Essaie ! »

Il essaya. Elle rit et se déclara satisfaite.

« Alors, sors du couvent cette nuit et crie comme un hibou. Je serai dans les parages. Est-ce que je te plais, petit Goldmund, mon petit enfant ?

– Ah ! tu me plais beaucoup, Lise, je viendrai. Que Dieu te garde. Il faut que je m'en aille. »

Sur son cheval fumant de sueur Goldmund arriva le soir au cloître à la nuit tombante et fut bien content de trouver le père Anselme fort occupé. Un frère avait pris ses ébats pieds nus dans le ruisseau et s'était ainsi enfoncé un tesson dans le pied.

Il s'agissait maintenant de joindre Narcisse. Il questionna un des frères lais qui servaient au réfectoire. Non, lui dit-on, Narcisse ne viendrait pas pour le repas du soir. C'était pour lui jour de jeûne. Il était sans doute en train de dormir, car il avait vigiles cette nuit. Goldmund partit en courant. Pendant cette longue retraite son ami dormait dans une cellule de pénitent à l'intérieur du cloître. Sans réfléchir, il y courut. Il écouta à la porte. Silence absolu. Il entra doucement. Que cela fût sévèrement interdit, il ne s'en souciait pas pour le moment.

Narcisse, allongé sur l'étroite planche, pareil à un mort dans la demi-obscurité, était couché sur le dos, raidi, avec son pâle visage émacié, les mains croisées sur la poitrine. Mais il avait les yeux ouverts et ne dormait pas. Il regarda Goldmund en silence; sans lui adresser de reproche, mais sans remuer et visiblement tellement absent de ce temps et de ce monde, tellement abîmé dans sa méditation, qu'il avait peine à reconnaître son ami et à comprendre ses paroles.

« Narcisse! Pardonne-moi, pardonne-moi, cher Narcisse, de te déranger, ce n'est pas sans motif que je le fais. Je sais bien que tu ne dois pas parler maintenant avec moi, mais fais-le pourtant, je t'en prie. »

Narcisse réfléchit, clignant vivement des yeux pendant un instant, comme s'il faisait effort pour s'éveiller.

« Est-ce indispensable? demanda-t-il d'une voix éteinte.

— Oui, indispensable. Je viens prendre congé de toi.

— Alors c'est indispensable. Tu ne seras pas venu pour rien. Approche, assieds-toi près de moi. Nous avons un quart d'heure. Puis se sera l'heure de la première vigile. »

Il s'était redressé et assis, décharné, sur la planche nue qui lui servait de lit. Goldmund s'assit près de lui.

« Surtout pardonne-moi! » dit-il, conscient de sa faute. La cellule, la planche nue, la face de Narcisse minée par les veilles et l'effort, son regard à demi absent, tout lui faisait nettement sentir combien il était importun ici.

« Il n'y a rien là à pardonner. Ne te soucie pas de moi; je suis très bien. Tu veux prendre congé, dis-tu? Tu pars donc?

— Je pars aujourd'hui même. Ah! je ne peux pas te raconter! La décision est venue, si soudaine!

— Est-ce que ton père est là, ou bien a-t-il envoyé des ordres?

— Non, rien de cela. C'est la vie elle-même qui est venue à moi. Je pars, sans mon père, sans permission. Je vais te couvrir de honte, toi, je me sauve! »

Narcisse abaissa les yeux sur ses longs doigts blancs. Ils sortaient minces, immatériels, des larges manches du froc. Ce fut dans sa voix, non sur son visage sévère ravagé par la fatigue, que passa la trace d'un sourire quand il dit : « Nous avons bien peu de temps, mon cher, ne dis que le nécessaire et dis-le nettement, brièvement. Ou bien faut-il que je te dise ce qui t'est arrivé?

— Dis-le, pria Goldmund.

— Tu es amoureux, mon petit, tu as fait connaissance d'une femme.

« – Comment peux-tu encore savoir ça ?

. – Tu me fais la tâche facile. Ton état, *o amice*, présente tous les signes de cette espèce de griserie qu'on appelle être amoureux. Mais maintenant parle, je t'en prie. »

Goldmund posa timidement sa main sur l'épaule de l'ami.

« Eh bien, tu l'as dis. Mais cette fois tu ne l'as pas bien dit, Narcisse, pas comme il faut. C'est tout autre chose. J'étais aux champs, hors du monastère, endormi sous le soleil torride et quand je me réveillai, ma tête reposait sur les genoux d'une belle femme et j'eus tout de suite le sentiment que ma mère était venue pour m'emmener avec elle. Non pas que j'aie pris cette femme pour ma mère ; elle avait des yeux brun sombre et des cheveux noirs alors que ma mère était blonde comme moi ; elle ne lui ressemblait pas du tout. Mais pourtant c'était elle, c'était son appel, c'était un message d'elle. Tout à coup, comme sortie des rêves de mon cœur, elle était là la belle femme inconnue, qui tenait ma tête sur son sein, et son sourire était comme une fleur et elle fut tendre avec moi ; dès son premier baiser, j'ai senti mon cœur se fondre en moi et me faire mal d'une douleur délicieuse. Tous les appels que mon âme avait entendus, tous les désirs que j'avais jamais éprouvés, tous mes rêves, toute la douce angoisse, tout le mystère qui sommeillaient en moi s'éveillèrent ; tout était transformé, enchanté, tout avait pris un sens. Elle m'a appris ce que c'est qu'une femme et quel secret est enclos en elle. En une demi-heure elle m'a mûri de bien des années. J'en sais maintenant des choses ! Et j'ai su aussi soudain que je ne resterais plus dans cette maison, pas un jour de plus. Je pars, dès qu'il fera nuit. »

Narcisse écoutait, approuvant de la tête.

« C'est venu bien soudain, dit-il, mais c'est à peu près ce que j'attendais. Je penserai beaucoup à toi. Tu me manqueras, *amice*. Puis-je faire quelque chose pour toi ?

– Si cela t'est possible, dis un mot à notre abbé, qu'il ne me réprouve pas tout à fait. Il est ici le seul en dehors de toi dont l'opinion à mon sujet ne me soit pas indifférente. Lui et toi.

– Je le sais… As-tu autre chose à me demander ?

– Oui, une prière. Quand tu penseras à moi plus tard, prie pour moi. Et… je te remercie.

– De quoi, Goldmund ?

– De ton amitié, de ta patience, de tout. Aussi de m'écouter aujourd'hui où pourtant cela t'est pénible. Aussi de n'avoir pas essayé de me retenir.

– Comment pourrais-je vouloir te retenir ? Tu sais ce que j'en pense. Mais où vas-tu aller, Goldmund ? As-tu un but ? Vas-tu chez cette femme ?

– Je vais avec elle, oui. De but, je n'en ai pas. C'est une étrangère, sans foyer, à ce qu'il semble, peut-être une tzigane.

– Ah bon ! Mais dis-moi, mon cher, sais-tu que la route que tu vas faire avec elle sera peut-être très courte ? Ne te fie pas trop à elle, je pense. Elle aura de la famille peut-être, peut-être un mari ; qui sait comme tu seras reçu ? »

Goldmund s'appuya contre son ami.

« Je sais cela, dit-il, bien que jusqu'ici je n'y aie pas encore songé. Je te l'ai dit : je n'ai aucun but. Cette femme même, qui fut si bonne pour moi, n'est pas mon but. Je vais à elle, mais ce n'est pas à cause d'elle. Je vais parce qu'il le faut ; parce que j'entends l'appel. »

Il se tut et poussa un soupir. Ils étaient là, appuyés l'un à l'autre, tristes, et heureux pourtant dans le sentiment de leur amitié indestructible. Alors Goldmund poursuivit :

« Il ne faut pas que tu croies que je suis tout à fait aveugle et que je n'ai pas la moindre idée de ce qui m'attend. Je pars de bon cœur, parce que je sens qu'il le faut et parce que j'ai fait aujourd'hui une expérience merveilleuse. Mais je ne m'imagine pas que je cours là au bonheur, au plaisir sans mélange. Je le pense bien, le chemin sera dur. Mais il sera beau aussi tout de même, je l'espère. C'est si bon d'appartenir à une femme, de se donner tout entier. Ne ris pas de moi si ça semble fou ce que je te dis là ! Mais vois : aimer une femme, se donner tout à elle, l'envelopper toute en soi et se sentir tout enveloppé en elle, ce n'est pas la même chose que ce que tu appelles « être amoureux », que ce que tu railles un petit peu. C'est pour moi la voie vers la vie et la voie vers le sens de la vie. – Ah ! Narcisse, il me faut te quitter ! Je t'aime, Narcisse, et je te remercie de m'avoir sacrifié aujourd'hui un peu de ton sommeil. Il m'est dur de me séparer de toi. Ne m'oublieras-tu pas ?

– Ne nous rends pas la séparation plus pénible à tous deux. Je ne t'oublierai jamais. Tu reviendras, je t'en prie, j'y compte. Si quelque jour tu es dans la détresse, alors viens à moi ou appelle-moi. Adieu, Goldmund, Dieu soit avec toi ! »

Il s'était levé. Goldmund l'entoura de ses bras. Sachant comme son ami s'effarouchait devant les caresses il ne lui donna pas un baiser ; il se contenta de passer doucement ses mains sur les siennes.

La nuit tombait. Narcisse ferma derrière lui la cellule et se rendit dans l'église. Ses sandales claquaient sur les dalles. Goldmund suivit de ses yeux pleins d'amour la silhouette décharnée jusqu'à ce qu'elle s'évanoûit comme une ombre à l'extrémité du couloir, engloutie dans les ténèbres de la porte de l'église, aspirée par les exigences des exercices de piété, des devoirs, des vertus. Que tout était donc étrange, infiniment bizarre et compliqué! Et ce qu'il venait de vivre également comme c'était bizarre et effrayant : venir à son ami le cœur débordant dans l'ivresse de son amour épanoui, juste à l'heure où celui-ci, miné par le jeûne et les veilles, méditait et, crucifiant sa jeunesse, son cœur, ses sens, en faisait le sacrifice et se soumettait à la rude école de l'obéissance pour ne servir que par l'esprit, pour ne plus être à l'avenir autre chose qu'un ministre de la parole divine. Il l'avait vu couché là, comme un cadavre, las à mourir, épuisé, le visage blême, les mains décharnées, et Narcisse n'en était pas moins aussitôt entré dans les vues de son ami, l'esprit clair et plein de bienveillance, il avait prêté l'oreille à l'amoureux encore tout parfumé de l'odeur d'une femme, il avait sacrifié ses maigres instants de repos entre deux exercices expiatoires. Étrange qu'il y eût aussi cette forme d'amour, cet amour désintéressé, spiritualisé. Comme c'était beau, comme c'était différent de son ivresse d'aujourd'hui dans le champ ensoleillé, ce jeu des sens déchaînés échappant à tout contrôle! Et cependant, c'étaient deux formes de l'amour. Hélas! et maintenant Narcisse avait disparu à ses yeux après lui avoir nettement montré encore une fois en cette dernière heure combien ils étaient foncièrement différents l'un de l'autre. Narcisse était maintenant devant l'autel sur ses genoux épuisés, purifié et préparé pour une nuit de prières et de méditation dans laquelle il n'aurait pas droit à plus de deux heures de repos et de sommeil, tandis que lui Goldmund se sauvait pour aller retrouver sa Lise quelque part sous les arbres et reprendre ses doux ébats animaux! Narcisse aurait trouvé à dire là-dessus de bien belles choses. Seulement, lui, Goldmund, n'était pas Narcisse; il n'était pas chargé d'approfondir ces brillantes énigmes remplies d'épouvante, ni de débrouiller cette confusion et de raconter là-dessus des choses profondes. Tout ce qu'il avait à faire, c'était de suivre ses voies à lui, incertaines et folles. Tout ce qu'il avait à faire, c'était de se donner, et d'aimer aussi bien l'ami en prière dans les ténèbres de l'église que la belle et chaude jeune femme qui l'attendait.

Lorsqu'il se glissa sous les tilleuls de la cour, le cœur agité de mille sentiments contradictoires, et chercha la sortie par le moulin, il ne put tout de même s'empêcher de rire en songeant soudain au soir où, jadis avec Conrad, il avait quitté le monastère en se faufilant par ce même chemin détourné pour « aller au village ». Avec quelle émotion, quelle secrète inquiétude, il avait alors entrepris la petite équipée interdite et aujourd'hui, il partait pour toujours, il s'engageait sur des routes beaucoup plus interdites, beaucoup plus dangereuses et il le faisait sans crainte, ne pensant ni au portier, ni à l'abbé, ni aux maîtres.

Il n'y avait cette fois pas de planches au bord du ruisseau. Il lui fallut le franchir sans pont. Il quitta ses vêtements et les jeta de l'autre côté ; après quoi, il s'engagea tout nu dans l'eau profonde, au courant rapide et froid, y entrant jusqu'à la poitrine.

Tandis qu'il s'habillait sur l'autre rive ses pensées retournèrent à Narcisse. Avec une grande netteté il se rendait compte maintenant – et cela l'humiliait profondément – qu'il ne faisait à cette heure rien d'autre que ce que l'ami avait su d'avance, rien que ce à quoi il l'avait amené. Il revit dans une lumière crue ce Narcisse, si intelligent, un peu ironique, qui l'avait entendu jadis dire tant de sottises et celui qui, à l'heure décisive et douloureuse, lui avait ensuite ouvert les yeux. Il entendait encore sonner à ses oreilles certaines paroles que l'ami lui avait dites alors : « Tu dors sur le cœur maternel ; moi, je veille dans le désert. Ce sont des jeunes filles qui hantent tes rêves, moi, ce sont mes écoliers. »

Un instant son cœur glacé se serra. Il était là effroyablement seul dans la nuit. Derrière lui, le cloître, un foyer factice seulement, mais dont il avait pris la longue habitude et qu'il aimait pourtant.

Mais en même temps il découvrit l'autre face des choses. Narcisse n'était plus un guide, un mentor mieux renseigné ou un initiateur. Il le savait, il venait aujourd'hui de s'engager sur un terrain où il trouverait seul son chemin et où aucun Narcisse ne pourrait le conduire. Il était heureux d'en prendre conscience. Il lui avait été pénible, humiliant, de jeter ses regards en arrière sur le temps où il n'était pas indépendant. Maintenant il avait les yeux ouverts et n'était plus un enfant ni un écolier. Ça faisait du bien de le savoir. Mais pourtant comme il était dur de se séparer, de l'imaginer à genoux, là-bas dans l'église, de ne pouvoir rien lui donner, de ne pouvoir l'aider, de n'être rien pour lui. Et de se trouver maintenant pour longtemps, peut-être pour toujours, séparé de lui, de ne rien savoir de lui, de n'entendre pas sa voix, de ne plus rencontrer la noblesse de son regard.

Il s'arracha à ces pensées et suivit le chemin rocailleux. Arrivé à cent pas du mur du monastère il s'arrêta, prit son souffle et poussa de son mieux le cri du hibou. Le même cri de hibou répondit de la rive du ruisseau, en aval, dans le lointain.

Nous nous appelons l'un l'autre comme des bêtes, se dit-il, et il songea à l'heure amoureuse de l'après-midi. Alors seulement il prit conscience de ce que c'était seulement à la fin des étreintes que des paroles avaient été échangées entre lui et Lise et encore, si peu et si insignifiantes ! Quelles longues conversations il avait eues avec Narcisse ! Maintenant, semblait-il, il était engagé dans un monde où on ne parlait point, où on s'attirait l'un l'autre avec des cris de hibou, où les mots n'avaient plus de sens. Il acceptait cela ; il n'avait plus besoin de mots ni de pensée aujourd'hui, tout ce qu'il désirait, c'était Lise, ce contact, ce bouleversement de tout l'être, aveugle, muet, sans paroles, cet évanouissement dans les râles.

Lise arrivait. Déjà elle sortait de la forêt, venant à sa rencontre. Il étendit les bras pour la sentir, prit tendrement ses mains, pour les tâter, sa tête, ses cheveux, son cou, sa nuque, son corps svelte et ses hanches robustes. Un bras enlacé autour d'elle il continua avec elle son chemin, sans parler, sans demander où ils allaient. Elle foulait le sol d'un pied sûr, dans les bois, dans la nuit, il avait peine à marcher du même pas, on eût dit qu'elle voyait avec des yeux faits pour les ténèbres comme le renard ou la martre et elle avançait sans heurts, sans trébucher. Il se laissait mener dans la nuit à travers la forêt et la campagne obscure et mystérieuse, sans un mot, sans une pensée. Il ne songeait plus à rien, plus au monastère qu'il avait abandonné, plus à Narcisse.

En silence ils suivirent une sente obscure, posant leurs pieds tantôt sur de la mousse molle et souple, tantôt sur de dures racines ; tantôt, entre les hautes ramures des arbres disséminés, le ciel lumineux se tendait au-dessus d'eux ; tantôt c'était la nuit noire. Des arbustes le frappaient au visage, des ronces le retenaient par son vêtement. Partout elle se retrouvait et se frayait passage ; il était rare qu'elle s'arrêtât, rare qu'elle hésitât. Au bout d'un long moment ils arrivèrent parmi des pins isolés, espacés et distants les uns des autres, le ciel nocturne se découvrait au loin tout pâle ; la forêt avait pris fin. Ils entrèrent dans un vallon. Les prairies embaumaient le foin. Ils pataugèrent dans un petit ruisseau qui coulait sans bruit. Ici, en terrain découvert, le silence était encore plus profond que dans la forêt. Plus de buisson qui murmure, plus d'animal nocturne qui détale, plus de craquement de bois mort.

Lise s'arrêta près d'un grand tas de foin.

« C'est là que nous allons rester », dit-elle.

Ils s'assirent tous deux dans l'herbe sèche, soufflant un peu pour la première fois et jouissant du repos, tous deux un peu las. Ils s'allongèrent, tendirent l'oreille au silence, sentirent leurs fronts sécher, leurs visages se rafraîchir peu à peu. Goldmund accroupi, jouissant de son agréable fatigue, serrait et tendait le genou en se jouant, aspirait à longs traits la nuit et le parfum du foin, et ne songeait ni au passé ni à l'avenir. Il se laissait seulement attirer lentement et charmer par l'odeur et la chaleur de son amie, rendait chacune des caresses de ses mains, et la sentait avec délices commencer à s'enflammer à ses côtés et à se serrer toujours plus contre lui. Non, pas besoin ici de mots ni de pensées. Tout ce qui avait de l'importance et de la grâce, il le sentait vivement : la vigueur juvénile, la beauté simple et saine de ce corps féminin, son ardeur qui montait et son désir. Il avait aussi le sentiment très net qu'à présent elle voulait être aimée autrement que la première fois, qu'elle ne voulait plus le séduire et l'instruire, mais attendre qu'il la désire et la prenne. En silence il laissa passer en lui les effluves, jouissant de la montée silencieuse de la flamme allumée en eux deux et qui faisait de leur petite couche le centre ardent où respirait toute la nuit silencieuse.

Quand il se fut penché sur la figure de Lise et se fut mis à baiser ses lèvres dans l'obscurité, il vit soudain ses yeux et son front rayonner dans une pâle lumière. Surpris, il y arrêta son regard et vit cette lueur qui commençait à poindre s'amplifier rapidement. Alors il comprit et se retourna : par-dessus la bordure des bois sombres qui s'allongeaient au loin la lune se levait. Il s'émerveilla à voir la douce lumière blanche couler sur son front et ses joues, sur le cou clair et arrondi, et dans son ravissement il murmura : « Que tu es belle ! »

Elle sourit comme s'il lui faisait un don, il la dressa à demi, il écarta doucement de son cou les vêtements, l'aida à s'en dégager, la pelant ainsi jusqu'à ce que les épaules et le buste, dans leur nudité, resplendissent sous la lumière froide de la lune. Des yeux et des lèvres, il suivait dans son ravissement les ombres délicates, les contemplant, les baisant; comme sous un charme elle restait sans mouvement, les yeux baissés, dans une attitude pleine de majesté, comme si, pour la première fois à cet instant, sa beauté se découvrait et se révélait aussi à elle-même.

CHAPITRE VII

TANDIS que la fraîcheur descendait sur les champs et que la lune montait d'heure en heure à l'horizon, les amants reposaient sur leur couche baignée d'une tendre lumière, perdus dans leurs ébats amoureux, s'assoupissant et dormant tous deux ensemble, se retrouvant l'un l'autre au réveil et s'enflammant l'un l'autre, enlacés à nouveau et s'endormant à nouveau. Après une dernière étreinte ils demeurèrent là, épuisés; Lise s'était enfoncée dans le foin et respirait avec peine, Goldmund était couché sur le dos, immobile, le regard perdu dans le ciel pâle et en tous deux montait une immense tristesse dont ils se libérèrent dans le sommeil. Ils s'y plongèrent profondément, désespérément, avec la même avidité que s'ils dormaient pour la dernière fois, que s'ils étaient condamnés à rester éternellement éveillés et devaient encore dans ces dernières heures aspirer en eux auparavant tout le sommeil du monde.

En ouvrant les yeux, Goldmund vit Lise occupée à sa chevelure noire. Il l'observa un moment distraitement, à demi éveillé seulement.

« Te voilà déjà réveillée? » dit-il enfin.

Elle se retourna vers lui tout d'une pièce comme si elle avait eu peur.

« Il faut que je parte, dit-elle avec tristesse et embarras. Je ne voulais pas te réveiller.

– Tu vois, je le suis. Nous faut-il déjà partir? Ne sommes-nous pas sans foyer?

– Moi, oui, dit Lise, mais toi, tu as le monastère.

– Ma place n'est plus au monastère, je suis comme toi, je suis tout seul; je n'ai pas de but dans la vie. Je vais avec toi naturellement. »

Elle détourna les yeux.

« Goldmund, tu ne peux pas venir avec moi. Il faut que

j'aille retrouver mon homme ; il me battra pour avoir passé la nuit dehors. Je dirai que j'ai perdu mon chemin. Mais il n'en croira rien, naturellement. »

À cet instant Goldmund songea que Narcisse lui avait prédit cela. Et la prophétie s'accomplissait.

Il se leva et lui tendit la main.

« Je m'étais trompé, dit-il, j'avais cru que nous resterions ensemble tous deux. Mais est-ce que tu voulais vraiment me laisser dormir et te sauver sans dire adieu ?

– Ah ! je pensais que tu allais te fâcher et me battre peut-être. Que mon homme me batte, bon, c'est comme ça, c'est dans l'ordre. Mais je ne voulais pas recevoir encore des coups de toi. »

Il retint sa main.

« Lise, dit-il, je ne te battrai pas, aujourd'hui ni jamais. Ne préfères-tu pas venir avec moi plutôt qu'avec ton mari, puisqu'il te bat ? »

Elle tira vivement pour dégager sa main.

« Non, non, non », s'écria-t-elle avec des larmes dans la voix. Et parce qu'il sentait bien que son cœur voulait se détacher de lui et qu'elle aimait mieux recevoir de l'autre des coups que de lui de bonnes paroles, il lâcha sa main, et elle se mit à pleurer. Mais en même temps elle s'enfuyait. Elle se sauvait, tenant les mains devant ses yeux pleins de larmes. Il ne dit plus rien et la suivit du regard. Il la plaignit en la voyant s'en aller ainsi à travers les prairies fauchées, à l'appel et sous l'action de quelque force, de quelque force inconnue dont il lui fallait bien se soucier. Il la plaignit et il se plaignait un peu lui aussi, il n'avait pas eu de chance, à ce qu'il semblait, il se trouvait là tout seul, un peu bête, abandonné, laissé en plan. D'autre part il était encore fatigué et avait besoin de sommeil ; jamais encore il n'avait été épuisé à ce point. Il aurait bien le temps d'être malheureux. Le voilà endormi à nouveau et il ne revint à lui que sous l'ardeur du soleil déjà haut dans le ciel.

Il était maintenant reposé, il se leva vite, courut au ruisseau, se lava et but. Les souvenirs alors remontèrent en foule. Venues des heures d'amour de cette nuit, mille images, mille gracieuses et tendres impressions embaumaient comme des fleurs des pays lointains. Ses pensées les suivirent tandis qu'il se mettait courageusement en route, il éprouva encore une fois toutes ces sensations, goûta, sentit, tâta tout cela encore et encore. Que de rêves la brune étrangère avait comblés en lui ! que de boutons elle avait fait éclore, que de curiosités et de désirs elle avait apaisés et combien elle en avait éveillés de nouveaux !

Devant lui s'étendaient les champs et la lande, les chaumes desséchés et la forêt sombre ; derrière eux il devait y avoir des fermes, des moulins, un village, une ville. Pour la première fois le monde s'étendait là, grand ouvert devant lui, l'attendait, prêt à le recevoir, à lui faire du bien, à le faire souffrir. Il n'était plus un écolier qui regarde les choses par la fenêtre ; sa marche n'était plus une promenade qui doit aboutir inévitablement au retour. Ce monde immense, il était devenu maintenant une réalité, une partie de lui-même ; en lui reposait son destin, son ciel était le sien, le temps qu'il y faisait, il le subissait. Il était tout petit dans ce vaste univers, tout petit, il cheminait comme un lièvre, un scarabée, à travers son immensité verte et bleue. Plus de cloche pour le réveil, pour la messe, pour la leçon, pour le déjeuner.

Oh ! qu'il avait faim ! Une écuelle de lait, une bouillie – quels souvenirs enchanteurs ! Son estomac était comme un loup affamé. Il passa devant un champ de blé ; les épis étaient à demi mûrs. Il les ouvrit de ses doigts, les mit dans sa bouche, mastiqua avidement les petits grains qui fuyaient sous la dent, en ramassa d'autres encore et bourra ses poches d'épis. Puis il trouva des noisettes, encore bien vertes, mordit avec délices dans les coques qui craquaient et en emporta une provision.

Puis vinrent à nouveau des bois, des bois de pins avec des chênes et des frênes au travers et là il y avait des myrtilles en abondance ; là il fit halte, mangea, se rafraîchit. Parmi les herbes maigres et dures de la forêt se trouvaient des campanules bleues ; des papillons bruns s'envolaient au soleil et disparaissaient dans les caprices d'une fuite en zigzag. C'était dans une telle forêt qu'avait vécu sainte Geneviève. Il avait toujours aimé son histoire. Oh ! qu'il aurait été heureux de la rencontrer ! Peut-être y avait-il un ermitage au fond des bois avec un vieux père barbu dans une caverne ou dans une hutte d'écorce. Peut-être aussi des charbonniers vivaient-ils là. Bien volontiers il aurait fait connaissance. Et même s'il y avait eu des brigands ils ne lui auraient sûrement rien fait. Ce serait bon de rencontrer des hommes, n'importe lesquels. Mais il le savait bien, il pouvait continuer longtemps sa route dans la forêt, aujourd'hui, demain et encore bien des jours, sans croiser âme qui vive. Cela aussi il fallait l'accepter si c'était dans son destin. Il ne fallait pas beaucoup réfléchir, mais laisser aller les choses comme elles voulaient.

Il entendit un pivert cogner dans l'arbre et essaya de l'épier. Longtemps il se donna une peine inutile pour l'apercevoir. À la fin, il y réussit pourtant et le regarda un moment, là-haut, tout seul, collé au tronc de l'arbre et qui le piquait en avançant et reculant inlassablement la tête. Quel dommage qu'on ne puisse parler avec les animaux ! Ç'aurait été chic d'interpeller le pic et de lui dire quelque chose de gentil et peut-être d'apprendre des détails sur sa vie dans les arbres, son travail, ses joies. Oh ! si on pouvait se métamorphoser !

Il lui vint à l'esprit que parfois, aux heures de loisir, il avait dessiné, tracé avec son crayon sur sa tablette d'école des figures : des fleurs, des feuilles, des arbres, des animaux, des têtes humaines. Souvent il avait longtemps joué ainsi et parfois, comme un petit Dieu, il avait créé des êtres de son invention : dans le calice d'une fleur, il avait placé des yeux et une bouche, d'une touffe de feuilles sortant d'une branche il avait formé des visages, donné une tête à un arbre. Il était resté souvent une heure durant heureux et charmé par ce jeu. Usant de son pouvoir magique, il avait tracé des lignes et s'était laissé lui-même surprendre en voyant la figure qu'il avait commencée donner une feuille d'arbre, une tête de poisson, une queue de renard, les sourcils d'un homme. On devrait avoir ainsi le pouvoir de se métamorphoser comme l'avaient fait, jadis dans son jeu, les lignes sur sa tablette, pensait-il maintenant. Quelle joie aurait eue Goldmund à devenir un pivert, peut-être pour un jour, peut-être pour un mois ; il aurait vécu dans la cime des arbres, courant tout là-haut sur les troncs lisses, piquant l'écorce de son robuste bec, s'arc-boutant avec les plumes de sa queue ; il aurait parlé la langue des piverts et fait sortir de l'écorce de bien bonnes choses. Le martèlement du pivert rendait dans le bois sonore un bruit énergique et délicieux.

Goldmund rencontra bien des animaux sur sa route dans la forêt ! Des lièvres, qui détalaient soudain hors du buisson à son approche, le regardaient fixement, faisaient demi-tour et se sauvaient les oreilles baissées avec une tache claire sous la queue. Dans une petite clairière il trouva un grand serpent qui ne bougea pas, car ce n'était pas une bête vivante, mais seulement sa peau vide. Il la ramassa, la contempla : un beau dessin gris et brun suivait la ligne de son dos et le soleil passait au travers de cette dépouille mince comme une toile d'araignée. Il vit des merles au bec jaune ; ils vous lançaient de leurs yeux noirs pleins d'angoisse, à travers l'étroite fente des paupières, des regards fixes et s'enfuyaient d'un vol bas, au ras du sol. Les rouges-gorges et les pinsons foisonnaient. Dans un coin de la forêt se trouvait un trou, une mare pleine d'eau épaisse et verdâtre sur laquelle des araignées avec leurs longues pattes couraient sans trêve, dans tous les sens, comme des possédées, se livrant à un jeu incompréhensible, et au-dessus volaient quelques libellules aux ailes bleu sombre. Et à un moment – il se faisait déjà tard – il aperçut – plutôt il ne vit rien que des feuilles agitées, bouleversées; il entendit des branches craquer et de la terre molle qui jaillissait, et une grosse bête, à peine visible, se précipita de tout son poids à travers les branchages, peut-être un cerf, peut-être un sanglier, il ne savait. Longtemps encore il resta là à reprendre son souffle après une telle peur, suivant des yeux, dans son émoi, la trace de l'animal, la suivant encore, le cœur battant, quand tout, depuis longtemps, était rentré dans le silence.

Il ne trouvait pas de chemin pour sortir de la forêt; il lui fallait y passer la nuit. Tout en cherchant une place pour dormir et en se faisant un lit de mousse, il essayait d'imaginer ce qui se passerait s'il n'arrivait plus à quitter les bois et devait y rester pour toujours. Et il lui parut que ce serait un grand malheur. Vivre de baies, c'était possible, après tout, et aussi dormir sur la mousse, et puis il réussirait bien sans aucun doute à se bâtir une hutte, peut-être même à faire du feu. Mais rester toujours, toujours seul, gîter au milieu du silence des troncs d'arbre endormis, vivre parmi les bêtes qui détalaient devant vous et avec lesquelles on ne pouvait parler, ce serait insupportablement triste. Ne pas voir d'hommes, ne dire à personne bonjour ni bonne nuit, ne plus pouvoir plonger ses regards dans des yeux et des visages, ne plus contempler de jeunes filles et de femmes, ne plus savourer aucun baiser, ne plus jouer le jeu charmant et mystérieux des lèvres et des membres, oh! ce serait inimaginable! Si c'était là son lot, pensait-il, il chercherait à devenir un animal, un ours ou un cerf, fût-ce au prix de sa béatitude éternelle. Etre un ours, et aimer une ourse, ce ne serait pas si mal et en tout cas bien meilleur que de conserver sa raison et son langage et le reste pour vivre avec tout cela solitaire et triste, sans amour.

Sur son lit de mousse, avant de s'endormir, il tendit l'oreille avec curiosité, avec angoisse, aux mille bruits incompréhensibles et mystérieux de la nuit dans la forêt. C'était là maintenant toute sa compagnie; il devait vivre avec eux, s'accoutumer à eux, se mesurer et s'accorder avec eux; il faisait maintenant partie du monde des renards et des chevreuils, des sapins et des pins, il lui fallait bien vivre avec eux, partager avec eux l'air et le soleil, attendre avec eux le jour, avoir faim avec eux, devenir leur hôte.

Après quoi, il dormit, rêva de bêtes et d'hommes, il était un ours et dévorait Lise sous les caresses. En pleine nuit il s'éveilla dans une profonde terreur sans cause, sentit son cœur infiniment anxieux et réfléchit longuement, tout bouleversé. Il lui vint à l'esprit qu'hier et aujourd'hui il s'était endormi sans faire sa prière du soir. Il se leva, s'agenouilla auprès de sa couche, et récita deux fois ses oraisons du soir, pour hier et pour ce jour. Il ne tarda pas à s'endormir.

Le matin, son regard se posa tout autour de lui sur les futaies : il avait oublié où il se trouvait. L'angoisse de la forêt se mit alors à décroître, avec une joie nouvelle il s'abandonna à la vie des bois, mais en poursuivant toujours sa marche et en se dirigeant sur le soleil. À un moment il rencontra une laie toute plate avec très peu de taillis, au milieu de sapins blancs, tous très gros, très vieux, tout droits, et après avoir marché un moment entre ces colonnes, il se prit à penser aux piliers de la grande église du monastère, de cette église dans le sombre portail de laquelle il avait vu disparaître l'autre jour son ami Narcisse – quand donc ? N'y avait-il que deux jours ?

Ce fut seulement au bout de deux jours et de deux nuits qu'il sortit du bois. Il reconnut avec joie les traces de la présence de l'homme : des champs cultivés, des bandes de terre garnies de seigle et d'avoine, des prairies à travers lesquelles, çà et là, un étroit sentier foulé était visible de loin pour un moment. Goldmund cueillit du seigle et mâcha ; les terres cultivées l'accueillaient avec bienveillance. Après le long séjour dans la brousse, tout avait un aspect humanisé, sociable : le petit chemin, l'avoine, les bleuets fanés devenus blancs. Il allait maintenant rencontrer des humains ! Au bout d'une petite heure, il passa devant un champ au bord duquel se dressait une croix. Il s'agenouilla au pied et pria. En contournant l'avancée d'une colline il se trouva tout à coup sous un tilleul ombreux, entendit avec ravissement la chanson d'une fontaine dont l'eau s'écoulait par un conduit en bois dans une longue auge de bois, but l'eau froide délicieuse, vit avec joie émerger des sureaux dont les baies étaient déjà noires, quelques toits de chaume. Plus profondément que tous ces signes sympathiques de la présence des hommes, le meuglement d'une vache l'émut. Il venait à lui, aussi bon, aussi chaud, aussi intime qu'un salut ou un souhait de bienvenue.

L'oreille tendue, il s'approcha de la cabane d'où partait le meuglement. Un petit garçon aux cheveux roux, aux yeux bleu clair était assis dans la poussière devant la porte avec un pot de terre plein d'eau à côté de lui et avec la poussière et l'eau il faisait une pâte dont ses jambes nues étaient déjà recouvertes. Tout heureux, il serrait gravement la boue humide entre ses mains, la regardait couler entre ses doigts, en faisait des boules et s'aidait encore de son menton pour la pétrir et l'arrondir.

« Salut, mon petit », dit Goldmund très gracieusement. Mais l'enfant, levant les yeux et voyant un étranger, ouvrit son petit bec ; sa frimousse grassouillette fit la grimace, et il s'enfuit à quatre pattes en piaillant par la porte de la maison. Goldmund le suivit, arriva dans la cuisine. Elle était si sombre que, au sortir de la splendeur du soleil de midi, il ne put d'abord rien distinguer. À tous risques, il prononça une belle formule de salutation. Pas de réponse. Mais bientôt un mince filet de voix – une voix de vieux – domina peu à peu les cris de l'enfant effrayé, lui donnant toutes sortes de consolations. À la fin une petite bonne femme se leva dans les ténèbres et s'approcha, une main au-dessus des yeux et regardant l'hôte.

« Dieu te donne le salut, petite mère, s'écria Goldmund, et que tous les saints du paradis bénissent ta bonne figure. Voilà trois jours que je n'ai plus vu une face humaine. »

La vieille femme, de ses yeux presbytes, jetait des regards ahuris.

« Que veux-tu donc ? » demanda-t-elle hésitante.

Goldmund lui tendit la main, caressant un peu la sienne.

« Je veux te dire bonjour, grand-mère, et me reposer un petit peu, et t'aider à faire le feu. Si tu veux me donner un morceau de pain, je ne cracherai pas dessus, mais ça n'est pas pressé. »

Il aperçut un banc fixé au mur, s'assit dessus tandis que la vieille coupait une tranche de pain à l'enfant qui, maintenant, fixait l'étranger avec intérêt et curiosité, tout prêt pourtant, à chaque instant, à pleurer et à se sauver. La vieille coupa dans la miche un morceau de pain et l'apporta à Goldmund.

« Grand merci, dit-il, Dieu te le rende.
– As-tu le ventre vide ? demanda la vieille.
– Pour ça non, il est plein de myrtilles.
– Mange alors ! D'où viens-tu ?
– De Mariabronn, du monastère.
– Es-tu un curé ?

– Non pas. Un écolier. En voyage. »

Elle posa sur lui un regard à demi stupide, à demi railleur, branlant un peu la tête sur son cou maigre et ridé. Elle le laissa mâcher quelques bouchées et remmena le petit dehors au soleil ; puis elle revint et demanda curieuse :

« Sais-tu du nouveau ?

– Pas grand-chose. Connais-tu le père Anselme ?

– Non. Qu'est-ce qu'il a ?

– Il est malade.

– Malade ! Va-t-il mourir ?

– Sais pas. C'est dans les jambes. Il ne peut pas bien marcher.

– Va-t-il mourir ?

– Je ne sais pas. Peut-être.

– Bah ! Laisse-le mourir. Il faut que je fasse la soupe. Aide-moi à tailler des copeaux. »

Elle lui donna une bûche de sapin, bien séchée au feu et un couteau. Il coupa des copeaux tant qu'elle voulut et la regarda les mettre dans la cendre et souffler jusqu'à ce qu'ils prennent feu. Dans un ordre précis et mystérieux elle disposa alors dessus du sapin et du hêtre ; la flamme jaillit claire dans le foyer ouvert. Elle y suspendit le grand chaudron noir qui pendait à une chaîne, couverte de suie, dans le conduit de cheminée.

À sa demande, Goldmund alla chercher de l'eau au puits, écréma le lait et, assis dans les ténèbres enfumées, regarda le jeu des flammes avec, au-dessus, le visage osseux et ridé de la vieille qui apparaissait et disparaissait dans les reflets rouges ; il entendit à côté, derrière la cloison de planches, la vache chercher dans la mangeoire et heurter les murs. Cela lui plaisait bien. Le tilleul, le puits, le feu pétillant sous le chaudron, le souffle puissant et le bruit de mâchoires de la vache qui mangeait, et ses heurts sourds contre la cloison, la salle à demi obscure avec la table et le banc, la petite vieille affairée, tout cela était beau et bon, sentait la nourriture et la paix, les hommes et la chaleur, le foyer. Il y avait aussi là deux chèvres et il apprit de la vieille qu'on nourrissait là-bas, derrière, deux cochons dans l'étable à porcs, et la vieille était la grand-mère du paysan, l'arrière-grand-mère du petit gamin dont le nom était Kuno. Il rentrait de temps en temps et, bien qu'il ne dît mot et jetât des regards un peu inquiets, il ne pleurait plus.

Le paysan revint avec sa femme. Ils furent bien surpris de trouver à la maison un étranger. Le paysan voulut se mettre à grogner. Défiant, il entraîna le jeune homme par le bras vers la porte pour voir sa tête à la lumière du jour. Alors il se mit à rire, lui donna une tape amicale sur l'épaule et l'invita à dîner. Ils s'assirent et chacun trempa son pain dans l'écuelle de lait commune jusqu'à ce que le lait touchât à sa fin ; alors le paysan but le reste.

Goldmund demanda s'il pouvait rester jusqu'au lendemain et coucher sous leur toit. Non, dit l'homme, il n'y avait pas de place pour cela ; mais dehors se trouvait encore partout du foin en quantité ; il découvrirait bien là où coucher.

La paysanne avait le petit à côté d'elle. Elle ne prenait pas part à la conversation ; mais pendant le repas ses yeux curieux prenaient possession du jeune inconnu dont les boucles et les yeux lui avaient tout de suite fait impression. Elle remarqua ensuite avec satisfaction son beau cou blanc, ses mains lisses et distinguées, et leurs mouvements aisés et élégants. C'était là un hôte plein de prestance et de distinction, et si jeune ! Mais ce qui l'attirait surtout et la rendit amoureuse, ce fut la voix de l'étranger, cette jeune voix d'homme dont la mélodie discrète, le chaud rayonnement faisaient doucement la conquête des cœurs et vous enveloppaient comme une caresse. Elle aurait voulu rester longtemps là à l'écouter.

Après le repas, le paysan alla travailler à l'étable ; Goldmund avait quitté la maison, s'était lavé les mains à la fontaine et s'était assis sur le petit mur pour prendre le frais et écouter le murmure de l'eau. Il était indécis ; il n'avait plus rien à faire ici à vrai dire, pourtant ça lui faisait peine de devoir déjà partir. Alors la paysanne sortit, un seau à la main, le plaça sous le jet et le laissa se remplir. À mi-voix elle dit : « Si tu es encore ce soir dans le voisinage je t'apporterai à manger. Là-bas derrière la grande bande d'orge il y a du foin qu'on ne rentrera que demain. Seras-tu encore là ? »

Il regarda sa figure marquée de taches de rousseur, ses grands yeux clairs au chaud regard, la vit enlever le seau de ses bras vigoureux. Il lui adressa un sourire et lui fit signe que oui et déjà elle s'en allait avec son seau plein et disparaissait dans l'obscurité de la porte. Son cœur débordait de gratitude et de joie. Il resta assis là, l'oreille tendue vers l'eau courante. Un peu plus tard il rentra, chercha le fermier, lui donna la main ainsi qu'à la grand-mère et les remercia. Ça sentait le feu, la suie, le lait dans la chaumière. À l'instant encore elle était pour lui un abri et un foyer ; maintenant elle lui était redevenue étrangère. Il salua et partit.

De l'autre côté des masures il rencontra une chapelle et dans son voisinage une belle futaie, un bouquet de grands chênes avec de l'herbe courte en dessous. Il y resta à l'ombre, se promenant entre les gros troncs. Les femmes et l'amour, pensait-il, quelles choses étranges : les paroles sont superflues. La paysanne n'avait, en effet, eu besoin que d'un mot pour lui indiquer le lieu du rendez-vous ; tout le reste elle ne l'avait pas exprimé avec des paroles. Comment donc alors ? Avec les yeux, oui, et avec un certain timbre de sa voix un peu voilée et encore avec on ne sait quoi : une odeur peut-être, discrètement émise par sa peau à laquelle les hommes et les femmes sentent tout de suite qu'ils se désirent. Etrange ! Ce langage raffiné, avec quelle promptitude il l'avait appris ! Il se réjouissait d'avance de cette soirée, il était très curieux de savoir ce qu'il allait découvrir dans cette grande femme blonde, ce que seraient ses regards, sa voix, ses membres, ses mouvements, ses baisers – bien sûr tout autres que ceux de Lise. Où pouvait-elle bien être maintenant, cette Lise avec ses cheveux raides, sa peau brune, ses soupirs saccadés ? Son mari l'avait-il battue ? Pensait-elle encore à lui ? Avait-elle déjà trouvé un nouvel amant tout comme lui avait trouvé dès aujourd'hui une nouvelle femme ? Comme les événements allaient vite ! Partout le bonheur était sur votre chemin, si beau, si chaud, et si étrangement éphémère ! C'était un péché, un adultère et, il y a peu de temps, il se serait plutôt fait tuer que de commettre cette faute. Et maintenant c'était déjà la deuxième femme qu'il attendait et sa conscience restait muette et tranquille. C'est-à-dire, elle n'était peut-être pas tranquille tout de même, mais ce n'était pas à cause de l'adultère et de la luxure que son âme était parfois inquiète et lourde. C'était quelque chose d'autre à quoi il ne pouvait donner un nom. C'était le sentiment d'une faute qu'on n'a pas commise, mais apportée au monde avec soi. C'était peut-être ça qui s'appelait péché originel en théologie ? Possible. Oui, la vie portait en elle quelque chose de criminel ; autrement comment un être aussi pur et aussi sage que Narcisse se serait-il soumis à des exercices d'expiation comme un condamné ? Ou bien comment aurait-il pu, lui, Goldmund, garder quelque part, dans les profondeurs, le sentiment de cette faute ? N'était-il donc pas heureux ? N'était-il pas jeune, plein de santé, n'était-il pas libre comme l'oiseau dans les airs ? Les femmes ne l'aimaient-elles pas ? N'était-ce pas beau de sentir qu'il pouvait, comme amant, donner à une femme la même jouissance profonde qu'il éprouvait d'elle ? Pourquoi n'était-il donc pas pleinement heureux ? Pourquoi, dans son jeune bonheur tout comme dans la sagesse et dans la vertu de Narcisse, cette curieuse douleur, cette légère angoisse, cette plainte sur l'instabilité du bonheur pouvait-elle se glisser parfois ? Pourquoi lui fallait-il parfois se creuser la tête, méditer ainsi, alors qu'il savait pourtant bien qu'il n'était pas un penseur ?

Et pourtant la vie était belle ! Il cueillit dans l'herbe une petite fleur violette, l'approcha de son œil pour regarder dans le calice étroit ; il y avait là des veines et de minuscules organes fins comme des cheveux, comme au plus intime de la femme et comme au plus profond du cerveau d'un penseur où vibraient la vie et le plaisir. Oh ! pourquoi ne savait-on rien, absolument rien ? Pourquoi ne pouvait-on parler avec cette fleur ? Mais deux hommes ne pouvaient même pas échanger vraiment leurs pensées, à moins d'un hasard heureux, d'une amitié ou d'une réceptivité exceptionnelles. Non, c'était une chance que l'amour n'eût pas besoin de paroles ; sans quoi il se serait empli de malentendus et de folies. Ah ! la façon dont les yeux de Lise à demi fermés avaient comme chaviré sous l'excès des délices, ne laissant plus voir qu'un trait blanc dans la fente des paupières convulsées, ça ne pouvait s'exprimer en dix mille formules de savants et de poètes ! Rien, ah ! absolument rien ne pouvait s'exprimer à fond, se penser à fond, et pourtant on avait toujours en soi à nouveau le besoin ardent de parler, l'éternelle tendance à penser !

Il examina les feuilles de la petite plante ; quelle admirable sagesse les avait ainsi rangées si joliment autour de la tige ! Les vers de Virgile étaient beaux, il les aimait, mais il y avait dans Virgile bien des vers qui n'étaient pas aussi beaux, si pleins de sens que la disposition en spirale de ces petites feuilles montant contre la tige. Quelle jouissance, quel bonheur, quel acte ravissant, noble et profond ce serait, si un homme avait le pouvoir de créer une seule fleur comme celle-ci ! Mais nul n'en était capable, aucun empereur, aucun pape et aucun saint.

Quand le soleil fut bas, il se mit en route et chercha l'endroit que la paysanne lui avait indiqué. Là il attendit. C'était bon d'attendre ainsi et de savoir qu'une femme était en route, n'apportant avec elle qu'amour.

Elle vint avec une serviette de toile dans laquelle elle avait mis un gros morceau de pain et une tranche de jambon. Elle la dénoua et plaça le tout devant lui.

« Pour toi, dit-elle, mange ! »

– Plus tard, dit-il, je n'ai pas faim de pain, j'ai faim de toi. Oh ! montre ce que tu m'as apporté de beau ! »

Que de belles choses elle lui avait apportées ! de grosses lèvres goulues, de fortes dents éclatantes, des bras forts, rougis par le soleil, mais au-dessous du cou et plus bas, sa peau était blanche et douce. Elle ne savait pas beaucoup de paroles, mais dans sa gorge chantait une musique gracieuse et séduisante et, quand elle sentit sur elle ses mains, des mains si tendres, si caressantes et si sensibles, des mains comme elle n'en avait jamais connu, sa peau frémit et une sorte de ronron de chat se fit entendre dans sa gorge. Elle ne connaissait pas beaucoup de jeux d'amour, moins que Lise, mais elle avait une force merveilleuse, elle enlaçait son ami comme si elle voulait lui casser le cou. Son amour était enfantin et vorace, simple et pudique encore dans toute sa violence ; Goldmund connut avec elle un grand bonheur.

Et puis elle s'en alla en soupirant, elle eut grand-peine à se détacher de lui ; elle ne pouvait pas rester.

Goldmund demeura seul, heureux et triste aussi. Tard seulement il songea au pain et au jambon et mangea, solitaire. Il faisait déjà nuit noire.

CHAPITRE VIII

Déjà depuis des jours Goldmund cheminait, passant rarement deux nuits au même endroit, partout désiré des femmes et comblé par elles, bruni par le soleil, amaigri par la marche et la maigre pitance. Bien des femmes avaient pris congé de lui à la pointe du jour et l'avaient quitté – certaines en versant des larmes – et plus d'une fois il s'était dit : « Pourquoi n'en est-il point qui restent avec moi ? Pourquoi puisqu'elles m'aiment et commettent l'adultère pour jouir d'une nuit d'amour, pourquoi s'empressent-elles de retourner à leurs maris, chez qui, le plus souvent, des coups les attendent ? » Pas une qui lui eût sérieusement demandé de rester, pas une seule qui l'eût jamais prié de l'emmener et se fût montrée prête, par amour, à partager avec lui les joies et les misères de la vie errante. À vrai dire il n'avait jamais fait à aucune pareille proposition, n'avait jamais suggéré à aucune une telle idée ; quand il interrogeait son cœur, il voyait bien que sa liberté lui était chère et il ne retrouvait pas dans ses souvenirs une seule amante qu'il eût encore désirée dans les bras de la suivante. Mais cependant il lui semblait étrange et un peu triste que partout l'amour fût chose si fugitive, chez les femmes comme en lui-même, et qu'on ne mît pas plus de temps à se dégoûter d'elles qu'à s'en éprendre. Etait-ce bien ainsi ? En était-il toujours et partout de même ? Ou bien était-ce sa faute ? Etait-il ainsi fait que les femmes, tout en le recherchant et en le trouvant beau, ne désirassent pas d'autre intimité avec lui que ce court contact, sans paroles, dans le foin ou sur la mousse ? Est-ce que cela venait de ce qu'il était un vagant et que les sédentaires sentent passer le frisson devant la vie des sans-foyer ? Ou bien cela tenait-il uniquement à lui, à sa personne, si les femmes le convoitaient et le serraient sur leur cœur comme une jolie poupée pour courir toutes ensuite à leurs maris, même quand des coups les attendaient près d'eux ? Il ne savait.

Il ne se lassait pas d'apprendre des femmes. Il était plus attiré vers les jeunes filles, les toutes jeunes qui n'étaient pas encore mariées et ignoraient tout ; de celles-là il pouvait devenir amoureux fou. Mais le plus souvent, elles étaient inaccessibles, ces enfants aimées, timides et bien gardées. Avec les épouses aussi il aimait à enrichir son expérience. De toutes il retenait quelque chose : un geste, une originalité dans le baiser, un jeu d'amour particulier, une façon à elles de se donner ou de résister. Goldmund se prêtait à tout, il était insatiable et souple comme un enfant, ouvert à toutes les séductions, et c'est par là seulement qu'il exerçait lui-même une telle séduction. Sa beauté, à elle seule, n'eût pas suffi à lui gagner si aisément les femmes ; c'était cette naïveté enfantine, cette passivité, cette innocence pleine de curiosité dans la concupiscence, cet absolu consentement à tout ce qu'une femme pouvait bien désirer de lui. Il était, sans le savoir lui-même, auprès de chaque amante, exactement tel qu'elle le souhaitait et le rêvait, tendre et patient auprès de l'une, auprès de l'autre, emporté et entreprenant, aujourd'hui naïf comme un gamin à la première initiation, demain raffiné et fort averti. Il était prêt au jeu et à l'assaut, aux soupirs et au rire, à la pudeur et au cynisme. Il ne faisait rien à une femme qu'elle ne désirât, rien à quoi elle ne l'eût provoqué. C'était cela que toutes les femmes aux sens un peu perspicaces flairaient tout de suite en lui, c'était là ce qui en faisait leur favori.

Mais lui, il accumulait les expériences. Il n'apprit pas seulement en peu de temps toutes sortes de façons de faire l'amour, mille artifices d'amour, il ne se contenta pas de faire sienne l'expérience de tant d'amoureuses. Il apprit aussi à voir les femmes, à les sentir, à les tâter, à les flairer dans toute leur diversité ; sa fine oreille apprit à percevoir toutes les nuances des intonations, à deviner sans erreur possible, rien qu'au son de la voix, chez bien des femmes leur nature et la mesure de leur aptitude à l'amour. Il contemplait avec un ravissement toujours nouveau les mille façons dont une tête peut se poser sur un col, dont un front peut se détacher sous une chevelure, dont une rotule peut se mouvoir. Il apprenait dans l'obscurité, les yeux clos, par le tendre attouchement des doigts, à distinguer l'une de l'autre les diverses chevelures féminines, les peaux et les duvets. Il ne tarda pas à constater que c'était là peut-être le sens de sa vie errante, qu'il était peut-être le sens de sa vie errante, qu'il était peut-être ballotté d'une femme à l'autre pour pouvoir éduquer toujours plus finement, plus complètement et plus profondément, par l'exercice, cette faculté de connaître et de distinguer. Peut-être était-ce là son destin d'expérimenter à la perfection, de mille manières et en mille variétés, la femme et l'amour ; tout comme il est des musiciens qui ne savent pas jouer d'un instrument seulement, mais de trois, de quatre ou davantage. À quoi cela pouvait servir, où cela menait-il, il n'en savait rien à vrai dire ; il sentait simplement que c'était là sa voie. Pour le latin et la logique il avait des aptitudes, certes, mais nullement étonnantes ou rares. Pour le jeu avec les femmes, il était doué ; là il apprenait sans peine, là il n'oubliait rien, là les expériences s'accumulaient et s'ordonnaient d'elles-mêmes.

Un jour, après avoir vagabondé un an ou deux, Goldmund arriva au domaine d'un chevalier cossu, père de deux belles jeunes filles. C'était au début de l'automne, les nuits allaient devenir fraîches ; l'automne et l'hiver passés, il en avait tâté et ne pensait pas sans inquiétude aux mois qui allaient venir ; c'était dur de mener en hiver la vie vagabonde. Il demanda un repas et un gîte. On l'accueillit bien et quand le chevalier apprit que le passant avait fait des études, savait le grec, il le fit venir de la table des domestiques à la sienne et le traita presque comme un égal. Ses deux filles tenaient les yeux baissés, l'aînée avait dix-huit ans, la cadette seize, leurs noms étaient Lydia et Julie.

Le lendemain Goldmund voulut continuer son chemin. Il n'y avait pour lui aucun espoir de faire la conquête de l'une de ces belles vierges blondes et il ne se trouvait point là d'autre femme qui lui donnât envie de rester. Mais après le petit déjeuner, le chevalier le prit à part et le conduisit dans une pièce à laquelle il avait donné une destination particulière. Cet homme d'âge parla au jeune homme de sa passion pour le savoir et pour les livres, lui montra un petit coffre plein de manuscrits qu'il avait collectionnés et un pupitre qu'il s'était fait construire, ainsi qu'une provision de magnifique papier et de parchemin. Ce pieux chevalier, comme Goldmund l'apprit peu à peu par la suite, avait fréquenté les écoles dans sa jeunesse, mais s'était plus tard entièrement consacré à la vie militaire et mondaine jusqu'au jour où, au cours d'une grave maladie, un avertissement du ciel l'eût amené à s'en aller en pèlerinage en expiation des fautes de sa jeunesse. Il s'était rendu jusqu'à Rome et même jusqu'à Constantinople, avait trouvé à son retour son père mort et sa maison déserte, s'y était fixé, s'était marié, avait perdu sa femme, élevé ses filles et maintenant au seuil de sa vieillesse, il s'était mis à écrire un récit détaillé de son pèlerinage d'autrefois. Il avait bien rédigé quelques chapitres, mais – comme il l'avoua au jeune homme – son latin était tout à fait médiocre et le gênait sans cesse. Il offrit à Goldmund un vêtement neuf, avec le vivre et le couvert, si celui-ci voulait lui corriger ce qu'il avait déjà écrit et le lui transcrire, puis l'aider à continuer.

L'automne était venu. Goldmund savait ce que cela voulait dire pour un vagant. Le vêtement neuf n'était pas non plus à dédaigner. Mais surtout la perspective de demeurer encore longtemps sous le même toit que les deux jolies sœurs avait du charme pour le jeune homme. Sans hésiter il dit oui. Au bout de quelques jours la femme de chambre reçut l'ordre d'ouvrir l'armoire aux étoffes ; il s'y trouva du beau drap brun dont on fit faire un vêtement et un bonnet à Goldmund. Le chevalier avait bien pensé à du drap noir et à une sorte de costume de magister, mais son hôte ne voulut rien savoir et trouva moyen de lui ôter cela de la tête. Ainsi fut fabriqué un joli vêtement, à moitié page, à moitié chasseur, qui lui seyait à merveille.

Le latin n'allait pas mal non plus. Ils parcoururent ensemble ce qui avait été écrit jusque-là et Goldmund ne corrigea pas seulement les nombreux mots inexacts et imprécis, mais il transforma çà et là les phrases courtes et gauches du chevalier en belles périodes latines aux solides constructions, dans une concordance des temps impeccable. Le chevalier y prit beaucoup de plaisir, son hôte ne marchandait pas les compliments. Ils consacraient chaque jour au moins deux heures à ce travail.

Dans le château fort – c'était une vaste ferme quelque peu fortifiée – Goldmund ne manqua point de passe-temps. Il prenait part aux chasses et apprit à tirer à l'arquebuse avec le chasseur Hinrich, se fit des amis des chiens et put aller à cheval tant qu'il voulut. Il était rare qu'on le vît seul : ou bien il parlait à un chien ou à un cheval, ou bien à Hinrich, ou bien à la femme de chambre Léa, une grosse vieille à voix d'homme, très portée à plaisanter et à rire, ou bien au garçon du chenil ou bien à un berger. Il eût été facile de nouer une amourette avec la fille du meunier dans le voisinage immédiat du château, mais il resta sur la réserve et joua le puceau.

Les deux filles du chevalier le ravissaient. La cadette était la plus belle, mais elle était si prude, qu'elle échangeait à peine un mot avec Goldmund. Il les abordait l'une et l'autre avec la plus grande discrétion et la plus grande politesse, mais sa présence leur faisait à toutes deux l'impression d'une cour incessante. La cadette y fermait totalement son cœur et se montrait hautaine par timidité. L'aînée, Lydia, adopta à son égard une attitude originale en le traitant comme un phénomène extraordinaire, un savant, adoptant un ton mi-respectueux, mi-railleur. Curieuse, elle lui posait une foule de questions, s'informant de la vie au monastère, mais lui opposant toujours un air de raillerie ou de supériorité de femme du monde. Il s'adaptait à tout, traitant Lydia comme une grande dame et Julie comme une petite nonne, et quand il parvenait par sa conversation à les retenir à table plus longtemps que d'ordinaire après le repas du soir, ou quand, dans la cour ou le jardin, Lydia lui adressait la parole et se permettait une taquinerie, il était satisfait et avait conscience d'avoir fait un progrès.

Longtemps, cet automne-là, les feuilles restèrent aux branches des grands frênes dans la cour, longtemps il y eut encore des asters et des roses dans le jardin. Un jour, arriva à cheval le maître d'un domaine voisin, venu en visite avec sa femme et un palefrenier. La douceur de cette journée les avait entraînés à entreprendre une excursion plus longue qu'à l'ordinaire et maintenant qu'ils étaient là, ils demandaient l'hospitalité pour la nuit. On leur fit un excellent accueil et le lit de Goldmund fut transporté de la chambre des hôtes dans la salle de travail. On prépara la chambre pour les visiteurs, on tua quelques poules et on envoya chercher des poissons au moulin. Goldmund participa avec joie à l'agitation générale et se rendit compte tout de suite que la dame étrangère l'avait remarqué. À peine avait-il perçu à sa voix et à un je ne sais quoi dans son regard sa satisfaction et son désir, qu'il constata en même temps, avec un intérêt accru, une transformation chez Lydia qui devint taciturne et absente et commença à les observer, lui et la dame. Lorsque, au cours du festin du soir, le pied de la dame se mit à jouer sous la table avec le sien, il fut ravi, non pas de ce jeu seulement, mais encore de l'air sombre et tendu avec lequel Lydia suivait ce jeu en silence, de son regard curieux et ardent. À la fin il laissa exprès tomber un couteau par terre, se pencha sous la table pour le ramasser et effleura d'une caresse le pied et la jambe de la dame. Il vit Lydia blêmir, se mordre les lèvres tandis qu'il continuait à raconter des anecdotes du cloître tout en sentant bien que l'étrangère, dans son for intérieur, prêtait moins l'oreille à son récit qu'à sa voix qui s'efforçait de lui faire la cour. Les autres aussi l'écoutaient, son maître avec bienveillance, l'hôte d'un visage impassible, mais toutefois sans rester insensible à l'ardeur qui brûlait dans le jeune homme. Jamais Lydia ne l'avait entendu parler ainsi : il était épanoui, la volupté flottait dans l'air, ses yeux lançaient des éclairs, le bonheur vibrait dans sa voix, l'amour adressait sa prière. Les trois femmes en avaient conscience, chacune à sa manière ; la petite Julie se mettait en défense et résistait, la femme du chevalier était rayonnante de satisfaction, Lydia éprouvait au cœur un frisson douloureux, un sentiment mêlé de désir profond, de légère résistance et de violente jalousie qui contractait son visage et mettait une flamme dans ses yeux. Goldmund prenait conscience de toutes ces vagues d'amour. Le flux les ramenait à lui comme des réponses à sa quête amoureuse et les pensers d'amour voletaient autour de lui comme des oiseaux, les uns dociles, les autres rétifs, les autres en conflit entre eux.

Après le repas Julie se retira. Il faisait nuit depuis longtemps. Froide comme une petite nonne, elle quitta la salle, portant sa lumière dans un chandelier de terre. Les autres restèrent encore une heure et tandis que les deux hommes parlaient de la récolte, de l'empereur et de l'évêque, Lydia, dévorée d'une flamme ardente, prêtait l'oreille aux propos futiles échangés sur des riens entre Goldmund et la dame et dont la trame bien lâche laissait place à un réseau serré et délicieux d'échanges de toutes sortes, de regards, d'intonations, de menus gestes dont chacun était lourd de sens et brûlant de flamme. La jeune fille respirait cet air avec concupiscence et avec horreur tout ensemble ; et quand elle voyait, quand elle sentait le genou de Goldmund touchant sous la table celui de l'étrangère, elle percevait l'attouchement sur son propre corps et sursautait. Après cela, elle ne dormit point ; le cœur battant, elle tendit l'oreille la moitié de la nuit, persuadée que tous deux allaient se retrouver. Ce qui leur était impossible, elle l'accomplissait, elle, dans son imagination et les voyait, enlacés, entendait leurs baisers, dans une attente qui la faisait trembler, car elle craignait autant qu'elle souhaitait que le chevalier trompé surprît les amants et enfonçât son couteau dans le cœur de l'odieux Goldmund.

Le matin suivant, le ciel était couvert, il soufflait un vent humide et l'hôte, déclinant toute invitation à rester plus longtemps, insista pour partir sans tarder. Lydia était là quand les voyageurs montèrent à cheval ; elle serra les mains, prononça les formules d'adieu, mais elle n'en avait nulle conscience : toute son âme était dans le regard avec lequel elle suivait la femme du chevalier posant son pied pour monter en selle dans les paumes que présentait Goldmund, dont la main droite se moula étroitement autour du soulier pour envelopper vigoureusement pendant un instant le pied de la dame.

Après le départ des étrangers, Goldmund dut aller travailler dans la librairie. Au bout d'une demi-heure il reconnut en bas la voix de Lydia qui donnait des ordres ; il entendit qu'on amenait un cheval. Son maître alla à la fenêtre et, souriant, branlant la tête, regarda dans la cour, puis tous deux suivirent des yeux Lydia qui s'éloignait sur sa monture. Ce jour-là, ils n'allèrent pas beaucoup plus avant dans la rédaction de leur texte latin. Goldmund était ailleurs ; son maître eut l'amabilité de le congédier plus tôt qu'à l'ordinaire.

Sans être vu, Goldmund quitta la cour avec son cheval ; dans la campagne décolorée il chevauchait contre le vent d'automne frais et humide, accélérant sans cesse le trot. Il sentait la bête qui s'échauffait sous lui, son propre sang qui s'enflammait. Sur les chaumes et les friches, sur les landes et les terres marécageuses garnies de prèles et de carex, il passait, respirant profondément dans la grisaille du jour, à travers les vallons parsemés d'aulnes, à travers la forêt de pins fangeuse, pour revenir ensuite sur la lande brune et désolée.

Sur la haute crête d'une colline il découvrit la silhouette

de Lydia se détachant sur les nuages gris clair du ciel. Il se précipita vers elle. À peine se vit-elle poursuivie qu'elle excita son cheval et s'enfuit. Tantôt elle disparaissait, tantôt elle redevenait visible, les cheveux au vent. Il la pourchassait comme un gibier, la joie au cœur, encourageant sa monture des petites interjections tendres et recueillant au vol dans ses yeux pleins de joie les signes distinctifs du paysage : les champs tapis au creux des vallons, les buissons d'aulnes et les bouquets d'érables, les bords argileux des mares, et, ramenant son regard vers son but, la belle fugitive. Il n'allait pas tarder à l'atteindre.

Lorsque Lydia le sentit proche, elle renonça à fuir et mit son cheval au pas. Elle ne se retourna point vers le poursuivant. Fière, se donnant l'air indifférent, elle allait devant elle, comme s'il ne s'était rien passé, comme si elle était seule. Il amena son cheval près du sien et les deux bêtes marchèrent paisiblement côte à côte, mais les cavaliers et leurs montures étaient tout échauffés par la chasse.

« Lydia », prononça-t-il à mi-voix.

Pas de réponse.

« Lydia ! »

Elle restait muette.

« Que c'était beau, Lydia, de te voir galoper de loin, ta chevelure volait derrière toi comme un éclair d'or. Que c'était beau ! Ah ! Tu t'es enfuie devant moi. Magnifique ! C'est à ça que je me suis rendu compte que tu m'aimes un petit peu. Je n'en savais rien ; hier soir encore j'en doutais. C'est seulement au moment où tu as essayé de m'échapper que, tout d'un coup, j'ai compris. Ma chérie, ma belle, tu dois être lasse. Descendons ! »

Il sauta vivement à bas de son cheval et saisit au même instant les rênes du sien pour qu'elle ne s'enfuie pas encore une fois. Blanc comme neige était son visage qui, d'en haut, le regardait et quand il la souleva de sa bête, elle fondit en larmes. Avec précaution, il la mena quelques pas plus loin, la fit asseoir dans l'herbe fanée et s'agenouilla près d'elle. Elle restait là, luttant contre les sanglots. Vaillamment elle luttait et finit par se dominer.

« Ah ! que tu es méchant », fit-elle dès qu'elle put parler. À peine parvenait-elle à articuler les mots.

« Suis-je si méchant ?

— Tu es un séducteur, Goldmund. Je veux oublier ce que tu viens de me dire, c'étaient des paroles impudentes ; il n'est pas convenable que tu parles ainsi avec moi. Comment peux-tu croire que je t'aime ? Oublions cela ! Mais comment oublierais-je ce qu'il m'a fallu voir hier soir ?

– Hier soir ? Qu'as-tu donc vu ?

– Ah ! ne le prends pas comme cela, ne mens donc pas ainsi ! C'était odieux et impudent de faire ainsi des grâces sous mes yeux devant cette dame. N'as-tu donc pas la moindre pudeur ? Tu as été jusqu'à lui caresser la jambe sous la table, sous notre table ! Devant moi, sous mes yeux ! Et maintenant qu'elle est partie, c'est à moi que tu t'en prends ! Tu ne sais vraiment pas ce que c'est que la honte ! »

Il y avait longtemps déjà que Goldmund regrettait les paroles qu'il avait dites avant de la faire descendre de cheval. Qu'il avait été bête ! Les paroles étaient superflues en amour, il aurait dû se taire.

Il ne parla plus. Il s'agenouilla près d'elle, et comme elle le regardait de ses yeux si beaux et si malheureux, la détresse de la jeune fille passa en lui ; il sentit lui-même qu'il y avait ici lieu de s'affliger. Mais en dépit de tout ce qu'elle avait dit, il découvrait pourtant dans ses regards de l'amour, et la douleur aussi qui faisait trembler ses lèvres était de l'amour et il se fiait plus aux yeux de Lydia qu'à ses paroles.

Mais elle, elle attendait une réponse. Comme celle-ci ne venait pas, Lydia se fit plus amère encore pour répéter, en le regardant de ses yeux un peu gonflés par les larmes :

« N'as-tu vraiment pas de pudeur ?

– Pardonne, dit-il humblement, nous parlons là de choses dont on ne devrait rien dire. C'est ma faute, pardonne-moi ! Tu demandes si je n'ai pas honte. Oui, certes, j'ai honte. Mais tout de même, je t'aime et l'amour ne sait pas ce que c'est que la honte. Ne sois pas fâchée. »

Elle semblait à peine entendre. Elle était là, la bouche amère et le regard perdu au loin, comme si elle était absolument seule. Jamais il n'avait été en pareille situation. Et cela, parce qu'il avait parlé.

Il posa doucement son visage sur ses genoux et tout de suite cela lui fit du bien de la toucher. Il restait pourtant un peu désemparé et triste et elle aussi semblait encore affligée : elle était assise, immobile, silencieuse, les yeux perdus dans le lointain. Quelle situation embarrassante, quelle tristesse ! Mais le genou acceptait sans résistance la joue qui se moulait sur lui, il ne la repoussait pas. Les yeux clos, Goldmund restait couché la figure sur son genou, en laissant pénétrer en lui la forme noble et allongée. Avec joie, avec émotion, il songeait que ce genou, où il découvrait tant de distinction, correspondait bien aux ongles de ses doigts longs et beaux, et à leur courbure accentuée. Dans sa gratitude il y collait sa tête ; sa joue et sa bouche lui parlaient.

Et voici qu'il sent une main qui se pose légère et hésitante sur ses cheveux. La chère main, pensa-t-il, la sentant caresser doucement sa chevelure avec une gaucherie enfantine. Souvent déjà, il l'avait minutieusement examinée, cette main, il l'avait admirée, il la connaissait presque comme la sienne propre : les longs doigts minces avec les monticules allongés et roses des ongles aux belles courbes. Les longs doigts tendres parlaient maintenant timidement à ses boucles. C'était une langue puérile et anxieuse, mais c'était le langage de l'amour. Dans sa gratitude, il serra sa tête contre cette main en sentant la paume sur sa nuque et ses joues.

Elle dit : « Il est temps, il faut partir. »

Il leva la tête et la regarda avec tendresse. Il baisa doucement ses doigts effilés.

« Je t'en prie, lève-toi, dit-elle. Il nous faut rentrer. »

Il obéit aussitôt ; ils se levèrent, ils montèrent en selle, ils chevauchèrent.

Le cœur de Goldmund était plein de bonheur. Qu'elle était belle, Lydia, quelle pureté, quelle tendresse enfantine ! Il ne lui avait pas même donné un baiser et pourtant il se sentait comblé et tout plein d'elle. Ils allaient bon train et ce fut seulement juste au moment d'arriver chez elle, devant le portail de la cour, qu'elle prit peur et dit :

« Nous n'aurions pas dû rentrer ensemble. Quels fous nous sommes ! »

Et à la dernière seconde, en mettant pied à terre et comme déjà un palefrenier arrivait en courant, elle lui murmura vite, ardemment à l'oreille :

« Dis-moi si tu as été cette nuit auprès de cette femme ! » Il secoua la tête à plusieurs reprises et se mit à débrider le cheval.

L'après-midi, après le départ de son père, elle vint dans la salle de travail.

« Est-ce bien vrai ? » demanda-t-elle avec passion, et il sut aussitôt ce qu'elle voulait dire.

« Alors pourquoi as-tu si odieusement joué avec elle et l'as-tu rendue amoureuse ?

— Cela t'était destiné ! dit-il. Crois-moi, j'aurais mille fois mieux aimé caresser ton pied que le sien, mais jamais ton pied n'est venu à moi sous la table pour me demander si je t'aimais.

– M'aimes-tu vraiment, Goldmund?

– Oh! oui!

– Mais que sortira-t-il de tout cela?

– Je n'en sais rien, Lydia, et je ne m'en soucie pas. T'aimer, cela me rend heureux; ce qui doit en résulter, je n'y songe pas. Je me réjouis de te voir à cheval, d'entendre ta voix, de sentir tes doigts caresser mes cheveux. J'aurai joie à te donner un baiser, quand il me sera permis.

– On n'a le droit de donner un baiser qu'à sa fiancée, Goldmund, n'y as-tu jamais songé?

– Non, jamais je n'y ai songé. Et pourquoi? Tu sais aussi bien que moi que tu ne peux pas devenir ma fiancée.

– C'est ainsi. Et puisque tu ne peux devenir mon mari et rester toujours près de moi, c'était très mal à toi de me parler d'amour. As-tu cru que tu pourrais me séduire?

– Je n'ai rien cru et je n'ai songé à rien, Lydia. Je pense du reste bien moins que tu ne crois. Je ne souhaite rien, si ce n'est que tu désires un jour me donner un baiser. Nous parlons trop. Ce n'est pas ainsi que font ceux qui s'aiment. Je crois que tu ne m'aimes point.

– Ce matin, tu as dit le contraire.

– Et toi, tu as fait le contraire de ce matin.

– Moi? Que veux-tu dire?

– D'abord, quand tu m'as vu arriver, tu t'es sauvée sur ton cheval. Cela m'a fait croire que tu m'aimais. Ensuite tu n'as pas pu t'empêcher de pleurer et j'ai cru que c'était parce que tu m'aimais. Après, ma tête s'est posée sur ton genou et tu m'as caressé et j'ai cru que c'était de l'amour. Mais maintenant tu ne fais rien avec moi qui ressemble à de l'amour.

– Je ne suis pas comme la femme dont tu as hier caressé le pied. Tu as l'habitude de ces femmes-là, semble-t-il.

– Non, Dieu merci! tu es bien plus belle et bien plus gentille qu'elle.

– Je n'en crois rien.

– Oh! c'est tout de même ainsi. Sais-tu seulement comme tu es belle?

– J'ai un miroir.

– Y as-tu vu quelquefois ton front, Lydia? Et puis tes épaules, et puis les ongles de tes doigts, et puis tes genoux? Et as-tu vu comme tout cela est de même nature et s'accorde l'un avec l'autre, comme tout cela a la même ligne, longue effilée, sûre, élancée? As-tu vu cela?

– Que dis-tu là? Non, certes, je ne l'ai jamais vu; mais maintenant que tu m'en parles, je sais tout de même ce que tu veux dire. Écoute, tu es bien un séducteur; voilà que tu essaies de me rendre vaniteuse!

– C'est dommage que je ne puisse rien faire qui te plaise. Mais quel avantage aurais-je à te rendre vaniteuse? Tu es belle et je voudrais te montrer que je t'en sais gré. Tu me forces à te le dire avec des mots, je pourrais te le dire mille fois mieux qu'avec des mots. Avec des mots je ne puis rien te donner. Avec des mots je ne puis non plus rien apprendre de toi et toi rien de moi.

– Qu'est-ce que je devrais donc apprendre de toi?

– J'ai à apprendre de toi, Lydia, et toi de moi. Mais tu ne veux pas. Tu ne veux aussi aimer que celui dont tu seras la fiancée. Il rira quand il verra que tu n'as rien appris, pas même à donner un baiser.

– Ah! Alors c'est la science du baiser que vous voudriez m'enseigner, monsieur le Magister! »

Il lui adressa un sourire. Si ses paroles ne lui plaisaient pas, il n'en pouvait pas moins, derrière la sagesse affectée et trop zélée de ses propos, découvrir son âme de jeune fille et sentait comme le désir s'était emparé d'elle et avec quelle angoisse elle se défendait.

Il ne répondit plus. Il lui souriait. Ses yeux retenaient et captivaient le regard inquiet de la femme et tandis que, non sans résistance, elle succombait au charme, il approcha lentement son visage du sien jusqu'à ce que se touchent les lèvres. Il effleura légèrement sa bouche qui répondit par un petit baiser d'enfant et qui s'ouvrit, comme sous l'effet d'une douloureuse surprise quand il ne la lâcha plus. Dans une quête pleine de tendresse, ses lèvres suivirent la bouche qui se dérobait jusqu'à ce que, hésitante, elle revînt à la rencontre de la sienne, et alors, sans violence, dans le ravissement, il lui enseigna l'art de donner et de recevoir le baiser jusqu'à ce que, épuisée, elle serrât sa tête sur son épaule. Il l'y laissa reposer, aspirant délicieusement l'odeur de sa chevelure opulente et blonde, lui murmurant à l'oreille des paroles de tendresse et d'apaisement, et à cet instant lui revint en mémoire le souvenir du jour où, écolier ignare, il avait été initié au mystère par la tzigane Lise. Qu'elle était noire, sa chevelure et brune sa peau! Quel soleil flamboyait ce jour-là et quel parfum montait de l'herbe fanée de la Saint-Jean! Oh! que c'était déjà vieux! comme elle venait de loin se présenter à lui dans un éclair, cette vision! Avec quelle rapidité tout se fanait, après s'être épanoui un instant!

Lentement Lydia se dressa, le visage transfiguré. Ses yeux

pleins d'amour le regardaient gravement, solennellement.

« Laisse-moi partir, Goldmund, j'ai été bien longtemps avec toi. Oh ! chéri ! »

Chaque jour ils avaient leur heure d'intimité secrète et Goldmund se laissait entièrement diriger par l'amante tant il était comblé et ému de cet amour virginal. Parfois, une heure entière elle ne voulait que tenir ses mains dans les siennes et regarder dans ses yeux ; elle s'en allait en lui donnant un baiser d'enfant. D'autres fois elle le baisait avec une fureur insatiable, mais ne souffrait pas qu'il la touchât. Un jour, voulant lui faire une grande joie, elle se fit violence et, toute rougissante, lui fit voir un de ses seins ; elle sortit timidement de son vêtement le petit fruit blanc et, quand il l'eut baisé à genoux, elle le ramassa dans sa cachette, rougissant encore jusqu'au cou. Ils s'entretenaient aussi, mais dans un langage nouveau, pas comme au premier jour. Ils imaginaient des noms l'un pour l'autre, elle aimait lui parler de son enfance, de ses rêves et de ses jeux. Souvent aussi elle disait que leur amour était une faute puisqu'il ne pouvait pas l'épouser ; elle parlait de cela avec tristesse et résignation et parait son amour du mystère de cette tristesse comme d'un voile de deuil.

C'était la première fois que Goldmund était non pas seulement désiré, mais aimé d'une femme.

Un jour Lydia dit : « Tu es si beau et tu sembles si gai, et pourtant au fond de tes yeux, il n'y a point de joie, il n'y a que tristesse, comme s'ils savaient, tes yeux, qu'il n'est pas de bonheur et que la beauté et l'amour ne restent pas longtemps parmi nous. Tu as les plus beaux yeux qui se puissent voir et les plus tristes. C'est, je pense, parce que tu n'as pas de foyer. Tu es venu à moi du fond des forêts et un jour, tu t'en iras dormir sur la mousse et reprendre la vie errante. Mais moi, où donc est mon foyer ? Toi parti, j'aurai bien encore un père et une sœur et j'aurai encore une chambrette et une fenêtre où je pourrai m'asseoir en pensant à toi, mais un foyer, je n'en aurai plus ! »

Il la laissait dire. Parfois il souriait, parfois il s'affligeait, jamais il ne la consolait avec des mots, mais par de légères caresses, retenant simplement sa tête sur sa poitrine, chantonnant bien bas des musiques magiques, sans aucun sens, comme font les nourrices pour consoler les enfants qui pleurent. Une fois Lydia lui dit : « Je voudrais bien savoir, Goldmund, ce qu'il adviendra de toi : j'y pense souvent. La vie qui t'attend ne sera pas vulgaire, ni facile. Ah ! comme je voudrais que tu sois heureux ! Quelquefois je me dis que tu devrais devenir un poète, un de ceux qui ont des visions et des rêves et qui savent les dire en beauté. Ah ! tu t'en iras errer par le monde et toutes les femmes t'aimeront et pourtant tu resteras solitaire. Retourne plutôt au monastère près de ton ami dont tu me parles tant ! Je prierai pour toi afin que tu ne meures pas tout seul dans la forêt. »

Elle parlait ainsi, si grave, les yeux perdus. Mais ensuite elle savait aussi rire, parcourir à cheval avec lui les campagnes dans l'automne finissant ou bien lui proposer des devinettes et lui jeter des feuilles mortes ou des glands brillants.

Une fois Goldmund était couché dans sa chambre dans l'attente du sommeil. Son cœur était lourd, débordant d'amour, débordant de deuil et d'inquiétude et battait dans sa poitrine au doux rythme de la douleur, un rythme large et grave. Il entendait le vent d'automne s'acharner au toit ; c'était devenu chez lui une habitude de rester ainsi, attendant le sommeil qui ne venait pas. Tout doucement il disait en lui-même, comme il avait coutume chaque soir, un cantique à Marie :

> *Tota pulchra es, Maria,*
> *Et macula originalis non est in te,*
> *Tu lætitia Israel,*
> *Tu advocata peccatorum !*

La douce musique du chant s'enfonçait dans son âme, mais en même temps le vent, au dehors, hurlait sa plainte, chantait la discorde et la vie errante, la forêt, l'automne et le destin des sans-foyer. Il songeait à Lydia et il pensait à Narcisse, à sa mère, et son cœur était lourd et plein d'inquiétude.

À ce moment il eut un sursaut et regarda, n'en croyant pas ses yeux. La porte de la chambre s'était ouverte, dans les ténèbres, une forme blanche dans une longue chemise entra, sans bruit, Lydia, pieds nus, s'avança sur les dalles de pierre, ferma la porte, s'assit sur son lit.

« Lydia murmura-t-il, mon petit chevreuil, ma fleurette blanche, Lydia, que fais-tu là ?

– Je viens vers toi, dit-elle, rien qu'un instant. Il me faut bien voir comment mon Goldmund repose dans son petit lit, mon cœur doré. »

Elle se coucha près de lui. Le cœur battant, le cœur lourd, ils reposèrent en silence. Elle lui permit les baisers, elle permit à ses mains de glisser émerveillées sur ses membres, rien de plus. Au bout d'un court moment elle écarta doucement d'elle ses mains, le baisa sur les yeux, se leva sans bruit et disparut. La porte grinça, dans la charpente, le vent gémissait et faisait pression de toute sa force. Tout était enchanté, mystérieux, tout suggérait l'angoisse, de partout des promesses, des menaces. Goldmund ne savait ni ce qu'il pensait ni ce qu'il faisait. Quand, après un sommeil agité, il se réveilla, son oreiller était mouillé de larmes.

Quelques jours plus tard, il revint, le doux fantôme blanc, et resta un quart d'heure près de lui, comme la fois précédente. Enlacée dans ses bras, elle lui parlait à l'oreille dans un murmure, elle avait tant à dire, elle avait tant de peines à lui confier. Il l'écoutait de toute sa tendresse ; elle était couchée sur son bras gauche, lui, de sa main droite, caressait ses genoux.

« Mon petit Goldmund, disait-elle à mi-voix tout contre sa joue, comme c'est triste que je ne doive jamais être à toi ! Il ne durera plus bien longtemps, notre pauvre bonheur, notre pauvre secret. Julie en est déjà aux soupçons, elle ne tardera pas à m'obliger à lui faire des aveux. Ou bien ce sera mon père qui découvrira tout. S'il me trouvait dans ton lit, mon petit oiseau doré, quelle catastrophe pour ta Lydia ; ses yeux en larmes se lèveraient sur les arbres et y apercevraient son bien-aimé, pendu là-haut, ballotté dans le vent. Oh ! va-t'en plutôt, plutôt tout de suite, avant que mon père te fasse ligoter et pendre. J'ai déjà vu pendre un homme, un voleur. Te voir pendu, toi chéri, cela ne se peut ; sauve-toi plutôt et oublie-moi ; il ne faut pas que tu meures, mon petit Goldmund, il ne faut pas que les oiseaux viennent becqueter tes yeux bleus ! Mais non, trésor, ne t'en va pas. Ah ! que ferais-je si tu me laissais seule ?

– Ne veux-tu donc pas venir avec moi, Lydia ? Nous fuirons ensemble, le monde est grand !

– Ce serait bien beau, dit-elle, poursuivant sa plainte. Oh ! comme ce serait beau de courir le monde avec toi ! Mais je ne puis pas. Je ne peux pas dormir dans la forêt, être sans feu ni lieu, avoir des brins de paille dans les cheveux ; je ne le puis. Je ne peux pas non plus faire à mon père pareille honte… Non, ne me contredis pas, ce ne sont pas des impossibilités imaginaires. Je ne le puis ! Cela me serait aussi impossible que de manger dans une assiette sale ou de dormir dans le lit d'un lépreux. Ah ! tout ce qui serait bon et beau nous est interdit. Nous sommes nés l'un et l'autre pour souffrir. Goldmund, mon pauvre petit garçon, il faudra bien à la fin que je te voie pendre. Et moi, on m'enfermera et ensuite on m'enverra dans un couvent. Mon bien-aimé, il faut m'abandonner et retourner dormir avec les tziganes et les femmes des paysans. Pars, pars, avant qu'on te prenne et te ligote. Jamais nous ne serons heureux, jamais. »

Il lui caressa doucement les genoux et, en effleurant très légèrement son sexe, il demanda :

« Petite fleur, nous pourrions être très heureux ainsi. Tu ne permets pas ? »

Sans se montrer offensée, mais résolument, elle repoussa sa main et s'écarta un peu de lui.

« Non, dit-elle, non, tu ne peux pas faire cela, cela m'est défendu. Tu ne le comprends peut-être pas, toi, petit enfant de Bohême. Ce que je fais est mal, je suis une mauvaise fille, je jette la honte sur toute la maison. Mais il y a encore un coin de mon âme où je suis fière, là personne n'a le droit de pénétrer. Il faut que tu me laisses cela, autrement jamais plus je ne pourrai venir chez toi, dans ta chambre. »

Jamais il n'avait passé outre à une défense, à un désir, à une simple allusion venue d'elle. Il était lui-même stupéfait de la puissance qu'elle avait sur lui. Mais il souffrait. Ses sens étaient inapaisés et son cœur se révoltait souvent contre un tel servage. Parfois il s'efforçait de s'en affranchir. Parfois il faisait la cour à la petite Julie avec une galanterie raffinée ; et d'ailleurs il était aussi fort nécessaire de rester en bons termes avec cette personne si importante et de la tromper autant qu'il se pourrait. Il était dans une étrange situation à l'égard de cette Julie qui, souvent, se donnait des airs enfantins et semblait si bien renseignée. Aucun doute, elle était plus belle que Lydia, d'une beauté extraordinaire, et cela, joint à sa naïveté enfantine, un peu vieillotte, avait pour Goldmund un grand charme ; souvent il se sentait très amoureux d'elle. C'était précisément à ce puissant attrait que la sœur avait sur ses sens qu'il percevait souvent à sa grande surprise la différence entre le désir et l'amour. Au début, il voyait les deux sœurs des mêmes yeux, il les trouvait l'une et l'autre désirables, mais Julie plus belle, plus digne de sa conquête, il leur avait fait la cour à toutes deux, ne les quittant des yeux ni l'une ni l'autre. Et maintenant Lydia avait acquis sur lui ce pouvoir ! Maintenant il l'aimait tant que, par amour, il allait jusqu'à renoncer à la posséder pleinement ! Il avait appris à connaître son âme et elle lui était devenue chère dans sa naïveté, sa tendresse, sa propension à la tristesse, qui lui semblait sœur de la sienne ; souvent il était profondément étonné et ravi de l'accord de cette âme et de ce corps ; qu'elle fît quelque chose, prononçât un mot, émît un vœu ou un jugement, et ses paroles, l'attitude de son âme portaient absolument la même empreinte que la fente de ses yeux et la forme de ses doigts.

En ces instants, où il croyait découvrir les lignes fondamentales de son être physique et moral, Goldmund avait souvent ressenti le désir de fixer et de figurer quelques aspects de sa personne et il avait fait des essais sur quelques feuilles qu'il tenait soigneusement cachées, pour dessiner de mémoire, d'un trait de plume, la silhouette de sa tête, la ligne de ses sourcils, sa main ou son genou.

Julie n'était pas sans provoquer maintenant quelques difficultés. Elle soupçonnait, à n'en pas douter, la vague d'amour dans laquelle nageait sa sœur, et ses sens, pleins de curiosité et de concupiscence s'orientaient vers ce paradis sans que sa raison obstinée voulût en convenir. Elle manifestait à Goldmund une froideur et une aversion excessives, mais était pourtant capable, dans des instants d'oubli, de le regarder avec admiration et avec une curiosité pleine de désir. Souvent elle marquait à Lydia une extrême tendresse, allait parfois la trouver dans son lit et aspirait alors avec une avidité cachée l'atmosphère de l'amour et du sexe, elle frôlait hardiment le secret interdit et tant désiré. Puis elle laissait voir, de façon presque blessante, qu'elle était au courant de la faute cachée de sa sœur et la méprisait. Entre les deux amants, la belle enfant capricieuse s'enflammait, charmante et bien gênante, rafraîchissait un peu la soif de ses rêves à leurs amours secrètes, tantôt jouant l'innocente, tantôt laissant voir, à leur grande terreur, qu'elle était au courant ; en un clin d'œil cette enfant était devenue une puissance. Lydia avait plus à souffrir que Goldmund qui, en dehors des repas, voyait rarement la petite. Lydia ne pouvait pas non plus se dissimuler que son ami n'était pas insensible aux charmes de Julie ; parfois elle surprenait son regard posé sur elle et qui l'appréciait. Elle ne pouvait rien dire, tout était si difficile, si périlleux, et il fallait tout spécialement éviter de mécontenter et de blesser Julie. Hélas ! chaque jour, à chaque heure, le secret de leur amour pouvait être découvert, leur difficile et anxieux bonheur pouvait prendre fin, peut-être dans l'épouvante.

Il arrivait que Goldmund s'étonnât de ne pas être depuis longtemps parti. Il était dur de vivre comme il vivait maintenant, aimé, mais sans espoir de parvenir à un bonheur permis et durable, ni d'obtenir ces satisfactions faciles à quoi ses désirs amoureux étaient jusqu'ici accoutumés, avec ses appétits éternellement excités et affamés et jamais satisfaits – et en même temps dans un incessant péril. Pourquoi restait-il là, supportant tout, toutes ces complications, tous ces sentiments confus ? N'étaient-ce pas là des événements, des sentiments, des états de conscience pour sédentaires, pour gens comme il faut, habitant des maisons bien chaudes ? L'être sans foyer et sans prétentions qu'il était n'avait-il pas le droit de se soustraire à ces raffinements, à ces complications et de s'en moquer ? Oui, il en avait le droit ; c'était fou de sa part de chercher ici quelque chose comme un foyer et de le payer de tant de douleurs et d'embarras. Et pourtant il faisait cela, il souffrait cela ; il souffrait cela volontiers et, au fond, s'en trouvait heureux. C'était bête et difficile, c'était compliqué et épuisant, de vivre de cette manière, mais c'était merveilleux. Merveilleuse la tristesse splendide et sombre de cet amour, sa folie, son désespoir sans issue ; merveilleuses les nuits sans sommeil toutes remplies de pensées, tout cela était beau et délicieux comme les signes de la douleur sur les lèvres de Lydia, le son désespéré et résigné de sa voix, quand elle disait son amour et son souci. En quelques semaines ces signes de la souffrance étaient apparus sur son jeune visage et s'y étaient établis à demeure. En fixer les lignes avec la plume lui semblait chose belle et importante.

Et il le sentait, en ces quelques semaines, lui aussi était devenu tout autre, bien plus vieux, pas plus sage et pourtant plus nourri d'expérience, pas plus heureux, et pourtant beaucoup plus mûr et plus riche en son âme. L'enfance avait pris fin.

De sa voix douce et lointaine Lydia lui disait : « Il ne faut pas que tu sois triste, pas à cause de moi. Tout ce que je voudrais, n'est-ce pas te rendre joyeux, te voir heureux ? Pardonne-moi, je t'ai apporté le chagrin ; mon angoisse et ma mélancolie t'ont gagné. Je fais, la nuit, de si étranges songes : toujours je m'en vais par un désert, si grand, si sombre, je ne peux dire comment, je vais, je vais et je te cherche ; mais tu n'es pas là et, je le sais, je t'ai perdu, toujours il me faudra aller ainsi solitaire. Et puis, quand je me réveille, je me dis : Oh ! comme c'est bon, comme c'est splendide ; il est encore là et je vais le voir ; pendant des semaines, pendant des jours, peu importe, mais il est encore là ! »

Un matin, peu après le lever du jour, Goldmund se réveilla

dans son lit et y resta un moment à réfléchir. Des images d'un rêve s'attardaient encore autour de lui, mais sans rapports entre elles. Il avait rêvé de sa mère et de Narcisse, il pouvait encore nettement voir leurs deux figures. Quand il se fut dégagé de l'écheveau de ses songes, une lumière inaccoutumée éveilla son attention, une clarté d'un genre tout spécial, qui pénétrait aujourd'hui par le petit jour du volet. Il sauta à bas du lit, courut à la fenêtre et vit la corniche, le toit de l'écurie, le portail de la cour et tout le paysage derrière rayonner une lumière blanche bleutée sous la première neige de cet hiver. Le contraste entre l'inquiétude de son cœur et le calme, la résignation de ce monde hivernal le frappa : avec quelle tranquillité, quelle touchante soumission les champs, les forêts, les collines et la lande s'abandonnaient au soleil, au vent, à la pluie, à la sécheresse, à la neige ! Qu'ils étaient beaux l'érable et le frêne sous leur fardeau d'hiver supporté avec tant de douceur ! Ne pouvait-on devenir comme eux, ne pouvait-on rien apprendre d'eux ? Poursuivant ces pensées, il alla dans la cour, enfonça ses pieds dans la neige et la tâta de ses mains, se dirigea vers le jardin et regarda, par-dessus l'enclos couvert d'une haute couche de neige, les rosiers courbant sous le faix.

Au petit déjeuner on mangea de la bouillie. Tout le monde parla de la première neige, tout le monde – les jeunes filles elles aussi – était déjà allé dehors. La neige venait tard cet hiver, Noël était déjà proche. Le chevalier parla des pays du Midi où il n'y a pas de neige. Mais ce qui fit pour Goldmund de ce premier jour d'hiver une journée inoubliable ne se passa que longtemps après que la nuit fut venue.

Les deux sœurs s'étaient querellées ce jour-là ; Goldmund n'en savait rien. La nuit, quand tout ne fut plus que silence et ténèbres dans la maison, Lydia vint chez lui comme elle faisait d'ordinaire. Elle se coucha en silence à son côté et posa la tête sur sa poitrine pour entendre son cœur battre et se consoler tout près de lui. Craignant une trahison de Julie, elle était sombre et inquiète, mais ne pouvait cependant se résoudre à en parler à son bien-aimé et à lui créer des soucis. Elle restait donc silencieuse sur son cœur, l'écoutait parfois murmurer une parole de tendresse et sentait sa main passer dans ses cheveux.

Mais soudain – il n'y avait pas encore bien longtemps qu'elle reposait ainsi – elle fut saisie d'épouvante et se dressa, les yeux démesurément agrandis. Et Goldmund, lui aussi, ne s'effraya pas peu en voyant s'ouvrir la porte de la chambre et une forme s'avancer que, d'abord, dans sa frayeur, il ne reconnut pas. Ce fut seulement quand l'apparition fut au bord du lit et se pencha en avant que, le cœur angoissé, il sut que c'était Julie. Elle se dégagea d'un manteau qu'elle avait jeté sur sa simple chemise et le laissa glisser au sol. Poussant un cri de douleur, comme si elle avait reçu un coup de couteau, Lydia retomba en arrière et se cramponna à Goldmund.

D'un ton railleur et comme prenant plaisir à leur souffrance, Julie dit d'une voix pourtant mal assurée : « Il ne me plaît pas de rester ainsi seule dans ma chambre. Ou bien vous me prendrez avec vous et nous coucherons à trois, ou bien je vais réveiller notre père.

– Bon, alors viens, dit Goldmund en rejetant la couverture, tu te glaces les pieds ainsi. » Elle monta dans le lit et il eut peine à lui faire place sur l'étroite couche, car Lydia restait immobile, la tête enfouie dans l'oreiller. À la fin ils se trouvèrent couchés tous trois, une jeune fille de chaque côté de Goldmund, et pendant un instant il ne put se défendre de songer combien une telle situation aurait, il y a peu de temps, comblé ses vœux. Avec une étrange inquiétude, mais, au fond, ravi cependant, il sentait la hanche de Julie à son côté.

« Il fallait bien que je voie, reprit-elle, comme on se trouve dans ton lit où ma sœur vient si volontiers. »

Pour l'apaiser Goldmund serra doucement sa joue contre les cheveux de Julie, caressa d'une main légère ses hanches et ses genoux, comme on flatte un chat, et elle s'abandonna en silence, toute à la curiosité, à la caresse de sa main, subit le charme dans le saisissement, dans le recueillement, ne fit aucune résistance. Toutefois, tout en faisant ces gestes de conjuration, Goldmund ne négligeait pas Lydia, lui murmurait doucement à l'oreille les mots d'amour familiers, et l'amenait lentement à relever tout au moins son visage et à le tourner vers lui. Sans bruit il baisa sa bouche et ses yeux tandis que, de l'autre côté, sa main tenait sa sœur en son pouvoir magique. Il se rendait compte de ce que la situation avait d'intolérablement pénible et de faux. Ce fut sa main gauche qui mit dans son esprit la lumière ; tandis qu'elle faisait connaissance avec les beaux membres de Julie qui se livrait sans résistance à sa caresse, il eut conscience pour la première fois tout ensemble de la beauté de son amour sans issue pour Lydia, et aussi de son ridicule. Il aurait dû, lui semblait-il à présent, tandis que ses lèvres se posaient sur Lydia et sa main sur Julie, il aurait dû ou bien contraindre

Lydia à se donner à lui, ou bien passer son chemin. L'aimer et cependant y renoncer, c'était folie et injustice.

« Mon cœur, murmura-t-il à l'oreille de Lydia, nous endurons des peines inutiles. Quel bonheur nous pourrions avoir maintenant tous trois : faisons donc ce qu'exige notre sang ! »

Comme elle se rejetait en arrière avec un frisson, son désir se tourna vers l'autre et sa main lui fut si douce qu'elle répondit par un long soupir de jouissance frémissante.

En entendant ce soupir, Lydia sentit la jalousie serrer son cœur comme si on y avait laissé tomber goutte à goutte du poison. Elle se leva soudain, sur son séant, rejeta la couverture, sauta à bas du lit et s'écria : « Julie, allons-nous-en ! » Julie tressaillit. Le cri, poussé avec violence, sans précautions, pouvait les trahir tous et cela lui faisait percevoir le danger. Elle se leva en silence.

Mais Goldmund, blessé et déçu dans tous ses désirs, enlaça vivement Julie qui se levait, baisa ses deux seins et lui murmura à l'oreille en paroles brûlantes : « Demain, Julie, demain ! »

Lydia était debout, en chemise, pieds nus ; sur les dalles de pierre, ses orteils se courbaient dans le froid. Elle ramassa à terre le manteau de Julie et le lui jeta sur les épaules d'un geste douloureux et humble, qui, malgré l'obscurité, n'échappa pas à celle-ci, la toucha et l'apaisa. Sans bruit, les sœurs se glissèrent hors de la pièce et s'en allèrent. Goldmund, tout possédé de sentiments contradictoires, entendit leurs pas s'éloigner et poussa un soupir de soulagement quand un silence de mort régna dans la maison.

À la suite de cette rencontre étrange, contre nature, ces trois jeunes êtres se trouvèrent ainsi rejetés dans une solitude propice aux réflexions ; car les deux jeunes filles, elles aussi, après avoir gagné leur chambre, ne se trouvèrent pas disposées à une explication, mais restèrent seules, chacune de son côté, silencieuses, hostiles et éveillées dans leurs lits. Il semblait qu'un esprit de malheur et de contradiction, un démon de démence, de solitude et de désarroi moral se fût rendu maître de la maison. Goldmund ne s'endormit qu'après minuit, Julie seulement au matin, Lydia resta éveillée et tourmentée jusqu'à ce que, par-dessus la neige, le jour pâle apparût. Elle se leva aussitôt, s'habilla, s'agenouilla devant son petit christ de bois et pria, et dès qu'elle perçut dans l'escalier le pas de son père, elle alla lui demander un entretien. Sans essayer de distinguer entre son souci de la vertu virginale de Julie et sa jalousie, elle avait pris sa résolution de mettre fin à la chose. Goldmund et Julie dormaient encore que déjà le chevalier savait tout ce que Lydia avait jugé bon de lui faire connaître. Sur la part qu'avait prise Julie à l'aventure elle avait gardé le silence.

Quand Goldmund apparut à l'heure habituelle dans la salle de travail, il vit le chevalier – qui d'ordinaire s'occupait de ses écritures en pantoufles et en vêtement de feutre – botté, vêtu d'un pourpoint, l'épée au côté, et il comprit tout de suite ce que cela signifiait.

« Mets ton bonnet, dit le chevalier, j'ai une sortie à faire avec toi. »

Goldmund prit son bonnet au clou et suivit son maître, descendit l'escalier, traversa la cour et franchit la porte. Leurs semelles grinçaient sur la neige superficiellement gelée, au ciel brillait encore l'aurore. Le chevalier allait devant en silence, le jeune homme suivait, tournant souvent ses regards vers la cour, vers la fenêtre de sa chambre, vers le toit à pente raide, jusqu'à ce que tout cela disparût et que plus rien ne fût visible. Jamais plus il ne reverrait ces fenêtres, jamais plus la salle de travail et sa chambrette, jamais plus les deux sœurs.

Une heure durant ils allèrent ainsi, le maître devant, tous deux en silence. Goldmund se mit à songer à son destin. Le chevalier était armé, peut-être allait-il le tuer. Mais il n'en croyait rien. Le danger était petit ; il n'avait qu'à se sauver, alors le vieil homme se trouverait impuissant. Non, sa vie n'était pas en danger. Mais cette marche silencieuse derrière l'homme qu'il avait offensé et qui s'avançait solennel, le sentiment qu'on l'expulsait, lui devenait plus pénible à chaque pas. À la fin le chevalier s'arrêta.

« Maintenant, dit-il d'une voix aigre, tu vas poursuivre seul ta route, toujours dans cette direction, et continuer ta vie errante comme auparavant. Si jamais tu te rapproches de ma maison tu seras descendu. Je ne veux pas me venger de toi, j'aurais dû être plus prudent et ne pas laisser un si jeune homme au voisinage de mes filles. Mais si tu oses revenir, c'en est fait de toi. Va-t'en donc et que Dieu te pardonne. »

Il resta là. Dans la pâle lumière du matin son visage à la barbe grise paraissait comme éteint. Il resta là, comme un fantôme, et ne quitta la place que quand Goldmund eut disparu derrière la prochaine ligne de collines. Les lueurs rougeâtres au ciel nuageux s'étaient dissipées, le soleil ne paraissait pas ; il se mit à neiger, lentement, en minces flocons hésitants.

CHAPITRE IX

DANS ses courses à cheval, Goldmund avait appris à connaître la région ; il savait qu'au-delà du marais gelé le chevalier avait une grange et, encore plus loin, une ferme où on le connaissait ; il allait pouvoir se reposer et passer la nuit dans l'un de ces deux endroits. Demain, on aviserait au reste. Peu à peu, l'attrait de la liberté et de l'inconnu qui, pendant un temps, lui étaient devenus étrangers, prenait à nouveau possession de lui. Il avait une saveur amère, cet attrait de l'inconnu par cette journée maussade et glaciale d'hiver, il avait une forte odeur de misère, de faim et de détresse, et pourtant sa grandeur sans limites, sa dure inflexibilité produisait sur son cœur, après ces jours de facilité et de trouble, une impression calmante, presque consolante.

Il se fatigua à marcher. Fini le cheval maintenant, se dit-il en pensant à l'immensité du monde. La neige tombait faiblement, dans le lointain, les crêtes boisées se perdaient dans la grisaille des nuages, le silence s'étendait à perte de vue, jusqu'au bout du monde. Que pouvait-il bien advenir de Lydia, et de son pauvre cœur anxieux ? Il souffrait amèrement en y songeant ; et ses tendres pensées allaient vers elle tandis qu'au milieu du marais désolé il se reposait assis sous un frêne solitaire. À la fin le froid le remit en route ; il se leva, les jambes raides, reprit peu à peu une bonne allure, la faible lumière de la journée grise semblait déjà en train de décroître. Cette longue trotte à travers les champs dénudés engourdit ses pensées. Ce qu'il fallait maintenant, ce n'était pas avoir des idées ou des sentiments, si belles fussent-elles, si tendres fussent-ils ; il s'agissait de se tenir chaud, d'atteindre à temps un gîte pour la nuit, de tenir, comme la martre ou comme le renard dans ce monde glacé et inhospitalier et, si possible, de ne pas succomber tout de suite, en pleins champs ; tout le reste ne comptait guère.

Surpris, il inspecta l'horizon, croyant entendre au loin le pas d'un cheval. Était-ce possible, le poursuivait-on ? Il saisit dans sa poche le petit couteau de chasse et dégagea la lame du fourreau de bois. Le cavalier se trouva alors en vue et il reconnut de loin une bête de l'écurie du chevalier qui venait délibérément vers lui. La fuite eût été vaine, il s'arrêta et attendit sans avoir vraiment peur, mais plein de curiosité, son cœur battant plus vite. Un instant cette pensée lui traversa l'esprit avec violence : « Si je réussissais à tuer ce cavalier, quelle chance j'aurais alors ; j'aurais un cheval et le monde serait à moi ! » Mais quand il reconnut le cavalier, le jeune valet d'écurie Hans, avec ses yeux bleu clair si limpides et sa bonne figure timide d'enfant, il ne put s'empêcher de rire ; pour tuer ce bon et brave bougre il aurait fallu un cœur de pierre. Il fit un salut d'amitié à Hans, salua aussi avec tendresse le cheval Hannibal, qui le reconnut tout de suite, et il caressa son cou chaud et humide.

« Où vas-tu donc, Hans ? demanda-t-il.

– Je viens te trouver, dit le garçon riant de toutes ses dents blanches. Tu as déjà fait un fameux bout de chemin ! Je n'ai pas le droit de m'attarder ; je dois seulement te saluer et te remettre ceci.

– De la part de qui me saluer ?

– De la part de Mlle Lydia. Oh ! tu nous as valu une drôle de journée, magister Goldmund, je suis heureux d'avoir pu me tirer de là un peu. Bien qu'il ne faille pas que le maître s'aperçoive que je suis parti et que j'ai une commission, ma tête alors ne serait pas solide sur mes épaules. Alors prends ! »

Il lui tendit un petit paquet que Goldmund reçut.

« Dis-moi, Hans, aurais-tu un bout de pain dans ta poche ? Donne-le-moi.

– Du pain ? Il va bien se trouver encore une croûte. » Il fouilla dans ses poches et sortit un morceau de pain noir. Puis il voulut remonter à cheval et partir.

« Que fait-elle donc, la demoiselle ? demanda Goldmund. Elle ne t'a chargé de rien ? Tu n'as pas une petite lettre ?

– Rien. Je ne l'ai vue qu'un instant. Il y a de l'orage à la maison, sais-tu. Le maître s'en va de droite à gauche comme le roi Saül. Donc, je dois te remettre la chose, rien de plus. Il me faut rentrer.

– Oui, mais encore une minute, Hans. Ne pourrais-tu pas me laisser ton couteau de chasse ? Je n'en ai qu'un petit. Si les loups viennent, comme ça, ça vaudrait tout de même mieux si j'avais en main quelque chose de sérieux. »

Mais Hans ne voulut rien savoir. Ça lui ferait de la peine, dit-il, s'il devait arriver quelque chose au magister Goldmund, mais son couteau de chasse, non, jamais il ne le donnerait, pas pour de l'argent, pas en troc, non, même si

sainte Geneviève elle-même le lui demandait. Bon, et maintenant il lui fallait se presser et il souhaitait bien du bonheur
et il regrettait bien.

Ils se serrèrent les mains. Le gamin s'en fut à cheval,
Goldmund le suivit des yeux, le cœur bien gros. Puis il
déballa le petit paquet, heureux d'avoir la bonne courroie de
cuir de veau qui le serrait. À l'intérieur il trouva un tricot en
solide laine grise, manifestement un travail que Lydia avait
fait et lui destinait ; et dans la laine, bien enveloppé, il y avait
encore quelque chose de dur : un morceau de jambon et dans
le jambon était faite une petite fente dans laquelle était glissé
un ducat d'or brillant. Rien d'écrit. Il était là, debout dans la
neige avec les cadeaux de Lydia en main, ne sachant que
faire, alors il tira sa veste et se glissa dans le tricot, cela donnait une agréable chaleur. Vite il se rhabilla, cacha la pièce
d'or dans sa poche la plus sûre, boucla la ceinture et continua
sa route à travers champs. Il était temps d'atteindre un gîte, il
était devenu très las. Mais il ne voulut pas aller chez le paysan, bien qu'il eût fait plus chaud et qu'on eût pu y trouver
du lait ; il ne voulait pas bavarder ni s'exposer à des questions. Il passa la nuit dans la grange, continua son chemin de
bonne heure dans le gel et le vent qui lui cinglait le visage ; le
froid l'incitait aux grandes marches. Pendant bien des nuits il
rêva du chevalier et de son épée ainsi que des deux sœurs.
Pendant bien des jours la solitude et la mélancolie lui serrèrent le cœur.

L'un des soirs qui suivirent, il trouva asile chez de pauvres
paysans chez qui il n'y avait pas de pain, mais de la bouillie
de millet. Là, de nouvelles aventures l'attendaient. La paysanne dont il était l'hôte mit au monde, pendant la nuit, un
enfant, et Goldmund assistait à l'accouchement, car on était
venu le chercher dans la grange pour qu'il aidât, bien qu'à la
fin il ne se soit rien trouvé à faire pour lui si ce n'est de tenir
la lumière tandis que la sage-femme remplissait son office.
C'était la première fois qu'il assistait à une naissance et ses
yeux ardents et étonnés restaient fixés sur le visage de
l'accouchée, enrichis soudain d'une expérience nouvelle. Du
moins ce qu'il perçut là sur la face de la mère lui sembla très
important. À la lueur des copeaux résineux, pendant que son
regard fixait avec une extrême curiosité la figure de la
femme en couches dans ses grandes douleurs, il fit une
découverte inattendue : les traits de son visage convulsé dans
les cris étaient à peine différents de ceux qu'il avait observés
sur les autres visages de femmes à l'instant de l'ivresse

amoureuse. L'expression d'extrême douleur dans une figure était plus violente certes, et la défigurait davantage que l'expression d'extrême joie, mais au fond elle n'en était pas différente, c'était la même contraction un peu grimaçante, le même embrasement qui s'éteignait ensuite. Sans qu'il comprît pourquoi, cette révélation que la douleur et la joie pouvaient se ressembler comme des sœurs le surprit étrangement.

Il fit encore là une autre expérience. À cause de la voisine qu'il avait rencontrée au matin après la nuit d'accouchement et qui répondit immédiatement aux questions de ses yeux amoureux, il resta une deuxième nuit dans le village, et donna à la femme d'immenses jouissances, car après la longue période d'amours excitantes et décevantes de ces dernières semaines, c'était la première fois que son besoin sexuel trouvait satisfaction. Et ce retard eut pour conséquence un nouvel événement. Il lui fit faire la connaissance d'un camarade dans ce même village de paysans. Un grand diable de risque-tout du nom de Victor, qui ressemblait à demi à un curé, à demi à un chenapan, le salua avec des bribes de latin et se présenta comme un écolier errant, bien qu'il eût depuis longtemps passé l'âge de l'école.

Cet homme à la barbiche pointue sut mettre dans son salut une certaine cordialité mêlée d'un humour de vagant qui gagna rapidement le cœur du jeune camarade. Quand Goldmund lui demanda où il avait étudié et quel était le but de son voyage, il répondit, cet étrange frère, sur un ton déclamatoire :

« Des grandes écoles, par ma pauvre âme, j'en ai assez fréquenté, j'ai été à Cologne et à Paris, et sur la métaphysique de la saucisse au foie on a rarement dit des choses plus solides que je ne l'ai fait dans ma thèse à Leyden. Depuis lors, *amice*, je roule comme un pauvre cochon à travers le Saint-Empire, l'âme tourmentée d'une immense faim, d'une immense soif ; on me nomme Terreur des paysans et c'est ma profession d'enseigner le latin aux jeunes femmes et de faire passer par sortilège les saucisses du conduit de cheminée dans mon ventre. Mon objectif, c'est le lit de Mme la Bourgmestre, et si je ne suis auparavant boulotté par les corbeaux, je ne suis pas sûr d'être dispensé d'assumer la lourde charge d'un archevêque. Il vaut mieux, mon cher petit confrère, vivre au jour le jour que de mourir au jour le jour et, en fin de compte, nulle part encore un rôti de lièvre ne s'est senti aussi confortable que dans mon pauvre estomac.

Le roi de Bohême est mon frère et c'est notre père à tous qui le nourrit, tout comme moi, mais il me laisse à faire pour ça le plus gros de la besogne et, avant-hier, avec une dureté de cœur toute paternelle, il prétendait m'utiliser à sauver la vie d'un loup à demi mort de faim. Si je n'avais tué la bête, mon cher collègue, tu n'aurais pas l'honneur ni l'agrément de faire ma connaissance. *In sæcula sæculorum. Amen.* »

Goldmund encore peu familier avec ce genre d'humour de potence et avec ce latin de vagant éprouva bien quelque inquiétude devant ce grand rustre hirsute et devant le rire désagréable dont il accompagnait ses propres plaisanteries, mais il y avait, dans ce vagabond endurci, quelque chose qui lui plut et il se laissa aisément convaincre de poursuivre sa route avec lui ; que l'histoire du loup abattu fût ou non de la hâblerie, en tout cas à deux on était plus fort et on avait moins à craindre. Mais avant de continuer son chemin, frère Victor voulait, comme il disait, parler latin avec les paysans, et s'installa chez un petit cultivateur. Il ne s'y prenait pas comme Goldmund avait fait jusqu'ici dans toutes ses courses, quand il avait reçu l'hospitalité dans une ferme ou dans un hameau, mais il s'en allait de chaumière en chaumière, engageait une causette avec toutes les femmes, fourrait son nez dans toutes les étables, et ne semblait pas disposé à quitter le village avant que chaque maison lui ait payé dîme et tribut. Il racontait aux paysans des histoires de la guerre au pays welche et chantait au coin du feu la complainte de la bataille de Pavie, recommandait aux grand-mères des remèdes contre la goutte et la chute des dents ; il avait l'air de tout connaître, d'avoir été partout, et bourrait sa chemise au-dessus de la ceinture à la faire crever des morceaux de pain, des noix, des quartiers de poire qu'on lui avait donnés. Goldmund le regardait avec stupéfaction mener campagne, tantôt faisant peur aux gens, tantôt les gagnant par des flatteries, faisant le fanfaron devant des auditeurs ébahis, écorchant le latin et jouant au savant, pour faire ensuite impression avec son argot effronté et bigarré, sans oublier au milieu de ses histoires ou de ses théologies savantes d'avoir l'œil à l'affût et d'enregistrer chaque visage, chaque tiroir qui s'ouvrait, chaque écuelle, chaque miche. Il le voyait, c'était là un déraciné, un sans-foyer, délavé sous toutes les averses, un homme qui avait beaucoup vu et fait beaucoup d'expériences, qui avait souvent eu faim et souvent gelé et qui, dans son âpre lutte pour une existence misérable et sans cesse menacée, était devenu malin et effronté. C'était donc à cela qu'on ressemblait après avoir mené longtemps la vie vagabonde ? Serait-il comme cela lui aussi un jour ?

Le lendemain ils continuèrent leur route. Pour la première fois Goldmund goûta au vagabondage à deux. Ils étaient en chemin depuis trois jours et Goldmund avait trouvé à apprendre ceci et cela de Victor. L'habitude, devenue instinct, de tout ramener aux trois besoins essentiels du sans-foyer : se protéger contre les dangers mortels, trouver un gîte pour la nuit, se procurer de la nourriture, avait enseigné bien des choses à ce chemineau qui errait depuis tant d'années. Il y avait des arts dans lesquels Victor était passé maître : découvrir à des signes imperceptibles la proximité des habitations humaines, même en hiver, même la nuit ; apprécier chaque coin de champ ou de forêt avec une totale exactitude quant à son aptitude à fournir un terrain de repos ou une place pour dormir, flairer, à l'instant même où il mettait le pied dans une pièce, le degré d'aisance ou de misère dans lequel vivait l'habitant en même temps que le degré de sa générosité, de sa curiosité ou de sa frousse. Il fit à son jeune compagnon des confidences instructives. Comme Goldmund une fois lui objectait qu'il n'était pas nécessaire d'aborder les gens avec tant de calculs intéressés et qu'on lui avait rarement refusé à lui-même qui ne connaissait pas tout ces arts-là l'hospitalité qu'il demandait avec bonne grâce, le grand Victor se mit à rire et dit d'un air bonhomme : « Bien sûr, mon petit Goldmund, ça peut te réussir à toi ; tu es tout jeunet, et joli, avec ton air d'innocence, ça peut faire un bon billet de logement. Tu plais aux femmes et les hommes se disent : « Dieu, celui-là est inoffensif, il ne fera de mal à personne. » Mais vois un peu, frère, l'homme vieillit et, sur le visage enfantin, voilà que pousse de la barbe, voilà que se tendent des rides et vos culottes attrapent des trous et en un tour de main on devient un hôte affreux et indésirable. Vos yeux, au lieu de briller d'innocence et de jeunesse, ne reflètent plus que la faim. Il faut alors s'être endurci et avoir appris un peu à connaître le monde, sans quoi on est sur le fumier et les chiens vous pissent dessus. Mais j'ai idée que tu ne vas pas trimer ainsi longtemps, tu as les mains trop fines, tu as de trop belles boucles, tu ne vas pas tarder à te faufiler là où la vie est moins dure, dans le bon lit chaud d'une épouse ou dans un joli petit cloître bien gras, ou dans un bureau bien chauffé. Tu portes aussi de beaux vêtements, on te prendrait pour un gentilhomme ! »

Sans cesser de rire il passa la main sur le vêtement de

Goldmund et celui-ci sentit tâter chaque couture et chercher dans chaque poche ; il s'écarta, songeant à son ducat. Il parla de son séjour chez le chevalier et raconta comment il avait gagné ce beau vêtement en écrivant du latin. Mais Victor voulut savoir pourquoi il avait quitté au beau milieu du rude hiver un nid si chaud, et Goldmund, qui n'avait pas l'habitude du mensonge, lui laissa entendre quelque chose de son aventure avec les deux filles du chevalier. Ce fut l'occasion de la première querelle entre les deux compagnons. Victor trouvait que Goldmund était un âne sans pareil de se sauver comme ça tout simplement en laissant à la garde du bon Dieu le château et les jeunes filles qui étaient dedans. Il fallait réparer cela ; il y veillerait. Ils retourneraient au manoir et naturellement Goldmund ne devait pas s'y montrer, mais lui ; il n'y avait qu'à le laisser faire. Il fallait qu'il écrive une lettre à Lydia, comme ceci et comme cela, et alors lui, Victor, irait au château ; par les plaies du Christ, il n'en reviendrait pas sans ramener ceci et cela en argent et en bonnes choses. Et cætera. Goldmund s'y opposa et finit par se fâcher ; il déclara qu'il ne voulait plus entendre un mot à ce sujet et se refusa à lui dire le nom du chevalier et le chemin qui menait chez lui.

Victor, le voyant ainsi en colère, se remit à rire et fit le généreux. « Bah, dit-il, ne t'arrache pas les dents pour si peu ! Je te le dis simplement ; tu laisses échapper là une bonne prise pour nous deux, mon petit, et pour sûr, ce n'est pas très chic, ni d'un bon camarade. Donc, tu ne veux pas ; tu es un noble personnage, tu rentreras à cheval dans ton château pour épouser la demoiselle ! Mon garçon, tu as la tête farcie de nobles sottises ! Bon, je veux bien, nous continuons notre chemin et nous nous laissons geler les doigts de pied ! »

Goldmund resta maussade et silencieux jusqu'au soir. Mais comme ce jour-là ils ne rencontrèrent pas trace d'un être humain ou d'une habitation, il sut gré à Victor de chercher une place propice au gîte de nuit, de construire entre deux troncs d'arbres un abri qui protégeait leur dos, et de leur faire une couchette avec une bonne épaisseur de branches de sapin. Ils mangèrent du pain et du fromage sortis des poches pleines de Victor. Goldmund eut honte de son accès de colère, il se montra gentil et obligeant, il offrit au camarade son gilet de laine pour la nuit et ils se mirent d'accord pour monter la garde chacun leur tour à cause des bêtes sauvages, et ce fut Goldmund qui prit le premier la faction pendant que Victor s'étendait sur les branches de sapin.

Longtemps Goldmund se tint appuyé au tronc de pin et resta tranquille pour ne pas empêcher l'autre de s'endormir. Puis comme il avait froid, il se mit à marcher de long en large. Il s'écarta de plus en plus loin à droite et à gauche, regarda les sommets des pins qui se détachaient pointus sur le ciel pâle et, un peu anxieux dans cette paix profonde, il laissa pénétrer en lui la solennité de la nuit d'hiver, sentit son cœur chaud et vivant qui battait dans le silence glacial où rien ne lui répondait, écouta, en revenant sans bruit près de la couche, le souffle de son camarade endormi. Il se sentit plus profondément que jamais envahi par le sentiment de se trouver sans foyer, de n'avoir pas un mur de maison, de château ou de monastère entre soi et la grande angoisse, de courir nu et solitaire à travers le monde incompréhensible et hostile, tout seul sous la raillerie des froides étoiles, au milieu des bêtes aux aguets, parmi les arbres immuables et patients.

Non, se disait-il, jamais il ne deviendrait comme Victor, même s'il vagabondait ainsi toute sa vie. Cette façon de se défendre d'avoir la chair de poule, il ne l'apprendrait pas, ni cet art d'aller à la chasse avec des ruses de voleur, et pas davantage cette manière bruyante et effrontée de faire le fou, cet humour de potence, de tranche-montagne verbeux. Cet homme malin et audacieux avait peut-être raison, peut-être Goldmund ne l'égalerait-il jamais, ne deviendrait-il jamais un vrai vagant et se glisserait-il un jour derrière on ne sait quel mur; il n'en resterait pas moins sans foyer et sans but, jamais il ne se sentirait vraiment protégé et en sûreté, toujours il se saurait entouré d'un monde mystérieusement beau et mystérieusement sinistre, et toujours il lui faudrait prêter l'oreille à ce silence au milieu duquel le cœur humain se trouvait si anxieux et si fragile. On ne pouvait distinguer que quelques étoiles, pas de vent, mais dans les profondeurs du ciel les nuages semblaient agités.

Au bout d'un long moment Victor s'éveilla – l'autre ne s'était pas décidé à le réveiller – et il l'appela.

« Viens, dit-il, il faut que tu dormes, autrement tu ne seras bon à rien demain. »

Goldmund obéit, s'étendit sur la couche, ferma les yeux. Las, il l'était assez, pourtant il ne s'endormit pas, ses pensées le tenaient en éveil et, en dehors de ses pensées, un sentiment qu'il ne s'avouait point à lui-même, un sentiment d'angoisse et de défiance, qui se rapportait à son camarade. Il lui semblait maintenant incompréhensible qu'il eût pu parler de Lydia à ce rustre au gros rire, à ce farceur, à ce mendiant insolent ; il était furieux contre lui et contre lui-même et songeait, soucieux, au meilleur moyen et à la meilleure occasion de se séparer de lui.

Il devait cependant être tombé dans un demi-sommeil, car il sursauta quand il sentit sur lui les mains de Victor qui tâtaient ses vêtements avec précaution. Dans une poche il avait son couteau, dans l'autre son ducat. Il fit semblant de dormir, se tourna dans tous les sens tout ensommeillé, détendit ses bras et Victor se retira. Goldmund était furieux contre lui et décida de le quitter le lendemain.

Mais quand, une demi-heure plus tard, peut-être, Victor s'approcha de nouveau, se pencha sur lui et commença à le fouiller, Goldmund devint froid de colère. Sans bouger il ouvrit les yeux et dit d'un ton méprisant :

« Va-t'en, il n'y a rien ici à voler ! »

Dans son effroi, le voleur, entendant cela, mit les mains au cou de Goldmund et le serra. Comme il se défendait et se dressait, l'autre serra plus fort et lui posa en même temps son genou sur la poitrine, Goldmund, perdant le souffle, tira et se débattit violemment de tout son corps et, n'arrivant pas à se dégager, se sentit tout à coup pénétré d'une angoisse de mort qui le rendit astucieux et lucide. Il mit la main à sa poche, et, tandis que l'autre continuait à l'étrangler, sortit son petit couteau de chasse et l'enfonça soudain au hasard, plusieurs fois, dans le corps du chemineau agenouillé sur lui. Au bout d'un moment les mains de Victor se desserrèrent, l'air entra ; respirant profondément et avec violence, Goldmund savoura sa vie qu'il venait de sauver. Il essaya alors de se relever. Le grand corps de son compagnon s'effondra sur lui, flasque et mou, avec un râle effrayant, et son sang coula sur la figure de Goldmund. Alors seulement celui-ci parvint à se lever. Il vit dans la lueur grise de la nuit le grand diable étendu là où il s'était abattu, et quand il mit la main sur lui, il ne rencontra que du sang. Il lui souleva la tête, elle retomba toute molle, lourdement, comme un sac. De sa poitrine, de son cou, le sang coulait toujours goutte à goutte. De sa bouche, en des soupirs déments déjà de plus en plus faibles, la vie s'en allait.

« Voilà que j'ai tué un homme ! » se dit Goldmund et il ne cessait de se le répéter, agenouillé au-dessus du mort et regardant la pâleur se répandre sur son visage. « Bonne Mère de Dieu ! voilà que j'ai tué », s'entendit-il prononcer lui-même.

Soudain il lui devint impossible de rester là. Il ramassa son couteau, l'essuya sur le gilet que portait l'autre, et qui avait été tricoté par les mains de Lydia pour son bien-aimé. Il remit le couteau dans sa gaine de bois et dans sa poche, se dressa sur ses pieds et s'enfuit en courant de toutes ses forces.

La mort du joyeux vagabond pesait lourd sur son âme. Quand le jour vint il lava avec horreur dans la neige tout le sang qu'il avait versé et qui était répandu sur lui, continua à errer un jour et une nuit, anxieux et sans but. Ce fut la détresse de son corps qui, à la fin, le tira de sa torpeur et dissipa l'angoisse de ses remords.

Perdu dans les vastes espaces couverts de neige, sans abri, sans direction, sans nourriture, presque sans sommeil, il se trouva dans une grande misère. Comme une bête sauvage la faim criait dans son corps. Plus d'une fois il se coucha, épuisé, au milieu d'un champ, fermant les yeux et se jugeant perdu, ne souhaitant rien d'autre que de s'endormir et de mourir dans la neige. Mais toujours une force le redressait ; dans son désespoir, dans son ardent désir de salut, il marchait pour sauver sa vie et au milieu de la plus amère détresse, la violence insensée et la sauvagerie de sa révolte contre la mort, la vigueur de son instinct élémentaire de vie le réconfortaient et l'enivraient. Dans un buisson de genièvre couvert de neige il cueillait de ses mains gelées et bleuies les petites baies desséchées et mâchait cette chose âcre et sans attraits mêlée à des aiguilles de sapin. Avec cette nourriture épicée et irritante il avalait des poignées de neige pour calmer sa soif. Il s'asseyait, haletant, sur une colline pour souffler dans ses mains mortes et faire une courte pause en examinant d'un œil perçant et avide tout l'alentour : rien que lande et forêts, pas trace d'un être humain. Au-dessus de lui passaient quelques corbeaux ; il les suivait d'un mauvais regard. Non, il ne leur servirait point de pâture, aussi longtemps qu'il lui resterait un peu de force dans les jambes, une étincelle de chaleur dans le sang. Il se mettait sur pied et reprenait son inexorable course contre la mort. Il courait, courait, et dans la fièvre de l'épuisement et de l'effort suprême d'étranges pensées s'emparaient de lui. Tantôt à haute voix, tantôt tout bas, il engageait avec lui-même de folles conversations. Il s'entretenait avec Victor, l'assassiné ; d'un ton rude et railleur il lui parlait : « Hein, vieux frère, mâdré compagnon, comment ça va ? Est-ce que la lune brille à travers tes boyaux ? Est-ce que les renards te tirent les oreilles ? Tu prétends avoir tué un loup. L'as-tu mordu à la gorge ou lui as-tu arraché la queue, hé ? Tu voulais me voler mon ducat, vieux chenapan, mais Goldmund le petiot, il te ménageait une surprise, pas vrai ? Il t'a chatouillé les côtes ! Et ça n'empêche pas que tu avais encore les poches pleines de pain, de saucisse et de fromage, cochon, sac à boustifaille ! » C'étaient là les boniments qu'il éjectait dans des aboiements et des quintes de toux. Il injuriait le mort, il triomphait de lui, il le raillait de s'être laissé tuer, le balourd, le hâbleur !

Et puis, ses pensées et ses monologues n'avaient plus rien à faire avec le pauvre grand Victor. Il voyait maintenant devant lui Julie, la belle petite Julie, telle qu'elle l'avait quitté au cours de la fameuse nuit. De ses mille petits mots de tendresse, de ses cajoleries folles et effrontées, il essayait de l'inciter à venir avec lui, à laisser glisser sa petite chemise, à jouir avec lui du céleste bonheur une heure encore avant la mort, une seconde avant de crever pitoyablement. D'une voix suppliante ou provocante il parlait à ses petits seins rebondis, à ses cuisses, aux poils blonds et bouclés sous ses épaules.

Et puis, tout en trottant sur ses jambes raides et trébuchantes à travers la bruyère desséchée et couverte de neige, ivre de douleur, s'exaltant dans sa flamboyante volonté de vivre, il se mettait à chuchoter ; et c'était maintenant à Narcisse qu'il parlait, qu'il confiait ses idées nouvelles, sa sagesse, son ironie.

« As-tu peur, Narcisse ? commençait-il, n'as-tu pas la chair de poule, tu n'as rien remarqué ? Oui, mon vénérable ami, le monde est hanté par la mort, hanté par la mort, il y a un squelette assis sur chaque enclos, il s'en cache un derrière chaque arbre et ça ne vous sert à rien de bâtir des murs et des dortoirs et des chapelles et des églises, elle jette un œil par la fenêtre, elle rit, la Camarde ! Chacun de vous elle le connaît sans erreur possible ; au milieu de la nuit vous l'entendez ricaner sous vos fenêtres et prononcer votre nom. Vous pouvez toujours chanter vos psaumes, brûler gentiment vos chandelles devant l'autel, et réciter vos vêpres et vos matines, ramasser vos herbes dans le laboratoire et vos bouquins dans les bibliothèques ! Jeûnes-tu, ami, te prives-tu de sommeil ? Ça te servira bien ! L'ami Hein[1], lui, te ravira tout jusqu'aux os ! Trotte, mon très cher, trotte ; dans le champ là-bas elle passe, la Camarde, cours et numérote bien tes os, ils vont s'en aller aux quatre vents, ils ne veulent pas rester en nous. Ah ! pauvres os, pauvre gosier, pauvre estomac, pauvre brin de cervelle sous notre crâne ! Tout veut foutre le camp, tout veut s'en aller au diable, et les corbeaux sont là sur l'arbre, les sinistres curés ! »

1. La mort.

Il y avait longtemps qu'il ne savait, le pauvre fou, où il courait, où il était, ce qu'il disait, s'il était couché ou debout. Il s'affalait dans les buissons, il donnait de la tête contre les arbres, il s'effondrait dans la neige et les épines qu'il saisissait à pleines mains. Mais en lui l'instinct de la vie était vigoureux, toujours il l'entraînait en avant, toujours il le remettait en route dans une fuite aveugle. Quand pour la dernière fois il s'abattit et resta sur le sol, c'était dans ce même petit village où il avait rencontré quelques jours plus tôt l'écolier errant, où il avait tenu la nuit les copeaux résineux au-dessus de la femme en couches. Il resta sur le sol et les gens accoururent et se tinrent autour de lui faisant leurs réflexions, il ne les entendait plus. La femme qui lui avait alors fait don de son amour le reconnut et frémit à sa vue ; elle eut pitié, elle laissa pester son homme et le traîna, lui, à demi mort, dans son étable.

Ce ne fut pas long, bientôt Goldmund fut sur pied et en état de vagabonder. La chaleur de l'étable, le sommeil et le lait de chèvre que la femme lui donna à boire le firent revenir à lui, lui rendirent ses forces. Seulement les événements récents s'étaient estompés dans le lointain comme si bien du temps s'était écoulé depuis. La marche en compagnie de Victor, l'affreuse nuit d'hiver glacée sous les sapins, la terrible lutte sur la couche, l'épouvantable mort de son compagnon, les journées et les nuits dans le gel, la faim, l'égarement, tout cela était du passé ; il l'avait presque oublié. Mais pourtant ce n'était pas oublié, c'était seulement une épreuve surmontée, écoulée. Il en restait quelque chose, quelque chose d'inexprimable, d'épouvantable, mais aussi de précieux, d'englouti au fond de lui-même, et pourtant d'inoubliable, une expérience, un goût sur la langue, un cercle autour du cœur. En deux ans à peine il avait épuisé les joies et les douleurs de la vie des sans-foyer : la solitude, la liberté, l'écoute anxieuse dans la forêt parmi les bêtes sauvages, les amours volages et infidèles, la détresse de mort dans toute son amertume. Pendant des jours il avait été l'hôte de la plaine torride, pendant des jours et des semaines l'hôte de la forêt, passé des journées dans la neige ; des journées dans l'angoisse de mort et aux côtés de la mort, et dans tout cela le sentiment le plus fort et le plus étrange, ç'avait été de se défendre contre elle, de se savoir petit, misérable et menacé, et pourtant, dans le suprême combat désespéré contre la mort, de sentir en soi la force tenace de la vie. Cela continuait à vibrer, en lui, cela restait gravé dans son cœur, tout comme les gestes et les expressions de la volupté si semblables à ceux des femmes en couches et des mourants. L'autre jour c'était l'accouchée qui criait et contractait ses traits ! L'autre jour, c'était Victor qui s'effondrait, répandant si vite son sang en silence. Et lui-même, comme il sentait, aux jours de famine, la mort aux aguets autour de lui, comme la faim l'avait torturé, et comme il avait gelé, gelé ! Et dans sa lutte, il lui avait cogné sur le nez à la mort, quelle angoisse et quelle âpre volupté dans cette défense ! Après cela, il en avait bien l'impression, il n'y avait vraiment plus grand-chose à apprendre de la vie. Avec Narcisse peut-être on aurait pu en parler, avec personne d'autre.

Quand Goldmund sur sa couche de paille fut vraiment tout à fait revenu à lui, plus de ducat dans sa poche. L'aurait-il perdu pendant sa course presque inconsciente, dans le vertige du dernier jour de famine ? Il rumina longtemps là-dessus. Le ducat lui était cher, il ne voulait point se résigner à sa perte. L'argent, à vrai dire, avait peu de sens pour lui, il ne connaissait pas sa valeur. Mais cette pièce d'or avait du prix pour deux raisons : c'était le seul des cadeaux de Lydia qui lui restât, car le gilet de laine était encore sur Victor, dans la forêt, tout baigné de son sang. Et puis ce qu'il n'avait pas voulu se laisser ravir, c'était surtout le ducat, c'était à cause de lui qu'il s'était défendu, à cause de lui qu'il avait tué dans sa détresse. Si maintenant le ducat était perdu, toute l'aventure de cette nuit d'horreur perdait en quelque sorte son sens et sa valeur. Après avoir longuement réfléchi il avait mis dans la confidence la femme du paysan.

« Christine, murmura-t-il, j'avais une pièce d'or dans ma poche et maintenant elle n'y est plus.

— Tiens, tu t'en es aperçu ! » dit-elle avec un drôle de sourire plein de tendresse à la fois et de ruse, qui le ravit tellement que, malgré sa faiblesse, il l'enlaça de ses bras.

« Quel étrange gamin tu fais, ajouta-t-elle tendrement, si malin, si fin, et si bête tout ensemble ! Est-ce qu'on court le monde avec un ducat à même sa poche ouverte ? Oh ! pauvre gosse que tu es, brave petit fou ! Je l'ai trouvée, ta pièce d'or, sitôt que je t'ai couché dans la paille !

— Tu l'as ? Et où est-elle à présent ?

— Cherche », dit-elle dans un éclat de rire, et elle le laissa vraiment chercher un bon bout de temps avant de lui montrer le coin de son vêtement où elle l'avait solidement cousue. Elle ajouta un tas de bons conseils maternels qu'il s'empressa d'oublier, mais le service tendrement rendu et le bon rire de ruse dans son visage de paysanne, il ne les oublia jamais. Il fit tout son possible pour lui marquer sa reconnaissance et quand, peu après, il fut de nouveau solide pour la marche et voulut se mettre en route, elle le retint parce que, ces jours-là, la lune allait changer et qu'il allait sûrement faire un temps plus doux. Et ce fut ainsi. Quand il reprit son chemin, la neige était grise et bien mal en point, l'air était lourd et humide, dans les hauteurs on entendait gronder le vent du dégel.

CHAPITRE X

UNE fois encore la glace s'en allait au fil de l'eau, une fois encore, sous le feuillage pourrissant, les violettes embaumaient, et Goldmund avait repris sa course errante à travers la diversité des saisons, buvant de ses yeux insatiables les forêts, les montagnes et les nuages, cheminant de ferme en ferme, de village en village, de femme en femme, parfois assis dans la fraîcheur du soir, le cœur serré, au pied d'une fenêtre derrière laquelle brillait une lumière, et dans la lueur rougeâtre de laquelle rayonnait, charmant, mais hors de son atteinte, tout ce qu'il pouvait y avoir de bonheur, de chaude intimité, de paix sur la terre. Et ce fut le retour de tout ce qu'il croyait si bien connaître, tout recommençait, et apparaissait cependant chaque fois tout autre : le long cheminement par les champs et par la lande ou sur la route pierreuse, le sommeil dans la forêt en été, la flânerie dans les villages derrière les files de jeunes filles qui revenaient la main dans la main de retourner le foin ou de cueillir le houblon, le premier frisson de l'automne, les premiers mauvais froids, tout revint, une fois, deux fois ; le ruban aux mille couleurs se déroula sans fin devant ses yeux.

Bien des pluies, bien des neiges étaient tombées sur Goldmund quand, un jour, il grimpa sur une hauteur, à travers une forêt de hêtres aux jeunes pousses déjà vertes et découvrit, du haut de la crête de la montagne, un nouveau paysage qui réjouit ses yeux et éveilla dans son cœur un flot d'idées confuses, de désirs et d'espérances. Depuis des jours il se savait proche de cette région et il l'attendait ; voici qu'elle le surprenait en cette heure de midi, et ce que son œil en saisit au cours de cette première rencontre confirma et renforça son attente. Entre les troncs gris et le feuillage doucement agité son regard s'abaissa sur une vallée brune et verte au milieu de laquelle un large fleuve resplendissait de l'éclat bleuâtre du verre. C'en était fini maintenant pour longtemps de la marche dans des contrées sans route, à travers la lande, la forêt et la solitude où l'on ne pouvait que rarement rencontrer une ferme ou un misérable hameau. À ses pieds coulait le fleuve et au long du fleuve se déroulait une des plus célèbres routes de l'Empire. Là s'étendait dans toute sa richesse une terre opulente, là passaient des trains de bois et des bateaux et la route menait à de beaux villages, à des châteaux forts, à des monastères, à de riches cités, et qui voulait pouvait cheminer sur ces routes des jours et des semaines et n'avait pas à craindre qu'elles se perdent tout à coup, comme les misérables chemins tracés par les paysans, dans une forêt, un marais, n'importe où. Il y avait là du nouveau et il s'en réjouit.

Dès le soir de ce jour, il était dans un beau village bâti entre le fleuve et les vignobles rouges au bord de la grand-route ; aux maisons à pignons les belles poutres étaient peintes en rouge, il y avait des portails voûtés et des ruelles aux escaliers de pierre ; une forge projetait sur la route son reflet rouge et le son clair de son enclume. Le nouvel arrivant se répandit dans toutes les ruelles et dans tous les coins, reniflant aux portes des caves l'odeur des fûts, du vin, au bord du fleuve l'odeur fraîche de l'eau poissonneuse ; il alla voir l'église et le cimetière et ne négligea pas de se mettre en quête d'une grange convenable où on pourrait peut-être descendre pour la nuit. Mais auparavant, il voulut essayer de mendier sa nourriture au presbytère. Il se trouvait là un gros curé rougeaud qui le soumit à un interrogatoire et à qui il raconta sa vie, passant mainte chose sous silence et en inventant d'autres. Après quoi, on le reçut aimablement et il passa la soirée en une longue causerie avec le maître de la maison devant un bon repas arrosé de bon vin. Le lendemain il poursuivit sa route en suivant le fleuve. Il vit glisser dessus des trains de bois et des bateaux de transport, il rattrapa des charrettes, il y en eut qui le prirent pendant un bout de chemin, et les journées de printemps s'écoulèrent débordantes d'images ; des villages et de petites villes l'accueillirent, des femmes souriaient derrière les enclos des jardins, ou, agenouillées sur le sol brunâtre, mettaient en terre des plantes ; des jeunes filles chantaient le soir dans les ruelles.

Dans un moulin, une fillette lui plut tant qu'il resta deux jours dans le pays à rôder autour d'elle. Elle s'amusa à rire et à bavarder avec lui : il eut l'impression qu'il aimerait par-dessus tout être garçon meunier et rester toujours là. Il s'ins-tallait au milieu des pêcheurs, il aidait les voituriers à soigner et à étriller leurs bêtes, on lui donnait en échange du pain et de la viande et on le prenait dans la voiture. Après la longue solitude c'était la sociabilité de tous ces gens en voyage, après les idées noires longuement remâchées c'était la gaieté parmi des gens communicatifs et réjouis, après les longues privations l'abondance de la nourriture, chaque jour il était repu. Tout cela lui faisait du bien et il se laissait volontiers porter par cette vague de joie. Elle l'entraînait avec elle et plus il approchait de la ville épiscopale, plus la route s'emplissait de gens et de gaieté.

Dans un village, à la tombée de la nuit, il alla se promener au bord de l'eau sous le feuillage. Le fleuve coulait dans sa force silencieuse, le courant bruissait et soupirait dans les racines des arbres, la lune se levait au-dessus de la colline projetant des reflets sur les eaux et de l'ombre sous les arbres. Il trouva assise là une jeune fille qui venait d'avoir une querelle avec son amoureux. Il était parti et l'avait lais-sée seule. Goldmund s'assit près d'elle, écouta sa plainte et, lui caressant la main, lui parla de la forêt et des chevreuils, la consola un peu, la fit rire un peu et elle accepta un baiser. Mais voilà que son chéri vint la chercher : il s'était calmé et regrettait la dispute. En voyant Goldmund assis à côté d'elle, il tomba sur lui et tapa dessus à coups de poing ; Goldmund eut de la peine à se défendre, à la fin il en vint tout de même à bout ; le garçon s'enfuit en jurant au village ; la fille était depuis longtemps disparue. Mais Goldmund, ne se fiant pas à cette paix, laissa en plan son gîte et poursuivit sa route la moitié de la nuit au clair de lune, à travers un paysage silen-cieux et argenté, très satisfait et rendant grâce à ses bonnes jambes, jusqu'à ce que la rosée lavât la poussière blanche de ses chaussures, jusqu'à ce que, devenu subitement las, il se couchât sous le premier arbre et s'endormît. Il faisait jour depuis longtemps quand il se sentit chatouillé au visage, se passa, tout ensommeillé, les mains sur la figure, se rendor-mit et fut bientôt à nouveau réveillé par le même chatouille-ment : une jeune paysanne était là qui le regardait et le cha-touillait avec une branche de saule. Il se leva en chancelant, ils se mirent d'accord dans un sourire et elle le conduisit dans un hangar où il ferait meilleur dormir ; ils sommeillèrent un moment l'un à côté de l'autre, puis elle partit et revint avec un petit seau de lait encore chaud. Il fit cadeau à la fillette d'un ruban bleu pour ses cheveux qu'il avait trouvé et ramassé peu avant dans la rue et ils s'embrassèrent encore une fois avant qu'il poursuivît son chemin. Elle s'appelait Franciska et il eut du chagrin de la quitter.

Au soir de ce jour il trouva asile dans un cloître et assista le matin à la messe ; mille souvenirs s'agitèrent curieusement en son cœur ; la fraîcheur de l'air sous les voûtes de pierre, le claquement des sandales sur les dalles des couloirs lui serrèrent le cœur comme choses familières. La messe achevée, l'église du couvent retombée dans le silence, Goldmund resta à genoux, son cœur était étrangement ému, il avait beaucoup rêvé cette nuit-là. Il lui fallait trouver quelque moyen de se soulager de son passé, de changer de vie, il ne savait pourquoi ; peut-être était-ce le souvenir de Mariabronn et de sa pieuse enfance qui le remuait ainsi. Il se sentait le besoin de se confesser, de se purifier. Il avait à avouer bien des petites fautes, bien des petits péchés, mais ce qui pesait le plus lourd sur lui, c'était la mort de Victor qu'il avait tué de sa main. Il trouva un père à qui faire sa confession, lui fit l'aveu de ceci, de cela, mais surtout des coups de couteau dans le cou et dans le dos du pauvre Victor. Qu'il y avait de temps qu'il ne s'était confessé ! Le nombre et la gravité de ses péchés ne lui semblaient pas petits, il eût été prêt à les expier par une forte peine ; mais le confesseur avait l'air au courant de la vie des vagants, il ne s'indignait pas, il écoutait tranquillement, gravement, comme un ami, il le blâma et l'exhorta sans songer à le réprouver.

Goldmund se releva soulagé ; selon la pénitence imposée par le père, il pria devant l'autel, et allait quitter l'église, quand par l'une des fenêtres pénétra un rayon de soleil. Son regard le suivit et dans une chapelle latérale, il aperçut une statue. Elle parlait tant à son cœur et l'attirait tant qu'il tourna vers elle ses yeux pleins d'amour et la considéra dans un recueillement et une émotion profonds. C'était une figure de bois de la Mère de Dieu, gracieusement penchée dans une attitude de tendresse, et la façon dont son manteau bleu tombait de ses épaules étroites, dont elle tendait doucement sa main virginale, dont, au-dessus de sa bouche douloureuse, ses yeux vous regardaient, sous la voûte gracieuse du front, tout cela était si vivant, si beau et si plein de vie intérieure, si plein d'âme, qu'il crut n'avoir jamais rien vu de pareil. Il ne pouvait se rassasier de considérer cette bouche, le charme familier du mouvement du cou, il avait l'impression de voir là réalisé ce que tant de fois il avait déjà aperçu et entrevu dans ses rêves, ce à quoi son cœur avait tant aspiré. Plusieurs fois il se détourna pour s'en aller, toujours l'image l'attirait de nouveau à elle.

Au moment où il allait enfin partir, le père, à qui il s'était confessé, se tenait derrière lui.

« Tu la trouves belle? demanda-t-il avec bienveillance.

– Inexprimablement belle! dit Goldmund.

– Il y a bien des gens qui le disent, reprit le prêtre, et puis il y en a d'autres qui prétendent que ce n'est pas vraiment une Sainte Vierge, qu'elle est trop moderne et mondaine, et que tout en elle est exagéré et faux. On discute beaucoup là-dessus. À toi, elle te plaît, j'en suis heureux. Il n'y a qu'un an qu'elle est dans notre église, un bienfaiteur de notre maison lui en a fait don. C'est maître Niklaus qui l'a sculptée.

– Maître Niklaus? Qui est-ce? Où est-il? Le connaissez-vous? Oh! je vous en prie, parlez-moi de lui! Ce doit être un homme merveilleux, comblé des dons de Dieu, celui qui a le pouvoir de faire une telle œuvre.

– Je ne sais pas grand-chose de lui. Il est sculpteur d'images dans la ville épiscopale, à une journée de voyage d'ici, et a, comme artiste, une grande renommée. Les artistes ne sont pas des saints d'ordinaire, et il n'en est pas un, lui non plus, sans doute, mais c'est un homme doué et d'une grande élévation d'esprit. Je l'ai vu plusieurs fois...

– Oh! vous l'avez vu! Oh! comment est-il?

– Mon fils, il t'a complètement pris sous son charme, à ce qu'il semble. Eh bien, va le trouver et salue-le de la part du père Boniface. »

Goldmund remercia en un flot de paroles. Le père s'en alla en souriant, mais lui, il resta longtemps encore devant cette figure mystérieuse dont la poitrine semblait respirer, et sur le visage de laquelle tant de douleur et tant de douceur se peignaient tout ensemble que cela lui serrait le cœur.

Il quitta l'église tout transformé, ses pas le portaient à travers un monde transfiguré. À partir de cet instant passé devant la douce et sainte statue de bois, Goldmund posséda ce qu'il n'avait encore jamais possédé, ce qu'il avait souvent raillé ou envié chez les autres : un but. Il avait un but et peut-être l'atteindrait-il; peut-être sa vie tout entière, sa vie dissolue, allait-elle trouver un sens et une valeur. Ce sentiment nouveau le pénétrait de joie et de crainte et lui donnait des ailes. Cette belle route si gaie sur laquelle il cheminait n'était plus ce qu'elle était hier, elle ne s'offrait plus seulement aux ébats d'un peuple joyeux ; elle n'était plus seulement un lieu où l'on avait plaisir à s'attarder ; c'était le chemin de la ville, le chemin qui menait au maître. Dans son impatience il se mit à courir. Il arriva avant le soir. Derrière des murailles il vit surgir des tours, il vit des blasons sculptés et des armoiries peintes au-dessus de la porte ; il la franchit le cœur battant, remarquant à peine le bruit et la foule joyeuse dans les rues, les chevaliers sur leur monture et les voitures et les carrosses. Ni les chevaliers, ni les voitures, ni la ville, ni l'évêque n'avaient pour lui d'importance. Au premier qu'il rencontra sous la porte il demanda où habitait maître Niklaus et fut très déçu qu'il ne sût rien de lui.

Il arriva sur une place pleine de magnifiques maisons dont beaucoup étaient peintes ou ornées d'une décoration plastique. Au-dessus d'une porte se dressait la haute et brillante figure d'un lansquenet peinte de couleurs vives et riantes. Il n'était pas si beau que la statue de l'église du monastère, mais il se tenait là, dans une attitude originale, faisant saillir ses mollets, avançant sur le monde son menton barbu, et Goldmund se dit que ce pouvait bien être pourtant le même maître qui avait fait cette figure. Il entra dans la maison, frappa à des portes, monta des escaliers, et rencontra à la fin un homme en manteau de velours garni de fourrure à qui il demanda où il pourrait bien trouver maître Niklaus. Que voulait-il de lui ? demanda l'autre en réponse, et Goldmund eut peine à se dominer et à dire simplement qu'il avait une commission à lui faire. On lui indiqua alors la rue où habitait le maître et avant que, à force de questions, Goldmund l'eût atteinte, la nuit était venue. Le cœur serré et pourtant très heureux il se tint devant la maison du maître les yeux levés vers les fenêtres ; il eût voulu se hâter d'y entrer. Mais il réfléchit qu'il se faisait déjà tard, qu'il était en sueur et couvert de poussière à la suite de la marche de ce jour ; il se fit violence et attendit ; mais longtemps encore il resta devant la maison. Il vit une fenêtre s'éclairer et juste comme il allait s'en aller il aperçut une silhouette qui s'avançait à la fenêtre : une très belle jeune fille blonde ; la douce lueur de la lampe placée derrière ruisselait sur sa chevelure.

Le lendemain, quand la ville fut redevenue vivante et bruyante, Goldmund se lava dans le monastère dont il avait été l'hôte pour la nuit, battit ses vêtements et ses souliers pour en faire sortir la poussière, retrouva la rue de la veille, et frappa à la grande porte de la maison. Une servante vint qui ne voulut pas le mener tout de suite au maître, mais il parvint à fléchir la vieille, et elle le fit tout de même entrer. Dans une petite salle, son atelier, le maître se tenait en blouse de travail. C'était un homme grand et barbu de quarante à cinquante ans à ce qu'il sembla à Goldmund. Il regarda l'étranger de ses yeux bleus et perçants et demanda sèchement ce qu'il désirait. Goldmund le salua de la part du père Boniface.

« C'est tout ?

— Maître, dit Goldmund la gorge serrée, là-bas au cloître, j'ai vu votre Vierge. Oh! ne me regardez pas d'un air si bourru, c'est simplement l'amour et la vénération qui m'amènent à vous. Je ne suis pas timide ; j'ai longtemps vécu en chemineau et j'ai tâté de la forêt, de la neige, de la faim, personne n'est capable de me faire peur. Mais de vous, j'ai peur. Je n'ai qu'un seul grand désir ; mon cœur en est si plein qu'il me fait mal.

— Quel est-il, ce désir ?

— Je voudrais être votre apprenti et me former près de vous.

— Tu n'es pas le seul, jeune homme, à en avoir envie. Mais je ne veux pas d'apprentis et j'ai déjà deux compagnons. D'où viens-tu donc et quels sont tes parents ?

— Je n'ai pas de parents, je ne viens de nulle part. J'ai été écolier dans un monastère, là j'ai appris le latin et le grec ; puis je me suis sauvé et depuis des années je suis en route, jusqu'à ce jour.

— Et pourquoi penses-tu que tu doives devenir sculpteur ? As-tu déjà essayé ? As-tu des dessins ?

— J'ai fait beaucoup de dessins, mais je ne les ai plus. Et ce qui me fait désirer apprendre cet art, je puis bien vous le dire. J'ai ruminé des idées, j'ai vu bien des visages et des figures et j'ai réfléchi sur elles, et il y en a qui toujours revenaient me tourmenter, ne me laissant aucun repos. J'ai été frappé de ce que, dans un être humain, une certaine forme, une certaine ligne se retrouvent partout, le front est en rapport avec le genou et l'épaule, avec la hanche ; et tout cela est essentiellement identique à la nature profonde, à l'âme de l'individu, dont le genou, le front, l'épaule sont ainsi faits. Et il y a encore une chose qui m'a frappé, je l'ai découverte une nuit où je devais me rendre utile auprès d'une femme en couches : c'est que la suprême douleur et la suprême volupté s'expriment tout à fait de la même manière. »

Le maître fixa sur l'inconnu ses yeux perçants :

« Sais-tu bien ce que tu dis là ?

– Oui, maître, c'est ainsi. C'est tout à fait cela que, pour ma plus grande joie et à mon extrême stupéfaction, j'ai trouvé exprimé dans votre Vierge et c'est pour cela que je suis venu. Quelle douleur sur ce beau et gracieux visage et en même temps toute cette douleur s'est comme muée en pur bonheur et en sourire. Quand je vis cela, ce fut comme une flamme qui me traversa, toutes mes idées, tous les rêves que je portais en moi depuis des années se trouvèrent confirmés, ils n'étaient plus vains. Je sus tout de suite ce que je devais faire et où je devais aller. Cher maître Niklaus, je vous en prie de tout mon cœur, laissez-moi faire mon apprentissage auprès de vous ! »

Sans se montrer plus aimable, Niklaus avait écouté avec attention.

« Jeune homme, répliqua-t-il, ce que tu dis là sur l'art est bon et j'en suis surpris, et je suis aussi stupéfait que, si jeune, tu sois en état de parler si profondément de la volupté et de la douleur. J'aurais plaisir à causer avec toi un soir de ces choses devant un gobelet de vin. Mais, vois-tu, bavarder ensemble avec agrément et sagesse et vivre et travailler ensemble pendant quelques années, ce sont deux choses. Tu es ici dans un atelier où l'on travaille, on n'y bavarde pas, et ce qui compte ici, ce ne sont pas les réflexions que chacun s'est faites et peut exprimer, mais uniquement ce que chacun peut créer de ses mains. Tu as l'air de prendre la chose au sérieux, aussi je ne veux pas tout simplement te mettre à la porte. On va voir si tu es capable de réaliser quelque chose. As-tu déjà modelé la glaise ou la cire ? »

Goldmund pensa tout de suite à un rêve qu'il avait fait une fois, il y a longtemps : il y formait de petites figures en glaise, et celles-ci s'étaient dressées, devenant gigantesques. Pourtant il n'en parla point et indiqua qu'il n'avait jamais encore tenté ces travaux-là.

« Bon, alors tu vas dessiner quelque chose. Voici une table, tu vois, et du papier et des charbons. Assieds-toi et dessine. Prends ton temps, tu peux rester jusqu'à midi ou même jusqu'à ce soir. Peut-être pourrai-je alors voir à quoi tu es bon. Voilà. Maintenant, assez parlé, je vais à mon travail, va au tien. »

Goldmund s'assit sur le siège que maître Niklaus lui avait désigné à la table. Il n'était pas pressé de se mettre à la besogne. Il commença par rester dans l'attente, tranquille comme un écolier timide, regardant avec curiosité et tendresse le maître qui lui tournait le dos à demi et continuait à travailler à une petite figure de plâtre. Il contemplait avec attention cet homme qui, dans sa tête sévère, déjà grisonnante, et dans ses mains d'ouvrier, rudes mais nobles et inspirées, avait en puissance de telles forces magiques. Il ne ressemblait pas à ce que Goldmund avait imaginé. Il était plus vieux, plus modeste, beaucoup moins rayonnant et sympathique, et nullement heureux. Son regard, impitoyablement perçant et pénétrant, s'était tourné à son ouvrage; maintenant qu'il ne pesait plus sur lui, Goldmund pouvait imaginer avec précision toute la personne du maître. Cet homme, se disait-il, aurait tout aussi bien pu être un savant, un chercheur silencieux et sévère qui s'est donné à une œuvre commencée avant lui par de nombreux prédécesseurs et qu'il transmettrait un jour à d'autres, un labeur exigeant, de longue haleine, sans fin même, auquel des générations humaines auraient donné tous leurs efforts et tout leur dévouement. C'était du moins ce que l'observateur lisait sur les traits du maître : beaucoup de patience, de métier et de réflexion, beaucoup de modestie et le sens de ce qu'il y a de contestable dans tout travail humain, mais aussi la foi dans sa mission s'y trouvaient inscrits. Ses mains parlaient un autre langage. Ses doigts s'appliquaient au plâtre auquel ils donnaient forme d'un geste sûr, mais plein de sensibilité. Ils le traitaient comme ceux d'un amant traitent l'amante qui se livre à lui : tout vibrants de sensations amoureuses, d'une tendresse qui ne fait point de différence entre prendre et donner, sensuels et respectueux tout ensemble, et ils avaient l'air de tenir leur maîtrise et leur sûreté d'une expérience profonde et vieille comme le monde. Goldmund regardait avec ravissement, avec admiration ces mains bénies. Sans ce conflit entre la tête et les mains qui le paralysait, c'était là une figure qu'il eût pris plaisir à dessiner.

Après qu'il fut bien resté une heure à observer le maître qui travaillait sans se soucier de rien autre, scrutant de toutes ses pensées le secret de cet homme, une autre image commença à monter au fond de lui-même et à devenir visible à son âme, la silhouette de l'homme qu'il connaissait le mieux, qu'il avait tant aimé et admiré dans son cœur, et cette image était sans fêlure et sans désaccord bien qu'elle renfermât elle aussi des traits fort divers et lui rappelât tous ses combats. C'était le portrait de son ami Narcisse. De plus en plus il se présentait comme un bloc, comme un tout; la loi intime de cet être aimé se manifestait toujours plus claire dans son image, la noble tête modelée par l'intelligence, la belle bouche tendue et ennoblie par le service de l'esprit et soumise à sa discipline, ainsi que le regard où se révélait quelque tristesse, les frêles épaules, le long cou et les fines mains tendres, symbolisant la lutte pour s'affranchir de la matière. Jamais depuis les temps où il avait quitté le monastère il n'avait eu une si claire vision de son ami, possédé si intensément en lui son image.

Comme dans un état de rêve, obéissant sans résistance à une sorte de nécessité dont il était l'esclave docile, Goldmund se mit à dessiner; avec une respectueuse tendresse ses doigts délimitaient les contours de l'image qui habitait son cœur. Il avait oublié le maître, lui-même, et le lieu où il se trouvait. Il ne voyait pas la lumière qui, lentement, se déplaçait dans la pièce; il ne voyait pas le maître qui, de temps en temps, jetait un regard sur son travail. Il accomplissait comme un rite sacré la tâche qui s'imposait à lui, la tâche que lui dictait son cœur : dresser l'image de son ami pour la conserver telle qu'elle vivait aujourd'hui dans son âme. Sans s'arrêter à cette idée, il avait le sentiment que ce qu'il faisait là le déchargeait d'une dette, manifestait sa gratitude.

Niklaus s'approcha de la table où il dessinait et dit :

« Il est midi, je vais me mettre à table, tu peux venir aussi. Montre un peu – tu as dessiné quelque chose ? »

Il se mit derrière Goldmund, puis l'écarta tout en regardant la grande feuille, et prit le dessin avec précaution dans ses mains adroites. Goldmund sortit de son rêve et leva sur le maître des yeux pleins d'anxieuse attente. Debout, tenant le dessin des deux mains, celui-ci l'examinait du regard un peu dur de ses yeux bleus sévères et lumineux.

« Qui as-tu dessiné là ? demanda Niklaus au bout d'un moment.

– C'est mon ami, un jeune moine, un savant.

– Bon, lave-toi les mains, la fontaine coule là-bas dans la cour. Après quoi nous irons manger; mes compagnons ne sont pas ici, ils travaillent à l'extérieur. »

Goldmund sortit docilement, trouva la cour et la fontaine, se lava les mains et eût donné beaucoup pour connaître les pensées du maître. Quand il revint celui-ci était parti, il l'entendait bouger dans la pièce voisine; quand il parut, il s'était lavé lui aussi et portai, au lieu de sa blouse, un beau vêtement de drap qui lui donnait un air imposant et majestueux. Il alla devant, montant l'escalier dont la rampe en noyer se terminait par des têtes d'anges sculptées, traversa le vestibule plein de statues anciennes et modernes et entra dans une belle salle dont le sol, les boiseries et le plafond étaient de bois dur et où la table était mise dans le coin près de la fenêtre. Une jeune fille accourut; Goldmund la connaissait : c'était la belle jeune fille de la veille au soir.

« Lisbeth, dit le maître, il faut mettre un couvert, j'ai amené un hôte. C'est – à vrai dire, je ne sais pas encore son nom. »

Goldmund le dit.

« Donc, Goldmund. Pouvons-nous déjeuner?

– À l'instant, mon père. »

Elle alla chercher une assiette, sortit et revint bientôt avec la servante qui apportait le repas : du porc, des lentilles et du pain blanc. Pendant le repas, le père s'entretenait de choses et d'autres avec sa fille. Goldmund restait silencieux, mangeait un peu et se sentait fort gêné et mal à l'aise. La jeune fille lui plaisait beaucoup, sa belle silhouette vigoureuse atteignait presque la taille de son père, mais elle gardait une attitude pleine de correction et très distante comme derrière une glace, et n'adressait ni un mot ni un regard à l'étranger.

Le déjeuner fini, le maître dit : « Je veux me reposer encore une demi-heure. Va dans l'atelier et fais un petit tour, après quoi nous parlerons de tes projets. »

Goldmund salua et sortit. Il y avait une heure ou plus que le maître avait vu son dessin sans avoir dit un mot à son sujet. Et maintenant il fallait encore attendre une demi-heure. Il n'y pouvait rien, il attendait donc. Il n'alla pas dans l'atelier; il ne voulait pas revoir maintenant son travail. Il passa dans la cour, s'assit sur le bassin de la fontaine, regardant le filet d'eau qui sans cesse s'écoulait du conduit pour tomber dans la profonde cuve de pierre, faisant naître dans sa chute des vagues minuscules et entraînant sans cesse dans les profondeurs un peu d'air qui revenait et remontait en perles blanches. Il découvrait sa propre image dans le miroir de la fontaine et songeait que ce Goldmund qui le regardait du fond de l'eau n'était plus depuis longtemps le Goldmund du monastère ou le Goldmund de Lydia et n'était pas davantage resté le Goldmund des forêts. Il se disait que lui-même, comme tous les hommes, s'écoulait, se transformait sans cesse pour se dissoudre enfin, tandis que son image créée par l'artiste resterait immuablement la même et pour toujours.

Peut-être, pensait-il, la source de tout art et sans doute aussi de toute pensée est-elle la crainte de la mort. Nous la craignons, nous frissonnons en présence de l'instabilité des choses, nous voyons avec tristesse les fleurs se faner, les feuilles tomber chaque année, et nous sentons manifestement dans notre propre cœur que nous sommes, nous aussi, éphémères et que nous nous fanerons bientôt. Lorsque, comme artistes, nous créons des formes ou bien, comme penseurs, cherchons des lois ou formulons des idées, nous le faisons pour arriver tout de même à sauver quelque chose de la grande danse macabre, pour fixer quelque chose qui ait plus de durée que nous-mêmes. La femme d'après laquelle le maître a sculpté sa madone est peut-être déjà fanée ou morte et bientôt il sera mort lui-même, d'autres habiteront sa maison, mangeront à sa table, mais son œuvre restera, dans la silencieuse église du cloître elle brillera encore au bout de cent ans et bien au-delà et demeura toujours belle, souriant toujours du même sourire triste dans son éternelle jeunesse.

Il entendit le maître descendre l'escalier et se hâta vers l'atelier. Maître Niklaus allait de long en large, regardant de temps en temps le dessin de Goldmund ; il s'arrêta enfin à la fenêtre et dit sur un ton un peu hésitant et sec : « C'est chez nous l'usage qu'un apprenti s'initie à son art au moins quatre ans et que son père paie pour cela une certaine somme au maître. »

Comme il s'arrêtait de parler, Goldmund pensa que le sculpteur craignait de ne pas recevoir de lui cette rétribution pour l'apprentissage. Vite il tira son couteau de sa poche, trancha la couture qui retenait le ducat qui s'y cachait, et le fit apparaître. Niklaus le regardait surpris et se mit à rire quand Goldmund lui tendit le ducat.

« Ah ! c'est comme ça que tu l'entends ? dit-il. Non, jeune homme, tu peux garder ton argent. Ecoute à présent. Je t'ai dit quel est l'usage courant dans notre corporation. Mais je ne suis pas un maître ordinaire, pas plus que tu n'es un apprenti ordinaire. Un gamin, en effet, entre en apprentissage à treize, quatorze ou tout au plus quinze ans et pendant la moitié de la durée de cet apprentissage il n'accomplit qu'un travail de manœuvre et fait les corvées. Mais toi, tu es déjà un homme et tu pourrais, d'après ton âge, être depuis longtemps compagnon ou même maître. Un apprenti barbu, ça ne s'est pas encore vu dans la corporation. En outre, je t'ai déjà dit que je ne veux pas avoir d'apprenti dans ma maison. Et tu n'as pas l'air de quelqu'un qui se laisse commander et envoyer faire les courses. »

L'impatience de Goldmund était à son comble, chacune

des paroles circonspectes du sculpteur le mettait à la torture et lui paraissait affreusement ennuyeuse et pédante. Il s'écria vivement :

« Pourquoi me dites-vous tout cela si vous ne songez nullement à m'enseigner votre art ? »

Sans se troubler, le maître poursuivit sur le même ton qu'auparavant : « J'ai réfléchi une heure à ta requête, tu peux bien avoir maintenant la patience de m'écouter. J'ai regardé ton dessin. Il a des défauts, mais il est beau tout de même. Si ce n'était ainsi je t'aurais donné un demi-gulden et je t'aurais congédié et oublié. Je ne veux pas en dire davantage sur ton travail. Je voudrais bien t'aider à devenir un artiste. C'est peut-être là ta vocation. Mais tu ne peux plus faire un apprenti. Et qui n'a pas été apprenti et ne s'est pas acquitté de ses devoirs pendant ces années-là ne peut pas non plus, dans la corporation, être compagnon ou maître. Il faut que tu saches cela à l'avance. Mais tu dois faire un essai. S'il t'est possible de rester un certain temps ici dans la ville, tu peux venir chez moi et apprendre certaines choses. Cela sans obligations et sans contrat ; tu pourras partir quand il te plaira. Tu pourras briser chez moi quelques couteaux à sculpter, gâcher quelques billots de bois et, s'il apparaît que tu n'es pas un sculpteur sur bois, alors il faudra bien que tu te tournes vers autre chose. Es-tu content comme ça ? »

Goldmund avait écouté honteux et ému.

« Je vous remercie de tout cœur, s'écria-t-il. Je suis sans feu ni lieu et je saurai tout aussi bien me tirer d'affaire ici en ville que dans les bois. Je comprends que vous ne veuillez pas accepter pour moi les soucis et la responsabilité que vous assumez pour un apprenti. C'est pour moi une grande chance de pouvoir apprendre chez vous. De tout mon cœur je vous remercie de vouloir bien faire cela pour moi. »

CHAPITRE XI

GOLDMUND vivait dans la ville au milieu d'images nouvelles et une nouvelle vie commença pour lui. Tout comme le pays et la cité l'avaient gaiement accueilli dans leurs séductions et leurs richesses, de même cette existence nouvelle l'accueillit dans ses joies et ses promesses. Si le fond de tristesse et d'expérience dans son âme restait indemne, la vie n'en faisait pas moins jouer à la surface toutes ses vives couleurs. Alors commença dans son existence la période la plus gaie, la plus facile. Au-dehors, la cité épiscopale s'offrait à lui avec tous ses arts, avec ses femmes, avec mille jeux et mille images délicieuses ; au-dedans, son sens artistique qui s'éveillait le comblait d'impressions et d'expériences nouvelles. Avec l'aide du maître sculpteur il trouva un gîte dans la maison d'un doreur, sur le marché aux poissons, et apprit, tant chez le sculpteur que chez le doreur, l'art d'employer le bois, le plâtre, les couleurs, le vernis et les feuilles d'or.

Goldmund n'était pas de ces malheureux artistes qui ont bien des dons supérieurs mais ne trouvent pas les moyens convenables pour les manifester. Il ne manque pas de ces gens à qui il a été donné de sentir profondément et dans toute sa puissance la beauté du monde, et de conserver dans leur âme de hautes et nobles images, mais qui ne découvrent pas la voie par où elles pourront se dégager, se manifester au-dehors et se communiquer aux autres pour leur joie. Goldmund n'était pas affligé de cette infirmité. Il n'éprouvait aucune difficulté et il prenait plaisir à faire usage de ses mains et à se familiariser avec les techniques et les finesses du métier, tout comme il lui fut facile d'apprendre après le travail, auprès de quelques camarades, à jouer du luth et à danser le dimanche sur les places de danse. Il n'avait point de peine à apprendre, cela allait tout seul. Sans doute il dut se donner bien du mal pour sculpter le bois, rencontra des difficultés et des déceptions, massacra plus d'une belle bille de bois et s'entailla plus d'une fois profondément les doigts. Mais il ne tarda pas à surmonter les difficultés du début et à acquérir de l'habileté. Il arrivait souvent, toutefois, que le maître fût fort mécontent de lui et lui dît par exemple : « Tu as de la chance de ne pas être mon apprenti ou mon compagnon, Goldmund, tu as de la chance que nous sachions bien que tu viens de la grand-route et des forêts et que tu y retourneras un jour. Qui ne saurait que tu n'es ni un bourgeois ni un ouvrier, mais un sans-foyer et un vagabond serait facilement tenté d'exiger de toi une chose ou une autre que chaque maître exige de ses gens. Toi, tu es un fort bon ouvrier quand ton humeur t'y pousse. Mais la semaine dernière tu as flâné pendant deux jours. Hier, dans l'atelier de la cour où tu devais polir deux anges, tu as dormi la moitié du temps. »

Il n'avait pas tort dans ses reproches ; aussi Goldmund les acceptait-il en silence et sans se justifier. Il savait bien lui-même qu'il n'était pas un travailleur à qui on pouvait s'en remettre. Tant qu'il se passionnait à une besogne, qu'elle lui imposait des difficultés ou lui permettait de prendre conscience de son habileté et de s'en réjouir, il était plein de zèle. Il n'aimait pas les durs travaux manuels, et ceux qui, sans être pénibles, réclament pourtant du temps et de l'application, comme il en est tant dans le métier, lui étaient souvent tout à fait insupportables. Il s'en étonnait lui-même parfois. Ces quelques années de vagabondage avaient-elles suffi à le rendre si paresseux qu'on ne pût faire fond sur lui ? Etait-ce l'héritage maternel qui, se développant en lui, prenait le dessus ? Ou bien que lui manquait-il ? Il se souvenait très bien de ses premières années au monastère où il avait été un élève studieux et zélé. Pourquoi avait-il alors trouvé en lui toute cette patience qui lui faisait défaut maintenant, pourquoi avait-il réussi à se consacrer inlassablement à la syntaxe latine et à apprendre tous ces aoristes grecs, qui, au fond du cœur, lui étaient parfaitement indifférents ? Il se le demandait parfois ? C'était l'amour qui, alors, l'avait trempé, qui lui avait donné des ailes ; son application à l'étude n'était rien d'autre qu'un effort pour faire la conquête de Narcisse dont la tendresse ne pouvait s'acquérir par d'autres voies que celle de l'estime et du respect. Il était capable alors de prendre de la peine pendant des heures et des jours rien que pour un regard de satisfaction du maître aimé. Une fois atteint le but où il aspirait tant, une fois Narcisse devenu son ami, voilà que, chose étrange, ç'avait été justement le savant Narcisse qui lui avait montré qu'il n'était pas doué pour être un savant et avait fait ressurgir en lui la figure de sa mère perdue. À la place de la science, de la vie monastique, de la vertu, c'étaient les forces élémentaires de sa nature qui avaient pris possession de lui : la sensualité, l'amour des femmes, le besoin d'indépendance, le vagabondage. Et puis, il avait vu cette madone du maître, découvert en lui-même l'artiste, s'était engagé dans une voie nouvelle, était redevenu sédentaire. Où en était-il à présent ? Par où allait maintenant sa route ? D'où venaient les obstacles ?

Tout d'abord il ne put le percevoir. Une seule chose lui était claire : il admirait bien maître Niklaus, mais ne l'aimait nullement de la même façon qu'il avait jadis aimé Narcisse et même il prenait parfois plaisir à le décevoir et à le fâcher. Ce n'était pas sans rapport, semblait-il, avec ce défaut d'harmonie qu'il décelait dans la personnalité du maître. Les statues nées de la main de Niklaus, les meilleures d'entre elles tout au moins, étaient pour Goldmund des modèles vénérés, mais le maître lui-même n'était nullement un modèle pour lui.

À côté de l'artiste qui avait sculpté la madone aux belles lèvres douloureuses, à côté du voyant et du savant dont les mains savaient transformer comme par magie des expériences intimes et des intuitions profondes en images sensibles il y avait en maître Niklaus une seconde personnalité : un père de famille et un chef de corporation quelque peu sévère et mesquin, un veuf qui menait avec sa fille et une affreuse servante une vie terne et assez terre à terre dans sa morne demeure, un homme sans cesse en défense contre les passions violentes de Goldmund et qui s'était adapté à une vie tranquille, médiocre, rangée et correcte.

Bien que Goldmund vénérât son maître, bien qu'il ne se fût jamais permis de questionner quelqu'un à son sujet ou de porter sur lui un jugement devant les autres, il savait pourtant, au bout d'une année, jusque dans le plus petit détail tout ce qu'il était possible de savoir sur lui. Ce maître ne pouvait lui être indifférent, il l'aimait autant qu'il le haïssait, il n'avait point de paix à son sujet, et ainsi avec la perspicacité de l'amour et de la défiance, avec une curiosité toujours en éveil, il pénétra dans les secrets de sa nature et de sa vie. Il constata que Niklaus ne souffrait dans sa maison, où pourtant la place ne manquait pas, ni apprenti, ni compagnon. Il constata qu'il ne sortait que très rarement et recevait tout aussi rarement des invités. Il observa qu'il avait pour sa jolie fille une tendresse touchante et jalouse et s'efforçait de la cacher à tout le monde. Il sut aussi que derrière la continence sévère et précoce du veuf s'agitaient des besoins encore vifs et que, quand une commande venue d'ailleurs l'entraînait parfois dans des voyages, il était capable de se transformer, de se rajeunir étrangement pendant ces quelques jours d'absence. Et une fois il avait vu aussi comment Niklaus, dans une petite ville étrangère où ils montaient une chaire sculptée, avait, le soir, en cachette, été voir une fille publique et était ensuite resté pendant des jours inquiet et de mauvaise humeur.

Outre cette curiosité, il y eut encore autre chose qui, avec le temps, retint Goldmund dans la maison du maître et lui donna à réfléchir. Ce fut sa charmante fille, Lisbeth, qui lui plaisait beaucoup. Il n'avait guère l'occasion de la voir, elle ne mettait jamais les pieds à l'atelier et il ne pouvait se rendre compte si sa pruderie et son aversion pour les hommes étaient dans sa nature même ou lui avaient simplement été imposées par son père. Il ne pouvait manquer de constater que le maître ne l'avait jamais à nouveau admis à sa table et cherchait à empêcher qu'il la rencontrât. Il le voyait bien, Lisbeth était une vierge précieuse et bien gardée et pour des amours sans mariage il n'y avait ici place à aucun espoir ; du reste, qui voudrait l'épouser devrait être de bonne famille et membre d'une des hautes corporations et encore, si possible, posséder une maison et du bien.

La beauté de Lisbeth, fort différente de celle des bohémiennes et des paysannes, avait dès le premier jour attiré les regards de Goldmund. Il y avait en elle quelque chose qui lui était resté jusqu'ici inconnu, quelque chose d'étrange qui l'attirait vivement et éveillait en même temps sa défiance et même sa colère : un grand calme, une grande innocence, la chasteté, la pureté ; mais ceci pourtant n'avait rien de commun avec la simplicité enfantine, car derrière les bonnes manières et la décence se dissimulaient la froideur et l'orgueil, en sorte que son innocence ne le touchait point et ne le désarmait pas (il n'aurait jamais pu séduire une enfant) mais exerçait plutôt sur lui une action excitante et provocante. À peine s'était-il un peu familiarisé avec sa silhouette, à peine s'en était-il fait une idée au fond de lui-même qu'il éprouva le besoin de la fixer dans une image, non pas sous son apparence présente, mais bien plutôt après l'éveil douloureux de sa sensualité, non sous l'aspect d'une petite vierge, mais sous celui d'une Madeleine. Souvent il sentait en lui le désir de voir ce visage calme, beau et impassible, ravagé par la douleur ou la jouissance, s'ouvrant pour livrer son secret.

Il y avait encore une autre figure qui hantait son âme sans qu'il ait pu en prendre entièrement possession et qu'il désirait de toute son ardeur capturer un jour et représenter en tant qu'artiste, mais toujours elle se dérobait à lui et se voilait à son regard. C'était le visage de sa mère. Depuis longtemps ce visage n'était plus celui qui, autrefois, à la suite de ses entretiens avec Narcisse, s'était dégagé des profondeurs inaccessibles de son souvenir. Au cours des journées passées sur les routes, dans les nuits d'amour, aux heures d'aspiration ardente, aux heures de danger suprême où la mort était proche, la figure maternelle s'était lentement transformée et enrichie, s'était faite plus profonde et plus diverse ; ce n'était plus le portrait de sa propre mère, mais ses traits et ses couleurs avaient peu à peu composé une image de la Mère qui n'avait plus rien de personnel, la figure d'une Eve, d'une Mère des Hommes. De même que maître Niklaus avait représenté dans quelques madones la figure douloureuse de la Mère de Dieu avec une perfection et une vigueur d'expression qui semblaient insurpassables à Goldmund, de même il espérait, quand il serait plus mûr et plus sûr de son talent, donner forme au concept de la Mère profane, d'Eve-Mère telle qu'elle vivait dans son cœur comme la plus ancienne et la plus aimée des choses saintes. Mais cette image intérieure, jadis faite seulement des souvenirs de sa propre mère et de sa tendresse pour elle, ne cessait de se transformer et de croître. Les traits de la tzigane Lise, de Lydia, la fille du chevalier, et bien d'autres portraits de femmes avaient intimement pénétré l'esquisse primitive et ce n'étaient pas seulement les visages des femmes aimées qui tous lui avaient fait des apports, mais chaque émotion, chaque expérience, chaque aventure vécue avait réagi sur elle, y avait ajouté quelque trait. Car cette silhouette, s'il réussissait jamais un jour à la rendre sensible, ne devait pas figurer une femme individuellement, mais la Vie elle-même sous la figure de la Mère primitive. Souvent il croyait la voir, parfois elle lui apparaissait en rêve. Mais il eût été incapable de rien dire sur ce visage d'Eve et sur ce qu'elle devait symboliser, si ce n'est qu'il devait manifester la volupté dans son intime parenté avec la douleur et la mort.

Au cours d'une année, Goldmund avait beaucoup appris. Il avait vite acquis une grande sûreté dans le dessin et Niklaus lui faisait, à l'occasion, essayer, outre la sculpture sur bois, le modelage du plâtre. Sa première œuvre réussie fut une figure de plâtre, haute de deux pieds, la douce et séduisante silhouette de la petite Julie, la sœur de Lydia. Le maître appréciait cette statuette, mais ne donna pas suite au vœu de Goldmund de la fondre en métal ; c'était pour lui une figure trop impudique et profane pour qu'il consentît à lui servir de parrain. Ensuite Goldmund se mit à la figure de Narcisse. Il l'exécuta en bois et sous les traits de l'apôtre Jean, car Niklaus voulait, si elle était réussie, l'introduire dans un groupe de la crucifixion dont il avait commande et auquel les deux compagnons travaillaient exclusivement depuis longtemps pour laisser ensuite le maître y donner la dernière main.

Goldmund sculpta la statue de Narcisse avec une profonde tendresse ; dans ce travail il se retrouvait lui-même, avec sa mission d'artiste, son âme, chaque fois qu'il était sorti de sa voie, ce qui n'était pas rare. Car des amourettes, des danses, des beuveries avec les camarades, le jeu de dés et aussi, fréquemment, des rixes, l'entraînaient dans leur tourbillon ; en sorte qu'il désertait l'atelier pendant un ou plusieurs jours ou n'apportait à sa besogne qu'un cœur tourmenté et un esprit en révolte. Mais, à son apôtre Jean, dont, toujours plus pure, la silhouette aimée et pensive se dégageait du bois, il ne travaillait que quand il se sentait en état de grâce, en toute humilité, y mettant tout son cœur. En ces heures-là, il n'était ni joyeux ni triste, ne se souciait ni de la volupté ni de la fragilité de la vie, en son cœur réapparaissait le sentiment de respect limpide et pur avec lequel il s'était donné jadis à l'ami, heureux de se remettre sous sa conduite. Ce n'était pas lui qui se tenait là, sculptant une statue, c'était bien plutôt l'autre, Narcisse, qui se servait de ses mains d'artiste pour se dégager de la vie éphémère et changeante et manifester dans toute sa pureté son essence intime.

Les œuvres véritables, se disait Goldmund – et ce sentiment lui donnait parfois le frisson –, c'est ainsi qu'elles naissent. Ainsi était née l'inoubliable madone du maître que, depuis lors, il était allé revoir bien des fois au monastère, le dimanche. C'est ainsi, de cette façon mystérieuse et sainte, qu'avaient été créées une ou deux des meilleures statues d'autrefois que Niklaus avait là-haut dans son vestibule. C'est ainsi que surgirait un jour de son âme cette autre image unique, encore plus mystérieuse et vénérable pour lui : la statue de la Mère des Hommes. Ah ! si seulement la main humaine pouvait ne créer que de telles œuvres sacrées, nécessaires, indemnes de toutes les souillures de l'intérêt et de la vanité ! Mais il n'en était pas ainsi, il le savait depuis longtemps. On pouvait aussi produire d'autres œuvres, de jolies choses ravissantes, exécutées avec une grande maîtrise pour la joie des amateurs d'art et l'ornement des églises et des hôtels de ville – de belles choses, bien sûr, mais non pas des choses saintes, non pas des reflets de l'âme. De tels ouvrages, il en connaissait et non seulement de Niklaus et des autres maîtres, des œuvres qui, en dépit de toute la grâce de l'invention et de tout le soin de l'exécution, n'étaient pourtant que des jeux. C'était sa honte et sa désolation d'avoir déjà senti dans son propre cœur, d'avoir déjà senti dans ses propres mains comment un artiste peut donner au monde de jolies choses de ce genre pour jouir de son talent, par ambition, par simple jeu.

Quand il fit cette découverte, il fut pris d'une tristesse mortelle. Non, pour produire de belles figures d'anges et d'autres bibelots, si jolis soient-ils, cela ne valait pas la peine d'être artiste. Pour d'autres peut-être, pour des artisans, des bourgeois, pour des âmes tranquilles et satisfaites cela valait peut-être la peine, pas pour lui. Pour lui, l'art et la mission de l'artiste étaient sans valeur s'ils n'étaient ardents comme le soleil, puissants comme la tempête ; s'ils n'apportaient que de la satisfaction, de l'agrément, de petits bonheurs. Ce qu'il recherchait, c'était autre chose. Recouvrir de feuilles d'or une couronne de la Vierge finement ciselée comme une dentelle, ce n'était pas un travail pour lui, si bien payé qu'il fût. Pourquoi maître Niklaus acceptait-il toutes ces commandes ? Pourquoi avait-il deux compagnons ? Pourquoi écoutait-il pendant des heures ces conseillers ou ces prieurs de couvent quand ils venaient chez lui, l'aune à la main, commander un portail ou une chaire ? Pour deux raisons, deux sordides raisons : parce qu'il tenait à être un artiste célèbre surchargé de commandes et parce qu'il voulait accumuler de l'argent ; de l'argent qu'il ne destinait pas à de grandes entreprises ou à des jouissances profondes, mais de l'argent pour sa fille, riche héritière depuis longtemps, de l'argent pour son trousseau, pour des cols de dentelle et des vêtements de brocart, pour un lit matrimonial en noyer tout rempli de couvertures et de draps de prix ! Comme si la brave fille ne pouvait aussi bien apprendre sur n'importe quel tas de foin ce que c'est que l'amour !

À ces pensées il sentait s'agiter au plus profond de lui-même le sang de sa mère, l'orgueil des sans-foyer et leur mépris pour les sédentaires, les possédants. Parfois le métier et le maître le dégoûtaient affreusement et, souvent, il était sur le point de se sauver.

De son côté, le maître avait, plus d'une fois, amèrement regretté de s'être embarrassé de ce garçon difficile et peu sûr qui mettait souvent sa patience à rude épreuve. Ce qu'il entendait raconter de Goldmund, de son indifférence à l'argent et à la propriété, de ses prodigalités, de ses multiples amourettes, de ses rixes fréquentes n'était pas de nature à le ramener à de meilleurs sentiments : il avait introduit là, chez lui, un tzigane, un individu douteux. Il n'avait pas été non plus sans remarquer les regards que ce vagabond jetait à sa fille Lisbeth. S'il faisait montre à son égard d'une patience qui n'était pas sans mérite, ce n'était pas par devoir ou parce qu'il était timoré, mais à cause de l'apôtre Jean dont la figure apparaissait peu à peu sous ses yeux. Sentant pour cette âme sœur une affinité et une tendresse qu'il ne s'avouait qu'à demi, le maître voyait ce vagabond, sorti des bois pour se fixer chez lui, dégager avec une lenteur capricieuse, mais aussi avec une ténacité sûre d'elle-même, de ce premier dessin si touchant et si beau en dépit de sa maladresse pour l'amour duquel il l'avait gardé autrefois, sa figure d'apôtre. Il l'achèverait un jour, Niklaus n'en doutait pas, malgré toutes les lubies et toutes les interruptions. Et alors ce serait un ouvrage comme jamais un de ses compagnons n'avait été capable d'en faire et comme même de grands maîtres n'en réussissent que rarement. En dépit de tout ce qui lui déplaisait dans son élève, quelques reproches qu'il lui adressât, si furieux qu'il fût souvent contre lui – jamais il ne lui disait un mot du Saint-Jean.

Le reste de la simplicité enfantine et de la grâce juvénile par où Goldmund avait plu à tant de gens s'était peu à peu évanoui au cours de ces années. Il était devenu un beau et fort gaillard, très désiré des femmes, peu sympathique aux hommes. Son âme, sa vie intérieure s'étaient aussi profondément modifiées depuis que Narcisse l'avait arraché au délicieux sommeil de ses années de cloître, depuis que le monde et la vie errante l'avaient façonné. De l'écolier du monastère si gracieux et si doux, si pieux et si serviable, une autre personnalité s'était depuis longtemps dégagée. Narcisse l'avait éveillé, les femmes avaient été pour lui une révélation, le vagabondage lui avait enlevé son duvet. Il n'avait pas d'amis, son cœur appartenait aux femmes, elles n'avaient nulle peine à le conquérir ; il y suffisait d'un regard chargé de désir. Il ne savait pas leur résister, il répondait à la première invite. Et lui, qui avait pour la beauté un sens si délicat, et qui de tout temps avait une prédilection pour les toutes jeunes filles dans la fraîcheur de leur premier printemps, ne s'en laissait pas moins émouvoir et séduire par des femmes dont les attraits étaient minces et la jeunesse passée. Dans la salle de danse il lui arrivait de ne pas se détacher de quelque fille dont le jeune âge était révolu et les espoirs envolés, que personne ne désirait et à qui il s'attachait autant par pitié que par une curiosité toujours en éveil. Dès qu'il se mettait à aimer une femme – que ce fût pour des semaines ou seulement pour des heures, elle était jolie pour lui et il se donnait à elle tout entier. L'expérience lui apprenait que toute femme est belle et sait dispenser des joies, que la plus insignifiante, la plus méprisée, peut cacher en elle une ardeur et un dévouement inouïs, que celle dont la fraîcheur est fanée vous réserve une tendresse maternelle, mélancolique et délicieuse, que chacune a son secret et sa magie dont la découverte fait vos délices. Toutes les femmes se trouvaient ainsi égales. Quelque charme personnel compensait la jeunesse et la beauté absentes. Par contre toutes n'avaient pas le pouvoir de le retenir aussi longtemps. À la plus jeune et à la plus jolie il ne manifestait pas plus d'amour et de gratitude qu'à celle qui était sans beauté, il n'aimait jamais à demi. Mais il était des femmes qui ne se l'attachaient vraiment qu'au bout de trois ou de dix nuits d'amour et d'autres qui dès la première fois étaient épuisées et oubliées.

L'amour et la volupté lui semblaient les seules choses capables de donner à la vie chaleur et prix. Il ne savait pas ce qu'était la vanité et mettait sur le même pied un évêque et un mendiant. Il ne se laissait pas non plus séduire par le gain et la fortune ; il les dédaignait ; il n'eût pas fait pour eux le moindre sacrifice et jetait par les fenêtres avec indifférence l'argent qu'à certains moments il gagnait largement. L'amour des femmes, le jeu des sexes, voilà ce qui pour lui était au premier plan et l'essence même de sa tendance constante à la tristesse et au dégoût de la vie qui s'amplifiait à chaque expérience de la fragilité et de l'instabilité de la volupté. L'extase brève et fugitive de l'acte amoureux, sa flambée passagère dans l'ardeur du désir, son extinction rapide, c'était pour lui le fond de toute expérience humaine, c'était devenu le symbole de toutes les joies et de toutes les souffrances de la vie. Il pouvait s'abandonner à cette détresse, à ce frisson en présence des choses qui passent avec la même passion qu'à l'amour ; et cette mélancolie, elle aussi, était de l'amour, elle aussi était volupté. Tout comme la jouissance d'amour, à l'instant le plus délicieux de son épanouissement suprême, est sûre de décroître l'instant d'après et de disparaître dans la mort, de même la solitude totale de l'âme et l'abandon à la mélancolie sont sûrs de faire place soudain au désir, à une nouvelle adhésion à la vie et à sa face lumineuse. La mort et la volupté ne font qu'un. La Mère de la vie ; on pouvait dire aussi que c'était la tombe, la putréfaction. Cette Mère, c'était Eve ; elle était source du bonheur et source de la mort, elle enfantait éternellement, elle anéantissait éternellement ; en elle l'amour et la cruauté ne faisaient qu'un. Plus Goldmund portait en lui son image, plus elle devenait pour lui un symbole sacré.

Il savait, de façon à peine consciente certes et ne s'exprimant point en des mots, mais par une révélation plus profonde du sang, que sa voie le menait à la Mère, à la volupté et à la mort. Le côté mâle de la vie, l'intelligence et la volonté, n'était pas son domaine. Là Narcisse était chez lui. Maintenant seulement Goldmund pénétrait et comprenait pleinement les paroles de son ami, voyait en lui son contraire. Cela aussi il le sculptait, le rendait visible dans sa figure de saint Jean. On pouvait avoir jusqu'aux larmes la nostalgie de Narcisse, on pouvait faire de lui des rêves merveilleux – l'atteindre, devenir comme lui, on ne le pouvait pas.

Goldmund avait aussi quelque sens mystérieux qui lui révélait vaguement le secret de sa vocation d'artiste, de son amour profond pour l'art, de sa haine sauvage et passagère contre lui. Ce n'étaient pas là des pensées mais des sentiments obscurs qui se faisaient jour dans toutes sortes de comparaisons. L'art était la fusion du monde paternel et maternel, de l'esprit et du sang, il pouvait partir du fait le plus concret et mener au plus abstrait ou bien prendre son point de départ dans le monde des idées pures et trouver sa fin dans la chair pantelante. Toutes les œuvres d'art vraiment hautes, toutes celles qui n'étaient pas simplement des tours de passe-passe réussis, mais restaient pénétrées de l'éternel secret, comme par exemple la Vierge du maître, toutes les vraies et incontestables œuvres d'art possédaient ce double visage inquiétant et souriant, ce caractère masculin et féminin tout ensemble, ce mélange d'instinct et de pure spiritualité. Et plus que toute autre la statue d'Eve-Mère, un jour, présenterait ce double visage, s'il réussissait jamais à la créer.

Goldmund voyait dans l'art et dans sa vocation d'artiste la possibilité d'un accord entre ses tendances contradictoires et profondes ou tout au moins d'un splendide symbole, se renouvelant sans cesse, pour les désaccords de sa nature. Mais l'art n'était pas un présent du ciel, un don gratuit; il coûtait très cher, il exigeait des sacrifices. Plus de trois ans durant Goldmund lui avait immolé ce qu'il connaissait de plus haut, de plus indispensable à côté de la volupté amoureuse : la liberté. La vie libre, les courses vagabondes dans les espaces illimités, les fantaisies du chemineau, la solitude et l'indépendance, voilà ce qu'il avait sacrifié. D'autres pouvaient bien le juger un fantasque, un indiscipliné, voir en lui un anarchiste quand parfois il négligeait, dans sa fureur, l'atelier et la besogne – pour lui-même cette vie-là était un esclavage qui parfois l'exaspérait au point de le rendre insupportable. Ce n'était pas au maître qu'il devait obéissance, ni à l'avenir, ni à la misère – mais à l'art lui-même.

L'art, ce dieu qui semblait si immatériel, avait tant de petites exigences! Il lui fallait un toit sur la tête, des outils, du bois, du plâtre, des couleurs, de l'or, il réclamait du travail, de la patience, Goldmund lui avait sacrifié la liberté sauvage des forêts, l'ivresse des vastes espaces, l'âpre jouissance du danger, la fierté de sa misère, et il était bien obligé, tout en regimbant et en grinçant des dents, de lui faire sans cesse de nouveaux sacrifices.

Il retrouvait bien une partie de ce qu'il avait immolé : il prenait une petite vengeance sur l'ordre servile et sédentaire de son existence présente dans certaines aventures où l'entraînait sa vie amoureuse : les rixes avec ses rivaux. Toute la sauvagerie encagée, toute la vigueur étranglée de son être se répandaient en fumée au-dehors par cette soupape de sûreté; il devint un batailleur réputé et redouté. Etre tout à coup assailli dans une ruelle obscure sur le chemin qui menait à sa belle ou au retour de la danse, recevoir quelques coups de bâton, se retourner rapide comme l'éclair et passer de la défense à l'attaque, serrer contre sa poitrine haletante l'ennemi haletant, lui porter son poing sous le menton, le traîner par les cheveux ou lui serrer vigoureusement la gorge, ça, c'était de son goût et cela le guérissait pour un temps de ses humeurs sombres. Et cela plaisait aussi aux femmes.

Tout cela remplissait largement ses journées et ne manquait pas non plus de sens tant qu'il œuvrait à son apôtre Jean. Le travail se prolongeait, il accomplit dans un recueillement solennel le dernier et tendre modelage du visage et des mains. Il acheva son œuvre dans un petit abri derrière l'atelier des compagnons. Le matin arriva où la statue fut terminée. Goldmund alla chercher un balai, nettoya soigneusement le hangar, passa avec tendresse un pinceau sur la chevelure pour enlever la fine poussière de bois des cheveux de son Saint-Jean et se tint longuement devant lui, une heure et plus, envahi du sentiment solennel d'un grand et rare événement de sa vie qui pourrait peut-être se reproduire une fois encore, peut-être resterait unique. Il se peut qu'un homme au jour de son mariage ou au jour où il est armé chevalier, une femme après le premier enfantement sente s'agiter dans son cœur quelque émotion de ce genre, jouisse avec un profond recueillement de cette suprême consécration avec déjà en même temps l'angoisse secrète de l'instant où ce sentiment sublime et unique sera chose vécue, sera du passé, une affaire classée, emportée dans le cours ordinaire des jours.

Debout, il regardait son ami Narcisse, le guide de ses

jeunes années, la tête levée, dans l'attitude de l'attente, portant le vêtement et les attributs traditionnels du disciple préféré. Son visage exprimait le calme, l'élan du cœur, la réflexion comme en un sourire à peine éclos. Ce beau visage paisible, tout pénétré d'intelligence, cette silhouette élancée et comme planant au-dessus des choses, ces longues mains gracieuses levées dans un geste de piété n'ignoraient pas la douleur et la mort, bien qu'ils fussent pleins de jeunesse et de secrètes harmonies, mais ils ignoraient le désespoir, le désordre, la révolte. Que derrière ces nobles traits l'âme fût joyeuse ou triste, le son qu'elle rendait était pur, aucune dissonance n'y trouvait place.

Goldmund considérait son œuvre sans la quitter des yeux. Sa contemplation commença dans une méditation sur le monument de sa première jeunesse et de sa première amitié, elle s'acheva en une tempête de soucis et de sombres pensées. Il avait réalisé son œuvre et l'apôtre demeurerait dans sa beauté. Jamais cette fleur délicate ne cesserait d'éclore. Mais lui qui l'avait créée, il lui fallait maintenant prendre congé de son ouvrage, dès demain il ne lui appartiendrait plus, ne ferait plus appel à sa main, ne croîtrait plus et ne fleurirait plus sous sa caresse, ne serait plus pour lui un refuge, une consolation, ne donnerait plus à sa vie un sens. Il resterait le cœur vide. Et il lui sembla que le mieux serait de dire adieu aujourd'hui non seulement à ce Saint-Jean, mais aussi tout de suite au maître, à la ville, à l'art. Il n'avait plus rien à faire ici. Son âme était vide d'images auxquelles il pût donner sa vie. Cette figure des figures vers laquelle s'élançait son cœur, la face de la Mère des Hommes, elle n'était pas encore à sa portée, elle en était même bien loin. Allait-il maintenant se remettre à polir de petites têtes d'anges et à sculpter des motifs décoratifs ?

Il s'arracha à ses réflexions et alla dans l'atelier du maître. Il entra discrètement et resta près de la porte jusqu'au moment où Niklaus se rendit compte de sa présence et lui dit :

« Qu'est-ce donc, Goldmund ?

– Ma statue est finie ; peut-être viendrez-vous la voir avant d'aller à table.

– Volontiers j'irai, et tout de suite. »

Ils s'y rendirent ensemble et laissèrent la porte ouverte pour avoir plus de lumière. Il y avait longtemps que Niklaus n'avait plus regardé la statue et qu'il laissait Goldmund travailler en paix. Il considérait maintenant l'apôtre en silence ;

son visage fermé s'embellit et s'éclaira. Goldmund vit la joie apparaître dans ses yeux bleus sévères.

« Bon travail, dit le maître, excellent travail, c'est ton chef-d'œuvre de compagnon, ton apprentissage est fini. Je vais montrer cela à ceux de la corporation et demander qu'ils te donnent là-dessus ta lettre de maîtrise ; tu l'as méritée. »

Goldmund ne faisait pas grand cas de la corporation, mais il savait quel témoignage le maître lui décernait par de telles paroles et en était heureux.

En faisant encore une fois lentement le tour de la statue de saint Jean le maître dit avec un soupir :

« Cet apôtre est plein de piété, de clarté, il est grave, mais tout pénétré de bonheur et de paix. On croirait qu'il a été fait par un homme dans le cœur duquel tout est lumière et sérénité. »

Goldmund sourit.

« Vous savez que ce n'est pas moi que j'ai représenté dans cette statue, mais mon plus cher ami. C'est lui qui a mis dans cette figure la lumière et la paix, pas moi. Ce n'est pas moi, à vrai dire, qui l'ai faite, c'est lui qui l'a déposée dans mon âme.

– Il se peut, dit le maître ; la naissance d'une telle œuvre est un mystère. Je ne suis pas particulièrement modeste, mais je dois le dire, j'ai fait bien des ouvrages qui restent loin derrière le tien, non en ce qui concerne la réalisation artistique et le métier, mais pour ce qui est de la vérité. Seulement, tu le sais toi-même, une œuvre pareille, on ne peut pas la répéter. Il y a là un mystère.

– Oui, dit Goldmund, une fois la statue finie, je me suis dit en la regardant : Quelque chose comme cela, tu ne peux pas le refaire ! Et c'est pourquoi je crois, maître, que je ne vais pas tarder à me remettre en route. »

Niklaus jeta sur lui un regard stupéfait et fâché. Ses yeux avaient repris leur sévérité.

« Nous en reparlerons. Pour toi le travail ne fait que commencer ; ce n'est vraiment pas le moment de te sauver. Mais pour aujourd'hui la besogne est finie et à midi, tu seras mon hôte. »

À midi, Goldmund se présenta peigné, lavé, dans ses vêtements du dimanche. Cette fois il savait quelle signification cela avait d'être invité à la table du maître et quelle rare faveur c'était là. Pourtant, quand il monta l'escalier menant au vestibule tout peuplé de statues, son cœur était loin d'être aussi plein de respect et de joie anxieuse que la première fois qu'il avait pénétré dans le silence et la beauté de ces salles.

Lisbeth, elle aussi, était revêtue de ses beaux atours, portait au cou une chaîne avec des pierreries, et à table il y eut, outre les carpes et le vin, encore une surprise : le maître fit cadeau à Goldmund d'une bourse de cuir dans laquelle se trouvaient deux pièces d'or : le salaire de Goldmund pour la statue achevée.

Cette fois-ci, il ne garda pas le silence tandis que le père et la fille s'entretenaient. Tous deux lui adressaient la parole et on trinqua. Goldmund ne perdit point son temps ; ses yeux saisirent l'occasion d'observer la belle jeune fille au visage distingué et un peu hautain et ils ne dissimulèrent pas combien elle lui plaisait. Elle se montra aimable à son égard, mais ne rougit pas et cela le déçut. À nouveau, au fond de lui-même, il souhaita amener ce beau visage impassible à s'exprimer, le contraindre à livrer son secret.

En sortant de table il remercia, s'attarda un peu aux sculptures du vestibule, puis passa l'après-midi à errer au hasard par la ville, comme un flâneur désemparé. Le maître l'avait honoré au-delà de toute attente. Pourquoi ne s'en réjouissait-il pas ? Pourquoi tout cet honneur lui donnait-il si peu l'impression d'une fête ?

Il lui prit fantaisie de louer un cheval et de se rendre au monastère où, pour la première fois, il avait vu une œuvre du maître et entendu son nom. Il y céda. Il n'y avait que quelques années de cela et c'était cependant si indiciblement loin. Il alla voir la madone dans l'église du cloître, la contempla, et cette fois encore cet ouvrage le ravit et l'enchanta. Il était plus beau que son Saint-Jean ; il était sur le même plan de profondeur et de mystère, et lui était supérieur en art, en aisance libre et légère. Il discernait maintenant dans cet ouvrage des particularités que seul l'artiste découvre, de discrets et tendres mouvements des draperies, la hardiesse de l'exécution des longues mains et des doigts, une fine utilisation de certaines particularités de la structure du bois – toutes beautés de détails qui n'étaient certes rien en comparaison de l'ensemble, de la simplicité et de la profondeur de la vision, mais tout de même elles se trouvaient là et étaient ravissantes et n'étaient possibles, même à l'artiste inspiré, que s'il connaissait à fond le métier. Pour faire pareil travail, il ne fallait pas seulement avoir une vision au fond de son âme, mais un œil et des mains extrêmement entraînés et exercés. Etait-ce donc tout de même la peine de mettre sa vie entière au service de l'art au prix de sa liberté, au prix des grandes expériences que l'on pourrait vivre, rien que pour produire un jour quelque chose d'aussi beau qui ne fût pas seulement une vision vécue, un ouvrage conçu dans l'amour, mais en outre traité jusque dans le plus petit détail avec une sûre maîtrise ? C'était là une grande question.

Goldmund rentra en ville tard dans la nuit sur son cheval fatigué. Une auberge était encore ouverte ; il y mangea du pain et but du vin, puis il monta dans sa chambre sur le marché aux poissons, irrésolu, tout obsédé de problèmes et de doutes.

CHAPITRE XII

LE lendemain Goldmund ne put se décider à aller à l'atelier ; il erra par la ville comme il avait fait maintes fois en des journées maussades. Il regarda les femmes et les servantes se rendant au marché et resta surtout près de la fontaine du marché aux poissons, les yeux fixés sur les poissonniers et leurs épouses mal embouchées qui offraient et vantaient leur marchandise, sortaient des baquets les poissons frais et argentés. Les poissons, la bouche douloureusement ouverte, leurs yeux d'or anxieux et fixes, s'abandonnaient avec résignation à la mort ou se débattaient contre elle avec fureur et désespoir. Comme il était arrivé maintes fois déjà il fut pris de pitié pour ces animaux et de dégoût à l'égard des hommes ; pourquoi étaient-ils si insensibles et brutaux, si immensément bêtes et stupides ; pourquoi ne voyaient-ils rien, tous, les poissonniers et les poissonnières, et les clients qui marchandaient, pourquoi ne voyaient-ils pas ces bouches, ces yeux dans l'angoisse de mort, ces queues frappant furieusement autour d'elles, cette affreuse et inutile lutte désespérée, cette transformation intolérable des animaux mystérieux, merveilleusement beaux, le dernier léger frisson de la mort passant sur leur peau agonisante avant qu'ils soient là, allongés, morts et éteints, lamentables morceaux de viande destinés à la table des mangeurs réjouis ? Ils ne voyaient rien, ces hommes, ils ne savaient rien et ne s'apercevaient de rien, rien ne leur parlait. Peu importait qu'une pauvre et noble bête crevât sous leurs yeux ou qu'un maître rendît sensible à en donner le frisson toute l'espérance, toute la noblesse, toute la douleur, toute l'obscure et poignante angoisse étouffante de la vie humaine; ils ne voyaient rien, rien ne les touchait. Tous ils étaient joyeux, ou occupés, se donnaient des airs d'importance, ils étaient pressés, criaient, riaient, ou rotaient les uns devant les autres, chahutaient, blaguaient, se chamaillaient pour deux liards, et tous trouvaient que tout allait bien, que tout était dans l'ordre, et tous se sentaient contents d'eux et du monde. C'étaient des cochons, ah! bien pires, bien plus dégoûtants que des cochons. Oh! lui-même sans doute avait assez souvent été des leurs, s'était senti joyeux au milieu de ces gens-là, avait couru après les filles, avait mangé en riant et sans frémir d'horreur des poissons frits. Mais toujours, et souvent tout d'un coup et comme par magie, il avait perdu cette gaieté et ce calme, toujours il s'était dégagé de ces égarements, de toute cette graisse poisseuse, de cette satisfaction de soi-même, il avait cessé de se donner de l'importance, renoncé à cette paresseuse tranquillité de conscience, c'est cela qui l'avait jeté dans la solitude, dans les rêveries creuses, dans le vagabondage, dans la méditation des insondables problèmes de la souffrance, de la mort, de la vanité de tous nos actes, qui l'avait amené à regarder fixement l'abîme. Parfois, tandis qu'il s'abandonnait à la contemplation désespérée de ce monde de folie et d'épouvante, une joie s'était mise à fleurir tout à coup : une violente passion d'amour, l'envie de chanter une belle chanson ou de dessiner, ou bien en sentant une fleur, en jouant avec un chat, l'accord enfantin avec la vie s'était rétabli. Maintenant encore il reviendrait, cet accord, demain, après-demain, et le monde serait de nouveau bon, excellent. Jusqu'à l'heure où réapparaîtraient la tristesse, la méditation vaine, la tendresse poignante, désespérée, pour les poissons mourants et les fleurs qui se fanent, l'horreur de la vie indifférente, de l'insensibilité, de la cochonnerie des hommes qui écarquillent les yeux sans rien voir. À de tels moments il ne pouvait s'empêcher de penser avec une curiosité douloureuse, le cœur serré, à Victor, l'écolier errant, à qui il avait jadis enfoncé son couteau entre les côtes et qu'il avait abandonné, baignant dans son sang, sur les branches de sapin; et il lui fallait réfléchir, se demander ce que pouvait bien être devenu ce Victor, si les bêtes l'avaient entièrement dévoré, s'il restait de lui quelque chose. Oui, les os sans doute restaient encore, avec quelques poignées de cheveux. Et les os? qu'allait-il en advenir? Combien de temps fallait-il, combien fallait-il de dizaines d'années ou seulement d'années avant qu'eux aussi aient perdu leur forme et soient redevenus poussière ?

Aujourd'hui, tandis que le cœur plein d'une anxieuse mélancolie et d'une âpre haine du monde et de lui-même, il regardait avec pitié les poissons et avec dégoût les humains sur le marché, il était bien obligé de penser à Victor. Peut-être l'avait-on trouvé et enterré ? Et s'il en était ainsi, est-ce que toute la chair était maintenant détachée de ses os ? Tout était-il pourri ? Les vers avaient-ils tout mangé ? Y avait-il encore des cheveux sur son crâne et des sourcils au-dessus de ses orbites ? Et de la vie de Victor, toute pleine pourtant d'aventures et d'histoires et du jeu fantasque de ses plaisanteries et de ses farces bizarres, qu'en était-il resté ? En dehors de quelques vagues souvenirs que son meurtrier gardait de lui, avait-il survécu quoi que ce soit de ce destin humain qui n'était cependant pas parmi les plus vulgaires ? Y avait-il encore un Victor dans le rêve des femmes qu'il avait jadis aimées ? Hélas ! tout sans doute était fini, écoulé. Et c'était le destin de tous et de toutes choses : une fleur qui s'épanouit un instant se fane et disparaît en un instant ; après quoi la neige recouvre tout. Quel printemps en lui-même quand, voici quelques années, il était arrivé dans cette ville tout plein d'une soif ardente de l'art et d'une vénération profonde et frémissante pour maître Niklaus ! En était-il resté quelque chose ? Rien, pas plus que du corps de ce pauvre et grand chenapan de Victor. Si quelqu'un lui avait dit alors qu'un jour viendrait où Niklaus le reconnaîtrait comme son égal et demanderait pour lui à la corporation des lettres de maîtrise, il aurait cru tenir en main tout le bonheur du monde. Et voilà que ce n'était plus qu'une fleur fanée, une chose desséchée, vide de joie.

Tandis qu'il songeait ainsi, Goldmund eut tout à coup une vision. Ça ne dura qu'un instant, comme un éclair qui passe : il vit la figure de la Mère, penchée sur l'abîme de la vie, avec un sourire lointain de beauté et d'horreur ; il la vit sourire aux naissances, aux trépas, aux fleurs, aux feuilles d'automne qui s'envolent dans un murmure, sourire à l'art, sourire à la putréfaction.

Tout avait même prix pour elle, la Mère de toutes choses ; son sourire qui donnait le frisson était suspendu au-dessus de tout, comme la lune ; elle avait, pour Goldmund perdu dans sa mélancolique méditation, la même tendresse que pour les carpes agonisantes sur le pavé du marché. Lisbeth, la vierge fière et froide, lui était aussi chère que les os dispersés dans la forêt de ce Victor qui eût si volontiers volé jadis son ducat.

Déjà l'éclair s'était éteint, le mystérieux visage de la Mère était évanoui, mais au fond de l'âme de Goldmund son reflet blême continuait à luire, une vague de vie, de douleur, de poignant désir passait à travers son cœur et le bouleversait. Non, non, il n'en voulait pas de ce bonheur satisfait des autres, des acheteurs du marché, des bourgeois, des hommes de la vie pratique.

Que le diable les emporte ! Oh ! le pâle visage frémissant, cette bouche sensuelle, mûre, cette bouche de fin d'été, sur les lèvres fatales de laquelle venait de passer, comme un souffle de vent, comme un rayon de lune, cet inexprimable sourire de mort !

Goldmund se rendit à la maison du maître. Il était près de midi. Il attendit jusqu'à ce qu'il perçût que Niklaus à l'intérieur abandonnait son travail et se lavait les mains. Alors il entra.

« Laissez-moi vous dire quelques mots, maître, cela peut se faire dans le temps que vous laverez vos mains et mettrez votre vêtement. J'ai soif d'une gorgée de vérité et je voudrais vous dire quelque chose que peut-être je puis vous dire maintenant et ne pourrai plus ensuite. Je suis dans un état où il me faut parler à quelqu'un et vous êtes le seul qui puisse, peut-être, me comprendre. Je ne parle pas à l'homme qui possède un atelier célèbre et qui reçoit des villes et des couvents toutes ces commandes si honorables, et qui a deux compagnons et une belle et riche maison. Je parle au maître qui a fait la Vierge du cloître là-bas, la plus belle statue que je connaisse. Cet homme, je l'ai aimé et vénéré, devenir tel que lui me semblait le but le plus beau que je puisse me donner sur terre. Voilà que j'ai fait une statue, le Saint-Jean ; je n'ai pu le faire aussi beau que votre Vierge, mais il est tel qu'il est. Je n'ai pas d'autre statue à faire ; il n'y en a point pour l'heure qui exige mon effort et m'oblige à la créer. Plutôt si, il y en a une, une sainte image lointaine, à laquelle il me faudra un jour donner vie mais qu'aujourd'hui je ne puis créer encore. Pour en être capable il me faut faire bien d'autres expériences et les faire passer dans ma vie. Peut-être dans trois ou quatre ans, ou dans dix ans, ou plus tard, pourrai-je la modeler, ou même jamais. D'ici là, je ne veux pas faire un métier, vernir des motifs décoratifs, sculpter des chaires et mener dans l'atelier la vie d'un artisan, gagner de l'argent et devenir comme sont tous les ouvriers, non je ne

148

veux pas de cela, mais j'entends vivre et vagabonder, sentir passer l'été et l'hiver, voir le monde et sa beauté, savourer son horreur. Je veux souffrir la faim et la soif et je veux oublier tout ce que j'ai vécu et appris chez vous et m'en dégager. Je voudrais bien faire un jour quelque chose d'aussi beau que votre Vierge-Mère et qui aille au cœur comme elle – mais devenir comme vous et vivre comme vous vivez, je ne le veux pas. »

Le maître avait lavé et séché ses mains, il se détourna et regarda Goldmund ; sa figure était sévère, mais non fâchée.

« Tu as parlé, dit-il, et j'ai écouté. Laissons cela maintenant. Je ne compte pas sur toi pour mon travail, bien qu'il n'en manque pas. Je ne te considère pas comme un compagnon ; il te faut la liberté. Je voudrais discuter avec toi ceci et cela, cher Goldmund, mais pas aujourd'hui, dans quelques jours. Tu peux, en attendant, tuer le temps à ta guise. Vois, je suis bien plus vieux que toi et j'ai de l'expérience. Je ne suis pas d'accord avec toi, mais je te comprends et je sens ce que tu veux dire. Dans quelques jours, je te ferai appeler, nous parlerons de ton avenir : j'ai toutes sortes de projets. En attendant, patience ! Je sais ce qu'il en est quand on a fini un ouvrage qu'on avait à cœur ; je connais ce vide-là. Ça passe, crois-moi. »

Goldmund s'en alla le cœur insatisfait. Le maître lui voulait du bien, mais que pouvait-il pour lui ?

Il savait une place au bord du fleuve, où l'eau n'était pas profonde et coulait dans un lit plein de débris et de détritus ; des maisons du faubourg des pêcheurs on jetait là toutes sortes d'ordures dans le fleuve. Il y alla et s'assit sur le parapet en regardant l'eau. Il avait du goût pour l'eau, elle l'attirait sans cesse. Et quand de là on fixait, à travers les ondes s'écoulant comme des fils de cristal, le fond sombre et indistinct, on apercevait çà et là des choses qui brillaient d'un éclat d'or éteint et dont les reflets vous attiraient ; des objets indistincts, peut-être un vieux morceau d'assiette, ou bien une faucille tordue qu'on avait jetée là, ou bien une pierre lisse et luisante, une tuile vernie ; parfois aussi ce pouvait être un poisson de vase, une grasse lotte, un gardon qui se retournait dans le fond et recevait un instant un rayon de lumière sur les claires nageoires de son ventre ou sur ses écailles – jamais on ne pouvait savoir au juste ce que c'était, mais toujours c'était d'une beauté magique et séduisante, ce rapide éclair, cette lumière tamisée par les eaux, reflétée un instant par l'or englouti dans les profondeurs humides et ténébreuses. Tous les vrais mystères, lui semblait-il, toutes les vraies et authentiques images de l'âme étaient comme ce petit mystère des eaux, sans contours distincts, sans forme, on ne les percevait que vaguement comme de belles possibilités lointaines, derrière un voile, ils avaient toutes sortes de significations. Tout comme ici, dans le demi-jour des profondeurs vertes du fleuve quelque chose brillait de l'indicible éclat de l'or, de l'argent, resplendissait, pour la durée d'un éclair : un rien, tout chargé pourtant de promesses délicieuses ; de même le profil changeant d'un être humain à peine entrevu par derrière révélait parfois une infinie beauté, une tristesse inouïe, ou encore : tout comme quand une lanterne pendue la nuit sous une charrette projetait contre un mur les ombres gigantesques des rayons de ses roues en mouvement, ce jeu des ombres pouvait, l'espace d'un instant, s'emplir d'autant de visions, d'événements et d'histoire que tout Virgile. C'était de cette même matière irréelle et magique qu'étaient tissés la nuit nos rêves : un rien où se trouvaient encloses toutes les images du monde, une onde dans le cristal de laquelle toutes les formes des hommes, des bêtes, des anges et des démons demeuraient sous l'aspect de possibles qui jamais ne sommeillaient.

Il s'abîma de nouveau dans son jeu et fixa, perdu dans son rêve, le fleuve qui suivait son cours, contemplant les reflets imprécis qui tremblotaient au fond, imaginant des couronnes royales, de brillantes épaules féminines. Jadis à Mariabronn, il s'en souvenait, il avait découvert dans les caractères latins et grecs des silhouettes de ce genre, capables des mêmes métamorphoses magiques. N'avait-il pas alors un jour parlé de cela avec Narcisse ? Ah ! quand était-ce donc ? dans quels siècles lointains ? Ah ! Narcisse ! Pour le voir, lui parler une heure, tenir sa main, entendre sa voix calme et sage, il aurait de bon cœur donné ses deux ducats d'or.

Pourquoi étaient-elles donc si belles, ces choses, ces reflets d'or au fond des eaux, ces ombres et ces visions incertaines et fugitives, irréelles et féeriques – pourquoi étaient-elles donc si indiciblement belles et délicieuses alors qu'elles représentaient exactement le contraire de la beauté créée par un artiste ? Car si la beauté de ces visions insaisissables et sans forme venait du mystère et n'était rien d'autre que du mystère, c'était tout juste le contraire qui se passait dans les œuvres d'art qui, elles, étaient essentiellement forme ; elles parlaient un langage parfaitement clair. Rien de plus inexorablement net et précis que la ligne d'une tête ou d'une bouche dessinée ou taillée dans le bois. Il était capable de reproduire exactement, rigoureusement, la lèvre inférieure ou les paupières de la madone de Niklaus, il n'y avait là rien d'incertain, d'illusoire, de fuyant.

Goldmund s'abandonnait à sa méditation. Il ne parvenait pas à s'expliquer comment il se pouvait que la plus grande précision imaginable des formes pût agir sur l'âme exactement de la même manière que ce qu'il y avait de plus insaisissable et de plus imprécis. Une chose toutefois lui apparut nettement au cours de ces réflexions : il comprenait pourquoi tant d'œuvres d'art irréprochables et accomplies ne lui disaient absolument rien, pourquoi, en dépit d'une certaine beauté, elles l'ennuyaient, lui étaient presque odieuses. Les ateliers, les églises, les palais, étaient pleins de ces tristes œuvres d'art et lui-même avait collaboré à la confection de quelques-unes d'entre elles. Elles étaient si décevantes parce qu'elles éveillaient le désir des valeurs les plus hautes sans le satisfaire, parce qu'il leur manquait l'essentiel : le mystère. C'était cela que le rêve et le chef-d'œuvre suprême avaient en commun : le mystère.

Et Goldmund poursuivait ses réflexions : « Ce que j'aime, c'est un mystère, je suis sur sa trace, je l'ai vu maintes fois s'éclairer d'un reflet de lumière et, comme artiste, le jour où j'en serai capable, je le manifesterai et je l'amènerai à se révéler. C'est la figure de la Mère des choses dans son grand enfantement, son secret ne consiste pas, comme celui d'une autre image, dans tel ou tel détail; plénitude ou maigreur des formes, rudesse ou gentillesse, vigueur ou grâce, mais il consiste en ce que les suprêmes contradictions du monde, qui autrement ne peuvent s'accorder, ont scellé la paix dans cette figure, et y coexistent : naissance et mort, bonté et cruauté, fécondité et destruction. Si je n'avais fait qu'imaginer cette figure, si elle n'était qu'un jeu de mon esprit ou un vœu ambitieux d'artiste, il n'y aurait pas grand mal à ce qu'elle ne se réalise pas; je me rendrais compte de ses défauts et je l'oublierais. Mais la Mère des choses n'est pas une imagination; je ne l'ai pas imaginée, je l'ai vue. Elle vit en moi, elle se retrouve toujours sur mon chemin. Pour la première fois j'ai soupçonné son existence lorsque je tenais la lumière au chevet d'une paysanne en couches; c'est alors que cette figure commença à vivre en moi. Souvent elle reste lointaine et je la perds de vue pendant longtemps, mais soudain l'éclair passe comme aujourd'hui encore. Le visage de ma mère, ce que j'avais jadis de plus cher, s'est complètement transformé en cette nouvelle image, il s'y trouve inclus comme le noyau dans une cerise. »

Il avait maintenant conscience de sa situation présente, de son angoisse de prendre une décision. Tout autant qu'autrefois au moment de se séparer de Narcisse et du cloître, il s'engageait sur une voie décisive : le chemin qui menait à la Mère. Peut-être un jour deviendrait-elle, pour tout le monde, une vision qui a trouvé une forme, une œuvre de ses mains. Peut-être le but, le sens caché de sa vie était-il là. Peut-être. Il l'ignorait. Mais il était une chose qu'il savait : suivre la Mère, cheminer vers elle, être entraîné et appelé par elle, c'était bon ; c'était la vie. Peut-être ne pourrait-il jamais donner à son image des contours précis, peut-être resterait-elle toujours rêve, intuition, appel, éclair d'or d'un mystère sacré. En tout cas son devoir était de la suivre, de lui confier son destin ; elle était son étoile.

Et voici que la décision était maintenant là, devant lui, toute proche : tout était devenu clair. L'art était une belle chose, ce n'était pas une divinité, un but ; pas pour lui du moins. Ce n'était pas l'art qu'il devait écouter, mais l'appel de la Mère. À quoi bon acquérir dans ses doigts encore plus d'adresse ? Dans la personne de maître Niklaus on pouvait voir où cela menait. Cela donnait un nom, de l'argent, cela menait à la gloire, à la vie bourgeoise et aussi à la perte de ce sens intime qui se desséchait, s'étiolait, alors que lui seul avait accès au mystère. Cela menait à la fabrication de jolis et précieux bibelots, de riches autels et de chaires en tous genres, de Saint-Sébastien, de gracieuses têtes d'anges bouclées à quatre thalers pièce. Oh ! l'or dans l'œil d'une carpe, le tendre et délicieux duvet argenté au bord d'une aile de papillon était infiniment plus beau, plus vivant, plus précieux que toute une salle pleine de pareilles œuvres d'art.

Un enfant descendit, en chantant, la route qui suivait la rive. Parfois son chant s'arrêtait ; il mordait dans un gros morceau de pain blanc qu'il tenait à la main. Goldmund le vit et lui demanda un petit bout de son pain, arracha avec deux doigts un morceau de mie et en fit de petites boulettes. Allongé sur le parapet, il jetait lentement, l'un après l'autre, les petits bouts de pain dans les eaux sombres, voyait les boulettes blanches s'y enfoncer et les suivait, au milieu des têtes des poissons aussitôt arrivés, jusqu'à ce qu'elles disparaissent dans l'une des bouches. Il s'amusa fort à voir les morceaux de pain s'éloigner et disparaître l'un après l'autre. Ensuite, il eut faim et alla trouver une de ses amies, servante dans la maison du boucher, à qui il donnait le nom de « souveraine des saucisses et des jambons ». D'un coup de sifflet convenu il l'appela à la fenêtre, voulant se faire donner par elle quelque nourriture pour l'emporter et la manger de l'autre côté du fleuve dans un des vignobles dont le sol gras et rougeâtre étincelait sous la riche végétation des ceps et où fleurissaient au printemps ces petites jacinthes bleues qui ont le doux parfum des fruits à noyaux.

Mais c'était, semblait-il, une journée de décisions, une journée où sa conscience était particulièrement lucide. Quand Catherine parut à la fenêtre, et lui sourit de son visage plein de santé, un peu rude, comme il levait déjà la main pour lui faire le signe convenu, il lui vint soudain à l'esprit qu'il s'était tenu là à attendre bien des fois déjà ; et en même temps il vit à l'avance, avec netteté, toute la série fastidieuse des gestes qui allaient se succéder dans quelques minutes : elle allait comprendre son signe et se retirer, pour ne pas tarder à revenir à la porte de derrière, tenant à la main quelque charcuterie qu'il allait prendre tout en la caressant un peu et en la serrant sur sa poitrine comme elle s'y attendait – et tout à coup il lui parut infiniment bête et affreux, de déclencher tout ce mécanisme de gestes si souvent accomplis et d'y jouer son rôle ; de recevoir la saucisse, de sentir les seins durs se presser contre lui, et de les serrer un peu comme en échange du cadeau. Soudain il crut découvrir dans la rudesse de son visage l'expression de l'habitude vidée de toute pensée, dans son sourire complaisant quelque chose de trop souvent répété, de mécanique, quelque chose qui ne gardait plus aucun mystère, quelque chose d'indigne de lui. Sa main n'acheva pas le signe accoutumé, le sourire se glaça sur ses lèvres. L'aimait-il encore, la désirait-il vraiment encore ? Non, trop souvent déjà il s'était trouvé ici ; trop souvent il avait vu ce sourire, toujours le même, et il y avait répondu sans que son cœur y prenne part. Ce que, hier encore, il eût pu faire sans scrupule lui était subitement devenu impossible. La servante était encore là à le regarder qu'il s'était déjà détourné et avait disparu de la ruelle, décidé à ne plus s'y montrer. Qu'un autre caresse ces seins, qu'un autre mange les bonnes saucisses ! Et, du reste, qu'est-ce qu'on ne dévorait pas jour après jour dans cette cité opulente et joyeuse, qu'est-ce qu'on ne gaspillait pas ! Qu'ils étaient paresseux, gâtés, délicats, ces bourgeois pansus, pour lesquels, tous les jours, on abattait tant de cochons et de veaux, on arrachait au fleuve tant de pauvres poissons ! Et lui ? qu'il était devenu difficile, pourri, affreusement semblable à eux! Sur les routes et dans les champs couverts de neige, une prune desséchée, une vieille croûte de pain était plus savoureuse qu'ici, dans l'abondance, tout un festin de corporation. Ô vagabondage, liberté, lande éclairée par la lune, piste d'une bête suivie dans l'herbe grise et humide du matin d'un œil circonspect! Ici, à la ville, chez les sédentaires, tout était si facile et coûtait si peu, même l'amour. Il en avait assez, tout d'un coup, il crachait là-dessus. La vie ici avait perdu son sens, c'était un os sans moelle. Cela était beau, cela avait une raison d'être tant que le maître avait été son modèle, Lisbeth une princesse; cela était supportable tant qu'il travaillait à son Saint-Jean. À présent, c'était fini, le parfum s'était évanoui, la fleurette était fanée. Le sentiment de l'instabilité des choses, qui si souvent le torturait et pouvait l'enivrer si profondément, l'emporta dans sa vague puissante. Tout se fanait, toute joie était vite épuisée, et il ne restait rien que des os et de la poussière. Une chose pourtant demeurait : la Mère éternelle, vieille comme le monde et éternellement jeune, avec son sourire d'amour, triste et cruel. De nouveau il la vit quelques instants, géante, des étoiles dans les cheveux, assise rêveusement au bord du monde; d'un geste absent, elle cueillait de sa main fleur après fleur, vie après vie, pour les laisser lentement tomber dans l'espace infini.

En ces jours-là, tandis que Goldmund voyait pâlir derrière lui une tranche fanée de sa vie, et errait à travers le pays familier dans une sombre ivresse d'adieu, maître Niklaus se donnait beaucoup de peine pour assurer son avenir et pour fixer à jamais cet hôte inquiet. Il décida la corporation à lui donner le certificat de maîtrise et conçut le projet de se l'attacher de façon durable, non comme son ouvrier, mais comme son associé; de discuter et d'exécuter avec lui toutes les grandes commandes, et de lui faire sa part de ce qu'elles rapportaient. C'était peut-être hasardeux, risqué aussi à l'égard de Lisbeth, car naturellement le jeune homme ne tarderait pas à devenir son gendre. Mais une statue comme l'apôtre Jean, le meilleur des compagnons que Niklaus avait eus à son service n'eût jamais été capable de la faire et lui-même devenait vieux, pauvre en idées comme en puissance créatrice et ne voulait pas voir son atelier célèbre dégénérer en une vulgaire fabrique de statues. Il aurait du mal avec ce Goldmund, mais il fallait courir le risque. Soucieux, le maître faisait ses calculs. Il allait achever et agrandir, pour Goldmund, l'atelier de derrière et lui abandonner la chambre sous le toit. Pour sa réception dans la corporation il lui ferait cadeau de beaux vêtements neufs. Il prit également, avec précaution, l'avis de Lisbeth qui, depuis le jour du déjeuner, s'attendait à quelque chose comme cela. Et voilà que Lisbeth ne dit rien là contre. Si le garçon se fixait quelque part et avait le titre de maître, il lui allait. Là non plus, pas de difficultés. Et si maître Niklaus, si le métier ne réussissaient pas tout à fait à apprivoiser ce tzigane, Lisbeth en viendrait bien à bout.

Ainsi, tout était bien engagé et l'appât posé pour l'oiseau derrière le piège. Et un jour on envoya chercher Goldmund qui n'était pas reparu. On l'invita encore une fois à dîner. Encore une fois il revint, brossé, peigné, s'assit de nouveau dans la belle salle un peu trop solennelle, trinqua de nouveau avec le maître et avec la fille du maître, jusqu'à ce que, celle-ci s'étant éloignée, Niklaus sortît son grand projet et ses offres.

« Tu m'as bien compris, dit-il après ces ouvertures surprenantes, et je n'ai pas besoin de te dire que jamais, sans doute, un jeune homme, sans même avoir passé par l'apprentissage prescrit, ne s'est élevé au rang de maître et n'a trouvé un nid aussi chaud. Ta fortune est faite, Goldmund ! »

Goldmund, étonné, le cœur serré, regardait son maître et repoussait le gobelet encore à demi plein devant lui. Au vrai, il s'était attendu à ce que Niklaus lui fasse quelques reproches au sujet des journées gâchées et lui propose de rester chez lui comme compagnon. Et voilà ce qu'il en était. Cela le rendait triste et il se sentait gêné d'être obligé de demeurer face à face avec cet homme. Il ne trouva pas tout de suite sa réponse.

Le maître, un peu peiné déjà de ce que son offre si flatteuse ne fût pas acceptée d'emblée joyeusement et humblement, se leva, le visage un peu tendu et déçu et dit :

« Bien, ma proposition te surprend, tu veux peut-être y songer d'abord. Cela me froisse un petit peu ; j'avais pensé te faire une grande joie ; mais je n'y vois pas d'inconvénient, prends le temps de la réflexion.

— Maître, dit Goldmund cherchant péniblement ses mots, il ne faut pas m'en vouloir. Je vous remercie de tout mon cœur pour votre bienveillance et je vous remercie plus encore pour la patience avec laquelle vous avez traité votre élève. Je n'oublierai jamais la dette que j'ai contractée à votre égard. Mais je n'ai pas besoin de temps pour réfléchir, il y a longtemps que j'ai pris ma décision.

– Quelle décision?

– C'était chose arrêtée avant que je me sois rendu à votre invitation et que j'aie la moindre idée de vos offres si honorables. Je ne resterai pas ici plus longtemps, je reprends la vie errante. »

Niklaus avait pâli et le regardait de ses yeux sombres.

« Maître, supplia Goldmund, croyez-le bien, je ne veux pas vous blesser! Je vous ai dit à quoi je suis décidé. Il faut que je parte, que je voyage, que je me remette en liberté. Laissez-moi vous remercier de tout cœur encore une fois et quittons-nous amis. »

Il lui tendit la main, il avait les larmes aux yeux. Niklaus ne prit pas sa main; il était devenu blême et se mit à arpenter la pièce de plus en plus vite; la colère faisait résonner ses pas. Jamais Goldmund ne l'avait vu ainsi.

Puis le maître s'arrêta soudain, fit un terrible effort pour se dominer et dit entre ses dents sans regarder Goldmund : « Bon, alors va-t'en, mais va-t'en tout de suite! Que je ne te revoie plus; que je n'aille faire et dire ce que je pourrais ensuite regretter. Va-t'en! »

Une fois encore Goldmund lui tendit la main. Le maître fit mine de cracher dedans. Alors Goldmund, devenu pâle lui aussi, fit demi-tour, sortit sans bruit de la salle, mit, une fois dehors, son bonnet, se glissa en bas de l'escalier, passant la main sur les piliers sculptés de la rampe, entra dans le petit atelier de la cour, resta un petit moment pour en prendre congé devant son apôtre Jean et quitta la maison avec au cœur une peine plus lourde qu'il n'avait eu jadis en quittant le château du chevalier et la pauvre Lydia.

Au moins cela s'est fait vite, au moins on n'a pas prononcé de paroles inutiles! C'était son unique consolation quand, franchissant le seuil, il découvrit à la rue, à la ville, cet aspect étranger et transformé que prennent les choses familières quand notre cœur en a pris congé. Il se retourna pour jeter un regard sur la porte; c'était désormais la porte d'une maison étrangère, elle lui était fermée.

Arrivé dans sa chambre, Goldmund se mit aux préparatifs de départ.

Certes, il n'y avait pas grand-chose à préparer; il n'y avait qu'à prendre congé. Il se trouvait là, pendu au mur, un dessin qu'il avait peint lui-même, une douce madone, et il y avait de-ci de-là des objets qui lui appartenaient, un chapeau du dimanche, une paire de souliers de danse, un rouleau de dessins, un petit luth et un certain nombre de statuettes de plâtre modelées par lui, quelques cadeaux de ses amantes, un bouquet de fleurs artificielles, un verre à boire rouge comme un rubis, un vieux pain d'épice, tout rassis, en forme de cœur, et d'autres bagatelles de ce genre dont chacune avait eu son histoire et sa signification et lui avait été chère, toutes choses qui, maintenant, n'étaient plus que vieilleries encombrantes, car il ne pouvait rien emporter avec lui. Toutefois, il échangea chez le logeur son verre rubis pour un solide couteau de chasse qu'il aiguisa dans la cour, sur la pierre à repasser, il émietta le pain d'épice et le donna aux poules dans la cour du voisin, fit présent de l'image de la madone à la maîtresse de maison, et reçut en retour un cadeau utile : un vieux sac de voyage en cuir et d'abondantes provisions de route. Dans le sac, il fourra quelques chemises qu'il possédait et quelques petits dessins roulés sur un bout de manche à balai, et encore les provisions de bouche. Le reste, il fallait l'abandonner.

Il y avait plus d'une femme, en ville, dont il eût été convenable de prendre congé ; il avait encore, la veille, dormi auprès de l'une d'elles sans lui faire part de ses projets. C'est comme cela que telle ou telle chose s'accrochait à vos talons quand on voulait vagabonder. Il ne fallait pas prendre cela au sérieux. Il ne dit adieu à personne qu'à ses hôtes. Il le fit le soir, pour pouvoir partir à la première heure.

Et cependant, quand il voulut, le matin, quitter sans bruit la maison, quelqu'un était debout et l'invita à manger une soupe au lait à la cuisine. C'était la fille de la maison, une enfant de quinze ans, créature douce et maladive, aux beaux yeux, mais qui avait à la hanche une infirmité qui la faisait boiter. Elle s'appelait Marie. La figure mal reposée, toute pâle, mais vêtue et peignée avec soin, elle lui servit dans la cuisine du lait chaud et du pain, et sembla très triste de son départ. Il la remercia et, en partant, déposa sur ses lèvres minces un baiser de pitié. Elle reçut le baiser dévotement, en fermant les yeux.

CHAPITRE XIII

Dans les premiers temps de sa nouvelle existence vagabonde, dans la première soif, dans la première ivresse de la liberté retrouvée, Goldmund dut commencer par apprendre à nouveau à mener la vie du vagant qui n'a point d'attaches et pour qui le temps est sans réalité. Indépendants à l'égard des hommes, soumis seulement aux intempéries, aux saisons, sans but devant les yeux, sans toit au-dessus de la tête, ne possédant rien, livrés sans défense à tous les hasards, les vagabonds mènent leur existence puérile et vaillante, misérable et forte. Ils sont fils d'Adam chassé du paradis, frères des animaux innocents. D'heure en heure ils acceptent de la main de Dieu ce qu'il leur octroie : soleil, pluie, brouillard, neige, chaleur et froid, bien-être et détresse. Il n'est pour eux ni temps, ni histoire, ni visées ambitieuses, ni ces curieuses idoles de la prospérité et du progrès auxquels on croit désespérément quand on possède une maison. Un vagabond peut être tendre ou brutal, industrieux ou balourd, courageux ou poltron, toujours il est, dans son cœur, un enfant, toujours il vit dans le monde naissant, avant l'aube de l'histoire universelle, toujours sa vie est menée par quelques instincts et quelques besoins primitifs. Qu'il soit intelligent ou sot, qu'il ait profondément conscience de la fragilité et de l'instabilité de toute vie et sache que tous les êtres vivants traînent leurs quelques gouttes de sang chaud à travers la glace des espaces infinis, ou qu'il obéisse simplement, puéril et vorace, aux ordres de son ventre, toujours il est l'adversaire et l'ennemi mortel du possédant et du sédentaire qui le hait, le méprise et le redoute, car il est tant de choses qu'il ne veut pas qu'on lui rappelle : l'instabilité de toute existence, l'incessante décomposition de toute vie, la mort glacée et inexorable dans laquelle baigne l'univers.

Il y avait longtemps que l'âme de Goldmund était toute pénétrée et marquée comme d'une empreinte par cette puérilité de la vie des vagants, par le caractère féminin de son origine maternelle, sa révolte contre la loi et la raison, son abandon au gré des choses, sa secrète et constante familiarité avec la mort. Mais pourtant l'intelligence et la volonté qui demeuraient en lui, sa nature d'artiste, donnaient du prix à cette existence tout en la faisant plus dure. La richesse et la fécondité de la vie ne résultent-elles pas d'abord de ces tiraillements et de ces contradictions ? Que vaudrait la froide raison si on ne connaissait l'ivresse, que serait la sensualité si la mort ne se cachait derrière elle, que serait l'amour sans l'éternel, l'implacable conflit des sexes ?

L'été et l'automne avaient pris fin ; à grand-peine il subsista pendant les mois de disette, puis chemina dans l'ivresse à travers le doux printemps embaumé ; les saisons passaient si vite, le haut soleil d'été descendait toujours si tôt à l'horizon ! Les années s'écoulaient et il semblait que Goldmund eût oublié qu'il existât autre chose sur terre que la faim et l'amour et cette fuite silencieuse et sinistre des saisons, il semblait qu'il eût sombré tout à fait dans le monde primitif et maternel des instincts. Pourtant, dans chacun de ses rêves, dans chacun des regards qu'au cours de ses méditations à la halte il jetait sur les vallées dans leur splendeur printanière ou dans leur tristesse d'automne, il s'emplissait de visions, il sentait en artiste, il était torturé du désir de conjurer, par l'esprit, l'absurdité de l'existence et de lui donner un sens.

Lui qui, depuis sa sanglante aventure avec Victor, n'avait plus jamais cheminé autrement que solitaire, il rencontra un jour un camarade qui, insensiblement, s'attacha à lui et dont un long moment il ne put se défaire. Mais il n'était pas du même genre que Victor ; c'était un homme encore jeune, revenu d'un voyage à Rome et portant le chapeau du pèlerin. Il s'appelait Robert et était originaire du lac de Constance. Fils d'artisan, il avait été un moment à l'école chez les moines de Saint-Gall et s'était mis en tête, dès son enfance, de faire un pèlerinage à Rome. C'était devenu son idée fixe et il avait sauté sur la première occasion de la réaliser. C'était la mort de son père, dans l'atelier duquel il travaillait comme menuisier, qui l'avait fournie. À peine était-il enterré que Robert déclara à sa mère et à sa sœur que rien ne le retiendrait d'apaiser sur-le-champ son violent désir et d'aller à Rome expier ses péchés et ceux de son père. En vain les femmes gémirent, en vain elles firent des reproches, il s'obstina et, au lieu de prendre soin d'elles, il se mit en route sans la bénédiction maternelle et sous les injures de sa sœur furieuse. Ce qui le poussait, c'était avant tout le goût du vagabondage, associé à une sorte de piété superficielle, un besoin de s'attarder au voisinage des lieux saints et des fondations pieuses, un plaisir qu'il prenait aux services divins, aux baptêmes, aux enterrements, aux messes, à l'encens, à la flamme des cierges. Il savait un peu de latin, mais ce n'était pas le besoin du savoir qui attirait son âme puérile, c'était plutôt le goût de la contemplation et des paisibles rêveries dans l'ombre des voûtes des églises. Il avait, tout enfant, servi la messe avec délices. Goldmund ne le prenait pas au sérieux et avait pourtant de l'affection pour lui ; il se sentait quelque parenté avec lui dans sa passion pour le vagabondage et les pays inconnus. Donc, Robert était jadis parti content, était bien aussi arrivé jusqu'à Rome, avait reçu l'hospitalité d'innombrables monastères et presbytères, il avait vu les montagnes et le Midi, et s'était senti heureux à Rome au milieu des églises et des cérémonies du culte, avait entendu des centaines de messes et fait ses prières aux lieux les plus célèbres et les plus saints, reçu les sacrements et respiré plus d'encens qu'il n'était nécessaire pour expier les péchés de sa jeunesse et ceux de son père. Il était resté en route un an et plus et quand, enfin de retour, il était rentré dans la maisonnette familiale, on ne l'avait pas reçu comme l'enfant prodigue; sa sœur, pendant ce temps-là, avait assumé les charges et les droits du foyer, elle avait engagé un ouvrier laborieux, puis l'avait épousé et dirigeait la maison et l'atelier si parfaitement que, au bout de peu de temps, le revenant s'aperçut qu'il n'était nullement indispensable et personne ne chercha à le retenir quand il parla bientôt de se remettre en route et de voyager. Il ne prit pas cela au tragique, se fit remettre par sa mère quelque menue monnaie qu'elle avait économisée, se revêtit à nouveau du costume de pèlerin et s'engagea, sans se fixer un but, dans une nouvelle pérégrination à travers le Saint-Empire, voyageur à demi ecclésiastique. Autour de lui pendaient des médailles sonnantes, souvenirs des lieux de pèlerinage célèbres, et des chapelets bénits.

C'est ainsi qu'il rencontra Goldmund. Il l'accompagna pendant une journée, échangea avec lui des impressions de route, le perdit dans la petite ville prochaine, le croisa de nouveau ici et là et resta finalement tout à fait à ses côtés, compagnon tolérable et obligeant. Goldmund lui plaisait beaucoup, il essayait de le gagner en lui rendant de menus services, admirait sa science, son audace, son intelligence, aimait sa santé, sa force, sa sincérité. Ils s'accoutumèrent l'un à l'autre, car Goldmund lui aussi avait bon caractère. Il n'y avait qu'une chose qu'il ne souffrait point : quand il retombait dans sa tristesse et ses sombres réflexions, alors il se taisait obstinément et considérait l'autre comme n'existant pas; alors il ne fallait ni bavarder, ni questionner, ni consoler, il fallait le laisser à son silence. Robert ne tarda pas à le comprendre. Depuis qu'il s'était aperçu que Goldmund savait par cœur une foule de vers latins et de poèmes, depuis qu'il l'avait entendu, sous le porche d'une cathédrale, expliquer les figures, depuis qu'il l'avait vu dessiner à grands traits rapides, sur un mur uni contre lequel ils se reposaient, des personnages grandeur naturelle, il tenait son compagnon pour un favori de Dieu et presque pour un enchanteur.

Robert constatait également qu'il était un favori des femmes et savait les gagner par un regard ou un sourire ; cela lui plaisait moins, mais il était bien obligé pourtant de l'admirer.

Leur voyage se trouva un jour interrompu de façon inattendue. En arrivant près d'un village, ils furent accueillis par une troupe de paysans armés de bâtons, de perches et de fléaux et le chef leur cria de loin de rebrousser chemin immédiatement et de disparaître sans retour, d'aller au diable, faute de quoi ils seraient massacrés. Goldmund s'arrêta voulant savoir de quoi il s'agissait et fut tout de suite atteint d'une pierre à la poitrine ; Robert, qu'il cherchait des yeux autour de lui, s'était enfui comme un possédé. Les paysans s'avancèrent menaçants et il ne resta à Goldmund qu'à suivre le fuyard, mais plus lentement. Robert l'attendait tout tremblant, au milieu des champs, sous une croix à laquelle était suspendu le Sauveur.

« Tu t'es enfui comme un héros, dit-il en riant, mais qu'est-ce qu'ils peuvent bien avoir, ces salauds, dans leurs caboches ? Est-ce la guerre ? Voilà qu'ils placent des sentinelles en armes devant leur trou et ne veulent laisser entrer personne ! Je ne comprends pas ce qu'il y a derrière tout ça ! »

Ils l'ignoraient tous deux. Ce fut seulement le lendemain qu'ils firent, dans une ferme isolée, certaines expériences qui les mirent sur la voie. Cette ferme, composée d'une chaumière, d'une étable et d'une grange, entourée de gras herbages et de nombreux arbres fruitiers reposait comme endormie dans un étrange silence : pas une voix humaine, point de pas, point de cris d'enfants, point de martèlement de faux, rien ne se faisait entendre ; dans la prairie une vache meuglait dans l'herbe ; on voyait bien qu'il était temps de la traire. Ils approchent de la maison, frappent à la porte : point de réponse. Ils vont à l'étable, elle est ouverte et vide ; ils vont à la grange, sur le chaume de laquelle la mousse vert clair luit au soleil, là non plus ils ne rencontrent âme qui vive. Ils retournent à la maison surpris et inquiets de la désolation des lieux, à nouveau ils frappent du poing à la porte, aucune réponse. Goldmund essaye d'ouvrir et constate à sa grande surprise que la porte n'est pas fermée. Il la pousse et entre dans la pièce sombre. « Salut », crie-t-il bien fort et « Personne à la maison ! » mais tout reste silencieux. Robert était demeuré devant l'entrée. Goldmund, curieux, pénètre plus avant. Une mauvaise odeur dans la salle, une senteur étrange et répugnante. Le foyer était plein de cendre, il souffla ; en dessous, des étincelles brillaient dans des bûches carbonisées. Alors il vit, au fond, dans la demi-obscurité de l'âtre, une forme assise ; quelqu'un était là dans un siège et dormait, une vieille femme, semblait-il. Crier ne servait à rien, la maison paraissait enchantée. Il donna gentiment à la femme une petite tape sur l'épaule, elle ne bougea pas ; et alors il vit qu'elle était assise au milieu d'une toile d'araignée dont les fils étaient en partie fixés à ses cheveux et à ses genoux. « Elle est morte », se dit-il avec un léger frisson, et pour s'en convaincre il s'affaira au feu, attisa et souffla jusqu'à ce que la flamme jaillît et qu'il pût allumer un grand copeau dont il éclaira la figure de la vieille. Il aperçut, sous des cheveux gris, un visage cadavérique et bleuâtre, l'un des yeux était ouvert et jetait un regard terne et vide. La femme était morte là, assise dans sa chaise. Bah ! on n'y pouvait rien.

Son copeau enflammé à la main, Goldmund fureta dans la pièce et trouva plus loin, sur le seuil qui menait à une chambre de derrière, un autre cadavre, un petit garçon de huit ou neuf ans peut-être, le visage enflé et défiguré. Il était étendu, en chemise, sur la poutre du seuil et serrait bien fort ses deux petits poings en un geste de fureur. Le second, se dit Goldmund. Comme en un affreux rêve il alla plus loin dans la chambre de derrière. Là, les volets étaient ouverts et le jour éclairait l'intérieur. Il éteignit avec précaution sa lumière et la piétina sur le sol.

Dans cette pièce, trois lits. L'un était vide. Sous la toile grise la paille apparaissait. Dans le second, quelqu'un ; un homme barbu, la tête rejetée en arrière, le menton et la barbe dressés ; ce devait être le paysan. Son visage émacié brillait des pâles et étranges couleurs de la mort ; un bras pendait jusqu'au sol où gisait, renversé et vide, un pot à eau de terre ; l'eau répandue n'était pas encore complètement rentrée dans le sol, elle s'était écoulée dans un petit creux dans lequel se trouvait encore une petite flaque. Dans le second lit il y avait une grande et forte femme tout enfouie et entortillée dans ses draps et dans ses déjections ; sa figure s'enfonçait dans le lit, ses cheveux raides, blond paille, brillaient dans la claire lumière. Près d'elle gisait, enlacée à elle, comme prise et étranglée dans le drap tout bouleversé, une fillette d'une quinzaine d'années, la chevelure blond paille elle aussi, des taches grisâtres sur sa face cadavérique.

Les yeux de Goldmund allaient d'un mort à l'autre. Sur le visage de la fillette, bien qu'il fût défiguré, restaient encore quelques traces de son angoisse impuissante devant la mort.

Sur la nuque et dans les cheveux de la femme qui s'était si profondément, si sauvagement débattue dans son lit on lisait la fureur, l'épouvante, la volonté d'une fuite éperdue. La chevelure rebelle en particulier n'avait pu se résigner à mourir. Sur la face du paysan, il y avait de la révolte, une douleur contenue ; il lui avait été, semblait-il, bien dur de mourir, mais il s'était comporté virilement. Sa face barbue se dressait en l'air, raide et abrupte, comme celle d'un guerrier tombé sur le champ de bataille. Cette attitude de l'homme dressé dans une révolte silencieuse et qui serre les dents avait sa beauté ; ce n'était pas un être vulgaire et lâche qui accueillait ainsi la mort. Le cadavre du petit garçon couché à plat ventre sur le seuil était touchant ; son visage n'exprimait rien, mais sa position sur le pas de la porte, avec ses petits poings serrés d'enfant, en disait long : souffrance contre laquelle on ne sait que faire, geste impuissant de défense contre des douleurs inouïes. Tout près de sa tête, un trou dans la porte, fait à la scie pour le chat. Goldmund contemplait tout cela. Il ne manquait pas d'horreurs dans cette cabane et les cadavres dégageaient une puanteur infecte. Pourtant tout ceci avait pour lui un attrait profond, c'était plein de grandeur, de destin, si vrai, si direct ; quelque chose là-dedans gagnait sa tendresse et lui pénétrait dans l'âme.

Pendant ce temps-là Robert, dehors, impatient et inquiet, se mit à appeler. Goldmund avait de l'affection pour Robert, il n'en sentit pas moins en ce moment combien un vivant, avec sa frousse, sa curiosité, toute sa niaiserie, était mesquin et petit en face des morts. Il ne répondit rien à Robert, il se donna tout entier à la contemplation des cadavres avec cet étrange mélange de cordiale pitié et de froid esprit d'observation que montrent les artistes. Il examina avec minutie les corps étendus, et aussi la vieille sur son siège ; les têtes, les mains, les attitudes qu'ils avaient prises en mourant. Quel silence dans cette cabane enchantée ! Quelle étrange et épouvantable odeur ! Comme ce petit foyer humain où brûlait encore un reste de feu dans l'âtre était fantastique et triste, peuplé de cadavres, tout rempli et pénétré de la présence de la mort ! Bientôt la chair allait se détacher des joues de toutes ces figures silencieuses et les rats dévoreraient leurs doigts. Ce qui s'accomplissait pour les autres dans le cercueil et dans la tombe, dans de bonnes cachettes invisibles, la dernière des transformations et la plus misérable, la décomposition, la putréfaction, ces cinq-là le subissaient chez eux, dans leurs chambres, à la lumière du jour, toutes portes ouvertes, sans soucis, sans pudeur, sans protection. Goldmund avait déjà vu bien des cadavres, mais un tel spectacle de l'œuvre inexorable de la mort ne lui était jamais tombé sous les yeux. Il l'accueillait au plus profond de son âme.

À la fin les cris de Robert devant la porte l'arrachèrent à sa méditation ; il sortit. Son camarade lui jeta des regards angoissés.

« Qu'est-ce qui se passe ? demanda-t-il tout bas, la voix pleine d'épouvante. N'y a-t-il personne à la maison ? Quels yeux tu fais ! Parle donc ! »

Goldmund le toisa d'un regard glacial.

« Va à l'intérieur et rends-toi compte ; c'est une drôle de ferme ! Ensuite nous irons traire la belle vache là-bas. En route ! »

Robert pénétra en hésitant dans la cabane et se dirigea vers l'âtre, découvrit la vieille assise et poussa un grand cri en s'apercevant qu'elle était morte. Il rebroussa chemin en toute hâte, les yeux exorbités.

« Grand Dieu ! Il y a là une femme morte assise au foyer. Qu'est-ce ? Pourquoi n'y a-t-il personne auprès d'elle ? Pourquoi ne l'enterre-t-on pas ? Oh ! Dieu ! Ça sent déjà ! »

Goldmund sourit.

« Quel grand héros tu fais, Robert ! Mais tu t'es trop pressé de faire demi-tour. Une vieille femme morte assise comme ça dans sa chaise, c'est un fameux spectacle, bien sûr, mais tu pourras, si tu vas quelques pas plus loin, voir bien mieux encore. Il y en a cinq, Robert ; trois sont dans leur lit, et un gamin mort est allongé en travers du seuil. Tous sont trépassés. Toute la famille est là, défunte, la maisonnée est morte ; c'est pour cela qu'on n'a pas trait la vache. »

L'autre le regardait épouvanté ; puis il cria soudain d'une voix étranglée :

« Oh ! maintenant je comprends aussi les paysans qui n'ont pas voulu nous laisser entrer dans leur village. Dieu, tout s'éclaire pour moi à présent. C'est la peste ! C'est la peste, par ma pauvre âme, Goldmund ! Et tu es resté si longtemps là-dedans, et tu as bien pu toucher les morts ! Au large ! ne t'approche pas de moi ! tu es, bien sûr, empoisonné ! Je regrette, Goldmund, il me faut te quitter, je ne peux pas rester avec toi. »

Il voulait déjà se sauver, mais une main l'arrêta par son vêtement de pèlerin. Goldmund jetait sur lui un regard sévère de blâme silencieux et le retenait solidement, impitoyablement, malgré ses efforts pour résister et se débattre.

« Mon petit gars, dit-il d'un ton aimablement railleur, tu es plus malin qu'on n'aurait pu croire. Tu auras raison, vraisemblablement. On s'en rendra compte au prochain village. La peste est probablement dans le pays. On verra bien si nous nous en tirons sains et saufs. Mais, mon petit Robert, je ne peux pas te laisser filer. Vois un peu, j'ai une âme pitoyable et un cœur sensible, et quand je songe que tu pourrais t'être contaminé là-dedans et que, si je te laissais partir, tu t'allongerais quelque part dans un champ pour mourir tout seul, sans que personne te ferme les yeux, te creuse une tombe et jette sur toi un peu de terre – non, cher ami, alors le chagrin m'étrangle. Ainsi, écoute bien et retiens ce que je te dis, je ne le dirai pas deux fois : tous deux nous courons le même danger ; il peut t'atteindre, ou bien moi. Donc nous resterons ensemble et ensemble nous mourrons tous deux ou bien ensemble nous échapperons à cette maudite peste. Si tu tombes malade et si tu meurs, je t'enterrai, c'est promis. Et si c'est moi qui dois mourir, alors fais ce qui te plaira, enterre-moi ou détale, ça m'est égal. Mais d'ici là, mon cher, on ne se défile pas, note-le bien. Nous aurons besoin l'un de l'autre. Et maintenant, tais ta gueule, je ne veux rien entendre ; et cherche quelque part à l'étable un seau, que nous puissions enfin traire la vache. »

Ainsi fut fait et, de ce moment, ce fut Goldmund qui commanda et Robert qui obéit, et tous deux s'en trouvèrent bien. Robert n'essaya plus de se sauver. Il se contenta de dire d'un ton conciliant : « J'ai eu, un moment, peur de toi. Ta figure ne me plaisait pas à ta sortie de la maison des morts. J'ai cru que tu y avais attrapé la peste. Mais, si ce n'est pas la peste, tu n'en es pas moins tout autre maintenant. Etait-ce donc épouvantable ce que tu as vu là-dedans ?

– Ce n'était pas terrible, dit Goldmund en hésitant, j'ai simplement vu là ce qui nous attend, moi et toi et tout le monde, même si nous n'attrapons pas la peste. »

En continuant leur marche ils se heurtèrent bientôt partout à la peste noire qui désolait la région. Dans maint village on ne laissait pénétrer personne, dans d'autres ils pouvaient tranquillement circuler par les rues. Bien des fermes étaient abandonnées, bien des morts se décomposaient sans sépultures, dans les champs et dans les maisons. Dans les étables les vaches qu'on ne trayait plus, qu'on ne soignait plus, meuglaient ou bien le bétail courait en liberté à travers champs. Ils eurent à traire et à soigner des vaches et des chèvres en quantité, abattirent et rôtirent à la lisière de la forêt maint chevreau et maint cochon de lait, burent le vin et le cidre de bien des caves devenues sans propriétaire. Ils menaient grande vie, c'était l'abondance. Mais ils n'en jouissaient qu'à demi. Robert vivait dans une frousse perpétuelle de l'épidémie et, à la vue des cadavres, il se trouvait mal, souvent il était tout bouleversé par la peur, il se croyait sans cesse contaminé, tenait longuement ses mains dans la fumée de leur feu de camp (cela passait pour un remède), tâtait sa peau jusque dans son sommeil pour voir si aux jambes, aux bras, sous les épaules, n'apparaissaient pas les bubons.

Souvent Goldmund le rabrouait, souvent il le raillait. Il ne partageait ni ses craintes ni son dégoût. Il s'en allait par le pays des morts, sombre, tendu, subissant l'attrait formidable de ce trépas en série, l'âme saturée de cet automne grandiose, le cœur serré par la chanson de la faux à l'ouvrage. Parfois elle lui réapparaissait, la figure de la Mère éternelle : une pâle face de géante, aux yeux de Méduse, au sourire lourd de souffrance et de mort.

Ils arrivèrent un jour dans une petite ville bien fortifiée ; de la porte un chemin de ronde, à la hauteur des maisons, faisait tout le tour des murailles, mais il n'y avait point de gardes là-haut, pas plus que devant la porte grande ouverte. Robert refusa de mettre le pied dans la ville et conjura aussi son camarade de s'en abstenir. Ils entendirent sonner une cloche, un prêtre franchit la porte une croix dans les mains et derrière lui venaient trois chariots, deux attelés de chevaux, le troisième d'un couple de bœufs ; ils étaient pleins jusqu'en haut de cadavres. À côté couraient quelques valets dans d'étranges manteaux, la figure enfouie au fond de leurs capuchons, faisant avancer les bêtes. Robert disparut, tout pâle, Goldmund suivit à courte distance les chars des morts qui s'en allèrent quelque cent pas plus loin et, là, il n'y avait pas de cimetière, mais au milieu de la lande désolée, un trou, profond seulement de trois hauteurs de pelle, mais grand comme une salle. Goldmund regarda les valets arracher avec des pinces et des crochets de mariniers les morts des charrettes et les pousser dans le grand trou ; le prêtre, murmurant ses prières, éleva au-dessus d'eux la croix et s'en alla, les valets allumèrent de grands feux de tous côtés de l'immense tombe et rentrèrent silencieux à la ville sans que personne se soit mis à recouvrir la fosse. Il regarda : il pouvait bien y en avoir cinquante dans le trou, jetés les uns par-dessus les autres, beaucoup tout nus, et ici un bras, là une jambe, émergeaient en l'air, raides, dans un geste douloureux ; une chemise voletait au vent.

Quand il revint, Robert le conjura presque à genoux de poursuivre bien vite avec lui sa route. Il avait bien lieu de le supplier ainsi : il voyait déjà dans les yeux absents de Goldmund cet égarement, cette obsession de l'âme aimantée vers l'horrible, cette curiosité de l'épouvante. Il ne parvint pas à retenir son ami. Goldmund pénétra seul dans la ville.

Il franchit la porte sans gardes, et au bruit de ses pas qui résonnaient sur le pavé se levèrent dans sa pensée les souvenirs de tant de petites villes et de tant de portes par lesquelles il était ainsi passé; il entendit les cris, les jeux des enfants, les querelles des femmes, le battement harmonieux des marteaux sur les enclumes, le roulement des voitures et tous les bruits qui l'avaient accueilli, des sons jolis ou rudes dont la symphonie tissait en un réseau toute la diversité du labeur humain et chantait le travail, la joie, l'activité, la vie de société. Ici, sous cette voûte creuse, dans cette rue vide, rien ne sonnait, ne riait, ne criait, tout restait figé dans un silence de mort dans lequel la chanson bavarde de l'eau s'écoulant d'une fontaine faisait presque une impression de vacarme. Derrière une fenêtre ouverte un boulanger apparut au milieu de ses miches et de ses petits pains; Goldmund désigna un petit pain et le boulanger le lui passa avec précaution sur sa longue pelle, attendit que le client ait posé l'argent dessus et ferma rageusement sa petite fenêtre, mais sans chicaner, quand Goldmund mordit dans son pain et s'en alla sans payer. Devant la fenêtre d'une jolie maison se trouvait une série de pots de terre où, d'ordinaire fleurissaient des plantes qui pendaient maintenant, fanées, le long des pots vides. D'une autre maison sortaient des sanglots et des cris de désespoir poussés par des voix d'enfants. Mais dans la rue voisine Goldmund vit, derrière une fenêtre là-haut, une jolie fille qui peignait sa chevelure. Il la fixa jusqu'au moment où elle sentit son regard et baissa les yeux sur lui; elle le considéra toute rougissante, et lorsqu'il lui envoya un gracieux sourire, un sourire passa aussi lentement, faiblement, sur son visage rougissant.

« Bientôt fini de te peigner? » lui cria-t-il. En souriant elle pencha son clair visage dans l'embrasure de la fenêtre.

« Pas encore malade? » demanda-t-il. Elle secoua la tête. « Alors suis-moi hors de la ville des morts. Nous irons dans la forêt mener la bonne vie. »

Elle lui fit des yeux interrogateurs.

« Ne réfléchis pas si longtemps; je dis ça sérieusement, cria Goldmund. Es-tu ici chez tes parents ou en service chez des étrangers? – Chez des étrangers. – Alors viens, belle enfant, laisse mourir les vieux, nous sommes jeunes et sains et nous voulons avoir encore un peu de bon temps. Viens, brunette, c'est pour de bon! »

Elle le regardait, incrédule, hésitante, étonnée.

Il poursuivit son chemin lentement, flânant dans une rue déserte, dans une seconde, et revint sans se presser sur ses pas. La jeune fille était encore à la fenêtre, penchée en avant, heureuse de le voir revenir. Elle lui fit signe, il passa tranquillement son chemin, bientôt elle le suivit et le rattrapa devant la porte de la ville, un petit ballot à la main, un mouchoir rouge autour de la tête.

« Comment t'appelles-tu donc? demanda-t-il.

– Lene, je viens avec toi. Ça va mal ici en ville; tout le monde meurt. Partons, partons! »

Aux abords de la ville, Robert était accroupi au sol, de mauvaise humeur. Il se mit sur pied quand Goldmund arriva et fit de grands yeux en voyant la jeune fille. Cette fois il ne se résigna pas tout de suite, il se lamenta et fit une scène. Ramener ainsi une fille de ce trou pestiféré et attendre de lui qu'il supporte pareille compagnie, c'était plus que de la folie, c'était tenter Dieu; il s'y refusait, il n'était plus de la partie, sa patience était à bout.

Goldmund le laissa tempêter et geindre jusqu'à ce qu'il eût fini.

« Bon, dit-il, voilà assez longtemps que tu nous sonnes. Tu vas maintenant venir avec nous et tu seras bien content que nous nous trouvions en si jolie compagnie. Elle s'appelle Lene et va rester avec moi. Mais maintenant je veux aussi te faire un plaisir, Robert, écoute : nous allons pour un moment vivre en paix et en bonne santé et laisser passer la peste à distance. On va chercher un joli coin avec une cabane vide ou bien on en bâtira une. Là on sera, Lene et moi, maître et maîtresse de maison et tu seras notre ami et vivras avec nous. Il faut que ce soit chez nous un petit peu gentil et plaisant. D'accord? »

Oh! oui, Robert était tout à fait d'accord. Pourvu qu'on n'exige pas de lui qu'il donne la main à Lene ou touche ses vêtements.

« Non, dit Goldmund, on ne te demande pas ça, cela t'est même formellement interdit de toucher Lene, ne fût-ce que d'un doigt. Ne va pas t'aviser de cela! »

Ils continuèrent leur route à trois, d'abord en silence, puis peu à peu, la fille se mit à parler : elle était heureuse de revoir le ciel, les arbres, les prairies, c'était si effroyable là-bas, dans la ville de la peste. Indescriptible. Et elle se mit à raconter et à décharger son âme de toutes les sombres images qu'il lui avait fallu regarder. Elle raconta toutes sortes d'histoires, de vilaines histoires ; la petite ville avait dû être un enfer. L'un des deux médecins était mort, l'autre allait seulement chez les riches et dans bien des maisons les morts restaient et pourrissaient parce que personne ne les enlevait. Mais dans d'autres les hommes du service des morts avaient volé, fait la noce, forniqué, et souvent ils tiraient des lits en même temps que les morts les malades encore vivants et les jetaient sur des chars à charogne et les fourraient dans les fosses avec les cadavres. Elle en avait de toutes sortes à raconter, personne ne l'interrompit, Robert écoutait, horrifié, et les yeux brillants, Goldmund restait silencieux et indifférent ; il la laissait vider son sac bourré d'horreurs sans rien dire. Et qu'aurait-on pu dire ? À la fin Lene se lassa, le flot de paroles était tari, les mots lui manquaient. Goldmund alors se mit à marcher moins vite et à chanter tout doucement une chanson à beaucoup de couplets et à chaque couplet sa voix s'enflait ; Lene se mit à sourire et Robert écoutait, heureux et tout étonné – jamais encore il n'avait entendu Goldmund chanter. Il savait tout faire, ce Goldmund ! Il était là qui marchait et chantait, ce drôle de type ! Il chantait avec art, d'une voix pure, sans forcer le ton, et dès la seconde chanson, Lene fredonnait déjà avec lui et ne tarda pas à se joindre à lui de toute sa voix. Le soir tombait, au loin, derrière la lande se dressaient de sombres forêts et derrière elles des collines bleues qui semblaient, d'elles-mêmes, devenir de plus en plus bleues. Leur chant montait, tantôt joyeux, tantôt grave, au rythme de leurs pas.

« Comme tu es tout réjoui aujourd'hui ! dit Robert.

– Oui, je suis joyeux, naturellement, je suis joyeux aujourd'hui. J'ai trouvé une si belle amie. Ah ! Lene, quelle chance que les valets de la mort t'aient laissée pour moi ! Demain nous trouverons un petit nid où nous mènerons la bonne vie, où nous serons heureux que notre chair et nos os tiennent encore bien ensemble. Lene, as-tu déjà vu dans la forêt, en automne, le gros champignon que les limaces aiment tant et qu'on peut manger ?

– Oh ! oui, dit-elle en riant, je l'ai vu bien des fois.

– Tes cheveux sont juste aussi bruns que lui, Lene ; et ils sentent aussi bon. Encore une chanson ? Ou bien as-tu faim ? Il y a encore de bonnes choses dans mon sac. »

Le lendemain ils trouvèrent ce qu'ils cherchaient. Dans un petit bois de bouleaux se dressait une hutte de troncs d'arbres bâtie sans doute par des bûcherons ou des chasseurs. Elle était vide, la porte fut facile à forcer et Robert lui-même déclara que c'était une bonne hutte et que la région était saine. En route ils avaient trouvé des chèvres qui erraient sans berger et ils en avaient emmené une belle avec eux.

« Eh bien, Robert, dit Goldmund, je sais que tu n'es pas un charpentier, mais tu as pourtant été jadis menuisier. Nous habiterons ici. Tu vas faire une cloison dans notre château pour que nous ayons deux pièces : une pour Lene et moi, une pour toi et la chèvre. Nous n'avons plus grand-chose à manger, il nous faudra nous contenter ce soir de lait de chèvre, qu'il y en ait peu ou beaucoup. Tu vas donc construire la cloison et nous deux préparerons la couche pour nous tous. Demain je me mettrai en quête de nourriture. »

Tous se mirent aussitôt au travail. Goldmund et Lene cherchèrent de la litière, des fougères et de la mousse pour leur lit, et Robert affûta son couteau sur un silex pour couper des branches pour sa cloison. Toutefois il ne pouvait pas en venir à bout en un jour et alla le soir dormir en plein air. Goldmund trouva en Lene une douce compagne de jeux, craintive et inexpérimentée, mais pleine de tendresse. Il la prit doucement sur sa poitrine et veilla encore longtemps, écoutant son cœur battre après que, lasse et saturée d'amour, elle se fut endormie. Il aspirait l'odeur de ses cheveux bruns et se serrait contre elle en pensant à la grande fosse peu profonde où les diables encagoulés avaient vidé leurs charretées de cadavres. La vie était belle, beau et fugitif le bonheur, belle et si vite fanée la jeunesse.

La cloison de la hutte donna quelque chose de très joli ; à la fin ils y travaillèrent tous trois. Robert voulait montrer ce qu'il savait faire et s'échauffait à expliquer tout ce qu'il construirait s'il avait un établi, des outils, une équerre et des clous. Comme il n'avait rien que son couteau et ses mains, il se contenta de couper une douzaine de petits bouleaux et de les planter dans le sol de la cabane pour en faire une barrière grossière mais solide. Les intervalles, décida-t-il, devaient être bouchés avec des clayonnages en genêts. Ça demanda du temps, il en sortit quelque chose de gai et de beau ; tous y aidèrent.

Entre-temps, il fallut que Lene allât à la cueillette des mûres et veillât à la chèvre, et Goldmund faisait de petites reconnaissances dans la région, explorant le voisinage en quête de nourriture et rapportait ceci et cela. Il n'y avait pas âme qui vive dans les environs et Robert en fut fort satisfait : on était à l'abri de la contagion autant que des hostilités ; mais cela avait l'inconvénient qu'on trouvait très peu à manger. Il y avait non loin une cabane de paysans abandonnée, sans morts dedans cette fois, si bien que Goldmund proposa d'y établir leur résidence plutôt que dans la hutte, mais Robert refusa en frémissant et fut bien fâché de ce que Goldmund pénétrât dans la maison vide ; tout ce qu'il en rapporta dut être fumé et lavé au préalable avant que Robert y portât la main. Il n'y trouva pas grand-chose, mais tout de même deux escabeaux, un seau à lait, un peu de vaisselle de terre, une hache, et un jour il attrapa dans le champ deux poules qui s'étaient envolées. Lene était amoureuse et heureuse, et tous trois prenaient plaisir à ajouter quelque chose à leur petit foyer et à le rendre chaque jour un peu plus joli. Le pain manquait ; ils le remplacèrent en se procurant une seconde chèvre et ils découvrirent aussi un petit champ de betteraves. Les jours passaient. La cloison de genêts tressés fut achevée ; on améliora aussi les couchettes et on construisit un foyer. Le ruisseau n'était pas loin, l'eau était limpide et bonne. Souvent on chantait en travaillant.

Un jour, comme ils buvaient ensemble leur lait et se félicitaient de leur vie au foyer, Lene dit soudain d'un ton rêveur : « Mais comment ferons-nous quand viendra l'hiver ? »

Personne ne répondit. Robert rit. Goldmund, le regard perdu au loin, avait l'air étrange. Peu à peu Lene s'aperçut que personne ne songeait à l'hiver, que personne ne pensait sérieusement rester à la même place, que ce foyer n'en était pas un, qu'elle était parmi des vagabonds. Elle baissa tristement la tête.

Goldmund dit, d'un ton enjoué comme on parle à un enfant :

« Tu es fille de paysans, Lene, ces gens-là se font de la bile longtemps à l'avance. N'aie crainte, tu retrouveras un chez toi quand la peste sera passée. Elle ne durera pas éternellement. Tu retourneras alors chez tes parents, ou bien chez d'autres gens de ta connaissance, ou bien tu retourneras en service à la ville et gagneras ton pain. Mais maintenant nous sommes encore en été ; partout dans le pays c'est la mort tandis qu'ici c'est gentil et nous allons bien. Restons donc ici tant que ça nous plaira ; ça durera ce que ça durera.

– Et après ? s'écria Lene vivement, après, tout sera-t-il fini ? Et tu partiras ? Et moi ? »

Goldmund attrapa ses tresses et les tira doucement :

« Stupide petite gamine, dit-il, as-tu déjà oublié les valets des morts, les maisons désertes, le grand trou devant la porte où brûlent les feux ? Il faut te réjouir de n'être pas là-bas dans le trou et que la pluie ne tombe pas sur ta petite chemise. Tu devrais songer que tu en es réchappée, et que tu sens encore la bonne vie dans tes membres et que tu peux encore rire et chanter. »

Cela ne suffit pas à la consoler.

« Mais je ne veux pas m'en aller, gémit-elle, et je ne veux pas te laisser partir, non. On ne peut pourtant pas être heureux quand on sait que bientôt tout sera fini, envolé. »

Goldmund lui répondit encore, gentiment, mais avec une nuance de menace dans la voix :

« Là-dessus, ma petite Lene, tous les sages et tous les saints se sont déjà cassé la tête. Il n'est pas de bonheur qui dure longtemps. Mais si ce que nous avons maintenant ne te suffit pas et ne te fait plus de plaisir, je mets le feu sur l'heure à la cabane et chacun de nous ira son chemin. Laisse cela, Lene, en voilà assez. »

On en resta là, et elle céda, mais une ombre était tombée sur sa joie.

CHAPITRE XIV

Dès avant que l'été eût perdu toutes ses fleurs, la vie dans la cabane prit fin autrement qu'ils ne l'avaient imaginé. Un jour Goldmund erra longtemps dans la région avec une fronde, dans l'espoir d'attraper une perdrix ou quelque autre gibier, car la nourriture était devenue assez maigre. Lene se trouvait dans le voisinage à ramasser des mûres. Parfois il passait à sa portée et découvrait par-dessus les buissons sa tête émergeant de la chemise de toile au-dessus de son cou brun, ou bien il l'entendait chanter ; une fois il vint près d'elle grignoter quelques mûres, puis il s'en alla plus loin et la perdit de vue un moment. Il pensait à elle, avec tendresse, mais aussi avec quelque rancune : elle s'était remise à parler de l'automne et de l'avenir, à dire qu'elle se croyait enceinte et qu'elle ne le laisserait pas partir. « Voici que la fin approche, se dit-il, c'en sera bientôt assez, alors je m'en irai seul et je laisserai aussi Robert; je veux être, vers l'hiver, de retour dans la grande ville auprès de maître Niklaus, j'y resterai toute la mauvaise saison, et, au printemps prochain, je m'achèterai de bons souliers neufs et je me mettrai en route pour gagner Mariabronn, notre monastère, et saluer Narcisse; voilà bien dix ans que je ne l'ai vu. Il faut que je le retrouve, ne fût-ce que pour un jour ou deux. »

Un son inaccoutumé l'arracha à ses pensées et il sentit soudain combien ses réflexions et ses vœux l'avaient entraîné loin d'ici. Il tendit l'oreille, le cri d'angoisse se renouvela, il crut reconnaître la voix de Lene et se dirigea dans ce sens, bien qu'il ne lui plût pas d'être appelé par elle. Bientôt il fut assez près – oui, c'était la voix de Lene et elle criait son nom, comme si elle était dans un extrême péril. Il pressa le pas, toujours un peu fâché, mais les cris se répétant, la pitié et l'inquiétude prirent le dessus. Quand, à la fin, il la découvrit, elle était assise ou à genoux sur la lande, la chemise toute déchirée, criant et luttant contre un homme qui voulait lui faire violence. En quelques bonds vigoureux, Goldmund arriva et tout le dépit, toute l'inquiétude et toute la tristesse qui étaient en lui se déchargèrent en une fureur folle contre le criminel. Il le surprit au moment où il allait achever de clouer au sol Lene dont la poitrine nue saignait; l'étranger l'enserrait dans son étreinte avide. Goldmund se précipita sur lui, pressant sa gorge dans ses mains furieuses qui la sentaient, maigre et tendue, sous la barbe laineuse. Il l'étreignit avec délices, jusqu'à ce que l'autre lâchât la jeune fille et restât sans force dans ses mains. Il continua de l'étrangler tout en le traînant, incapable de résistance et à demi mort, non loin de là, vers quelques arêtes de rochers qui affleuraient, grisâtres, sur le sol. Là il enleva le vaincu, malgré son poids, deux ou trois fois au-dessus de terre, et projeta violemment sa tête contre l'arête du rocher. Puis il rejeta le corps, les vertèbres brisées, sans que sa colère fût encore assouvie, il aurait voulu le maltraiter plus longtemps encore.

Lene regardait, rayonnante. Sa poitrine saignait, elle tremblait de tout son corps et avait peine à respirer, mais elle se releva pourtant aussitôt, regardant avec admiration, avec délices son ami, plein de vigueur, entraîner l'intrus, l'égorger, lui briser la nuque et rejeter au loin son cadavre. Le mort gisait là comme un serpent qu'on a tué, détendu, disloqué, son visage gris à la barbe inculte et aux cheveux fins et peu fournis pendant lamentablement en arrière. Triomphante, Lene se dressa et se jeta sur le cœur de Goldmund. Mais elle pâlit soudain, elle avait encore l'angoisse dans tous ses membres, elle se trouva mal, s'affaissa épuisée dans les myrtilles. Bientôt toutefois elle put, avec l'aide de son ami, aller dans la hutte. Goldmund lava sa poitrine qui était griffée et l'un des seins portait une morsure du monstre. Robert fut très agité de cette aventure ; il s'informa avec passion des détails de la lutte.

« Brisé la nuque, dis-tu, splendide ! Tu es un redoutable lutteur, Goldmund ! »

Mais Goldmund n'avait nulle envie d'en parler davantage ; il était maintenant calmé et en s'éloignant du cadavre, il lui avait bien fallu songer à Victor, le pauvre chenapan et se dire que maintenant deux hommes étaient morts de sa main. Pour se débarrasser de Robert il déclara : « Maintenant, tu pourrais bien faire quelque chose, toi aussi. Va donc enlever le cadavre. Si c'est trop difficile de creuser un trou pour lui, alors il faudra l'emporter dans le lac aux roseaux ou bien le couvrir de pierres et de terre. » Mais la proposition fut écartée : Robert ne voulait rien avoir à faire avec les cadavres. On ne savait jamais si les gens ne portaient pas le germe de la peste.

Lene s'était couchée dans la hutte ; la morsure sur son sein lui faisait mal, toutefois elle ne tarda pas à se sentir mieux, se releva, alluma du feu et fit chauffer le lait du soir. Elle était de brillante humeur, mais on l'envoya très tôt au lit. Elle obéit comme un agneau, tant elle admirait Goldmund. Mais lui était silencieux et sombre ; Robert connaissait ça et le laissait tranquille. Quand il gagna, sur le tard, sa couche, il se pencha sur Lene pour écouter. Elle dormait. Il se sentit inquiet, pensa à Victor, éprouva de l'angoisse, un besoin de vie errante ; il eut l'impression que c'était fini de jouer au foyer. Mais il était une chose qui le faisait particulièrement réfléchir. Il avait saisi au passage le regard avec lequel Lene l'avait vu balancer et jeter au loin le corps du misérable. Un étrange regard ; il savait qu'il ne l'oublierait jamais : dans ses yeux immenses, pleins d'horreur et de ravissement, rayonnait une fierté, un triomphe, une jouissance partagée de la vengeance et du meurtre comme il n'en avait jamais vu ni soupçonné sur un visage de femme. Sans ce regard, pensait-il, il aurait peut-être un jour, plus tard, après des années, oublié la figure de Lene. Ce regard avait mis sur sa face de jeune paysanne de la grandeur, de la beauté, de l'horreur. Il y avait des mois que ses yeux n'avaient rien vu qui fasse surgir en lui ce vœu : « Voilà une chose qu'il faudrait dessiner ! » À ce spectacle il avait à nouveau, avec une sorte d'effroi, senti passer ce désir.

Ne pouvant dormir, il finit par se lever et sortir de la cabane. Il faisait frais ; le vent se jouait un peu dans les bouleaux. Il fit les cent pas dans les ténèbres, s'assit sur une pierre et y resta dans ses pensées, plongé dans une profonde détresse. Son âme était triste à cause de Victor, à cause de celui qu'il avait massacré aujourd'hui, il pleurait son innocence perdue en même temps que la pureté enfantine de son âme. Était-ce pour cela qu'il avait déserté le monastère, abandonné Narcisse, blessé maître Niklaus et renoncé à la belle Lisbeth ? – pour camper là, sur une lande, épier le bétail échappé, et tuer ce pauvre bougre, là-bas, sur les rochers ? Tout cela avait-il du sens ; cela méritait-il d'être vécu ? Son cœur se serra au souvenir de ces stupidités ; il était dégoûté de lui-même. Il se rejeta en arrière, et, couché sur le dos, regarda les nuages pâles de la nuit ; ses pensées se perdirent dans cette longue contemplation, il ne savait plus si c'étaient les nuages du ciel ou la tristesse de son propre monde intérieur qu'il fixait ainsi. Soudain, au moment où il s'endormait sur la pierre, apparut dans les nuées, éclatante comme un éclair de chaleur au milieu du défilé des nuages en marche, une grande figure blême, la figure d'Eve au regard lourd et voilé : tout à coup elle ouvrit démesurément les yeux, des yeux immenses, pleins de cruauté et de volupté. Goldmund s'endormit jusqu'à ce que la rosée vint le réveiller.

Le lendemain Lene était malade. On la laissa couchée ; il y avait bien du travail : Robert avait, au matin, rencontré dans le petit bois deux moutons qui, tout de suite, avaient pris la fuite devant lui. Il vint chercher Goldmund ; plus d'une demi-journée ils leur donnèrent la chasse et en capturèrent un. Ils étaient très las quand, vers le soir, ils rentrèrent avec la bête. Lene se sentait très mal ; Goldmund la regarda, la tâta et trouva des bubons de peste. Il ne le révéla point, mais, en apprenant que Lene était encore malade, Robert eut des soupçons et ne resta pas dans la hutte. Il chercherait dehors un coin pour dormir, dit-il, et il emmènerait également la chèvre ; elle aussi pouvait être contaminée.

« Alors va-t'en au diable ! cria Goldmund en fureur. Je n'ai aucune envie de te revoir. » Il attrapa la chèvre et la prit avec lui derrière la cloison de genêts. Robert disparut en silence, sans la chèvre. La peur de la peste, la peur de Goldmund, la peur de la solitude et de la nuit lui faisaient mal. Il se coucha non loin de la hutte.

Goldmund dit à Lene : « Je reste auprès de toi ; ne te fais pas de souci. Tu guériras. »

Elle branla la tête.

« Prends bien garde, chéri, de ne pas attraper la maladie. Il ne faut plus venir si près de moi. Ne te donne pas tant de peine pour me consoler. Je dois mourir et j'aime mieux mourir que de voir un jour que ta couche est vide et que tu m'as abandonnée. J'y pensais chaque matin et j'avais peur. Non, j'aime mieux mourir. »

À l'aube, elle était déjà bien mal. Goldmund lui avait donné de temps en temps une gorgée d'eau, dormant une heure dans l'intervalle. À la clarté du jour naissant il vit nettement la mort prochaine sur son visage déjà tout fané et décomposé. Il sortit un instant de la hutte pour prendre l'air et regarder le ciel. À la lisière du bois, quelques troncs de pins tordus et rougeâtres brillaient déjà dans les premiers rayons du soleil, l'air était frais et savoureux, au loin les collines baignaient encore dans les brumes du matin. Il s'éloigna un peu, étira ses membres fatigués, respira profondément. Le monde était bien beau par ce triste matin. Bientôt la vie errante allait reprendre. Le temps des adieux était venu !

Du bois, Robert l'appela. Est-ce que ça allait mieux ? Si ce n'était pas la peste, il resterait bien là. Goldmund ne devait pas lui en vouloir ; il avait de son côté gardé le mouton.

« Va au diable avec ton mouton ! lui cria Goldmund. Lene est en train de mourir et, moi aussi, je suis atteint. »

Cela, c'était un mensonge ; il parlait ainsi pour se débarrasser de l'autre. Il en avait assez de ce Robert, si bon garçon qu'il fût, il était trop lâche et trop petit pour lui ; il n'était pas à sa place en des temps pareils, sous les tempêtes d'un tel destin. Robert disparut et ne revint plus. Le soleil se leva dans sa splendeur.

Quand Goldmund reparut auprès de Lene, elle dormait. Lui aussi se rendormit ; en rêve il vit le cheval de son enfance, Bless, et le beau châtaignier du monastère. Il avait l'impression de se trouver dans des terres lointaines et sauvages d'où il jetait un regard sur le doux paradis perdu de sa jeunesse, et quand il se réveilla les larmes coulaient sur ses joues dans sa barbe blonde. Il entendit Lene parler d'une voix mourante : il crut qu'elle l'appelait et se dressa sur sa couche, mais elle ne parlait à personne, elle murmurait seulement des mots dans le vague : des petits mots tendres, des injures, sourit un peu, se mit ensuite à soupirer et à sangloter, puis se calma peu à peu. Goldmund se leva, se pencha sur son visage déjà défiguré; son œil suivit avec curiosité les traits qui se tordaient et se brouillaient lamentablement sous le souffle dévorant de la mort. « Chère Lene, criait son cœur, douce et chère enfant, veux-tu me quitter déjà, toi aussi? En as-tu assez de moi? »

Il aurait voulu se sauver. Cheminer, cheminer, marcher, respirer le grand air, s'éreinter, voir de nouvelles images, cela lui aurait fait du bien, cela aurait apaisé peut-être son cœur si lourd. Mais impossible, il ne pouvait laisser ici mourir seule cette enfant. À peine se risquait-il à sortir de temps en temps au bout de quelques heures, pour prendre l'air un instant. Comme Lene ne voulait plus de lait, il en but lui-même tout son content; il n'y avait plus rien d'autre à manger. Il emmena plusieurs fois la chèvre brouter dehors et se donner du mouvement. Après quoi il était de nouveau au chevet de Lene, lui murmurant des tendresses, les yeux rivés sur son visage, et observant désespérément, mais attentivement, la marche de la mort. Elle avait sa pleine conscience, parfois elle s'endormait, et quand elle se réveillait elle n'ouvrait plus les yeux qu'à demi sous ses paupières lasses et sans ressort. Dans la région des yeux et du nez, la jeune fille prenait d'heure en heure un aspect plus vieillot. De son jeune cou plein de fraîcheur sortait maintenant une figure de grand-mère vite flétrie. Il était rare qu'elle prononçât une parole; elle disait « Goldmund » ou « chéri » et essayait d'humecter avec la langue ses lèvres enflées et bleuâtres. Alors il lui donnait quelques gouttes d'eau.

Elle mourut la nuit suivante. Elle mourut sans se plaindre; il n'y eut qu'une légère convulsion, puis le souffle s'arrêta et un frémissement léger passa sur sa peau. À cette vue, son cœur frémit; il songea aux poissons mourants qu'il avait si souvent vus et plaints sur le marché; ils s'éteignaient ainsi, tout à fait, un sursaut léger et un léger frisson qui leur passaient sur la peau emportant leur éclat et leur vie. Un instant encore il s'agenouilla près d'elle, puis il alla dehors et s'assit dans les touffes de bruyère. Il pensa à la chèvre et rentra pour l'emmener. Après avoir cherché un peu de nourriture, la bête s'étendit sur le sol. Il se coucha près d'elle, la tête sur son flanc, et s'endormit jusqu'à ce que vînt le jour. Pour la dernière fois il alla alors dans la hutte et, derrière la cloison en clayonnages, il regarda pour la dernière fois la pauvre figure de la morte; il lui répugnait de la laisser là. Il alla chercher des brassées de bois mort et de broussailles fanées, qu'il jeta dans la cabane et alluma. Il n'emporta rien de la hutte que la pierre à feu. En un instant la paroi de genêts desséchés s'enflamma. Debout dehors, il regarda, le visage grillé par la flamme, jusqu'à ce que tout le toit fût embrasé et les premières poutres effondrées. La chèvre inquiète faisait des bonds et gémissait. Il eût été sage d'abattre l'animal et d'en rôtir un morceau pour le manger et prendre des forces pour la route. Mais il ne le pouvait ; il lâcha la chèvre dans la lande et s'en alla. La fumée de l'incendie le suivit jusque dans la forêt. Jamais il ne s'était mis en route dans un tel désespoir.

Et pourtant, ce qui l'attendait maintenant était encore pire qu'il n'eût pu l'imaginer. Cela commença aux premières fermes, aux premiers villages, et plus il avançait, plus cela persistait en s'aggravant. Toute la région, tout le vaste pays était sous un nuage de mort, sous un voile d'horreur, d'angoisse, qui assombrissait les âmes, et le pire, ce n'étaient pas les maisons désertes, les chiens qui pourrissaient morts de faim à la chaîne, les morts restés sans sépulture, les enfants qui mendiaient, les fosses communes devant les villes. Le pire, c'étaient les vivants qui, sous le fardeau de l'effroi et de l'angoisse mortelle, semblaient avoir perdu leurs yeux et leurs âmes. Partout le voyageur pouvait entendre et voir des choses étranges et effroyables. Des parents avaient abandonné leurs enfants et des époux leurs femmes quand ils étaient tombés malades. Les valets de la peste et les aides des hôpitaux régnaient en bourreaux, pillant les maisons vidées par la mort, tantôt, selon leur bon plaisir, laissant les morts sans sépulture, tantôt traînant les vivants, avant qu'ils aient cessé de respirer, hors de leurs lits sur les chars à cadavres. Des fugitifs apeurés erraient solitaires, devenus sauvages, évitant tout contact avec les hommes, poursuivis par la peur de la mort. D'autres, sous l'impulsion d'un désir de vivre exaspéré et épouvanté, formaient des groupes qui tenaient des festins et se livraient à des danses et à des fêtes amoureuses au cours desquelles la mort jouait du violon. D'autres, ravagés, désolés, blasphémant, se tenaient, les yeux égarés, accroupis devant les cimetières ou devant leurs maisons dépeuplées. Et le pire de tout, c'est que chacun cherchait un bouc émissaire pour son intolérable misère. Chacun prétendait connaître le coupable, cause de l'épidémie, ou ses auteurs criminels. Des êtres diaboliques, disait-on, se délectant de la misère publique, veillaient à la propagation du mal en allant prendre sur les cadavres pestiférés le poison pestilentiel et en enduisaient les murs, les loquets des portes, les fontaines et le bétail pour les empoisonner. Celui sur qui pesait un tel soupçon, à moins qu'il ne fût averti et pût fuir, était perdu, il était mis à mort par la justice ou par la populace. Les riches incriminaient les pauvres et réciproquement; ou bien ce devaient être les juifs, ou les welches, ou les médecins. Dans une ville, Goldmund vit, le cœur soulevé de fureur, toute la rue des juifs en flammes, maison par maison, le peuple se tenait autour, hurlant sa liesse, et repoussant dans le brasier, par la force des armes, les fugitifs qui hurlaient. Dans cette angoisse et cette folle exaspération, partout on tuait, on brûlait, on martyrisait des innocents. Furieux et écœuré, Goldmund regardait tout cela; le monde semblait ébranlé et empoisonné. On eût dit qu'il n'était plus sur terre de joie, d'innocence, ni d'amour. Souvent il courait aux fêtes brutales des gens qui voulaient vivre; partout résonnait le violon de la mort; il ne tarda pas à reconnaître sa musique; souvent il prenait part aux festins des désespérés, souvent il y jouait du luth ou dansait à la lueur des torches, au cours de ces nuits de fièvre.

Il ne connaissait pas la peur. Il avait une fois, par une nuit d'hiver, sous les sapins, goûté l'angoisse de la mort, quand Victor lui avait serré la gorge de ses doigts et aussi dans la neige et la faim de maintes rudes journées de marche. C'était là une mort contre laquelle on pouvait lutter et se mettre en défense, et il s'était défendu, les mains et les pieds tremblants, le ventre vide, les membres épuisés, il s'était défendu et il avait vaincu, il avait échappé. Mais avec cette peste de malheur, impossible de lutter, on ne pouvait que la laisser épuiser sa rage, on ne pouvait que se résigner; et depuis longtemps Goldmund était résigné. Il n'avait pas peur; il semblait que la vie n'eût plus de prix pour lui depuis qu'il avait laissé Lene dans la hutte en flammes, depuis qu'il avançait, jour après jour, dans le pays dévasté par la mort. Mais il était poussé par une immense curiosité qui le tenait en éveil : il ne se lassait pas de regarder la Grande Faucheuse d'hommes, d'entendre la chanson des choses éphémères; il ne se dérobait jamais, sans cesse il était possédé de la passion d'être de la partie, de faire, les yeux grands ouverts, son chemin à travers l'enfer. Il mangeait du pain moisi dans des maisons dépeuplées, il chantait et vidait les coupes de vin aux festins des déments, cueillait la fleur si vite fanée de la volupté, fixait ses regards dans les yeux fixes et ivres des femmes, les fixait dans les yeux fixes et stupides des ivrognes, les fixait dans les yeux éteints des mourants, aimait le désespoir fiévreux des femmes, aidait, pour une assiettée de soupe, à emporter les morts, aidait, pour deux liards, à jeter de la terre sur la nudité des cadavres. Le monde s'était fait sombre et sauvage, la mort hurlait sa chanson, Goldmund l'écoutait, les oreilles bien ouvertes, avec une passion dévorante.

Son but, c'était la ville de maître Niklaus, c'est là que l'attirait la voix de son cœur. La route était longue, pleine de mort, de désolation et d'agonies. Il s'en allait, triste, dans l'ivresse du chant de la mort, en proie à la douleur hurlante du monde, triste, et pourtant ardent, tous ses sens en éveil.

Il vit, dans un cloître, une fresque qu'on venait de peindre ; il resta longtemps à la contempler. Une danse macabre était peinte là sur un mur ; le squelette blême entraînait en dansant les hommes dans la tombe ; le roi, l'évêque, l'abbé, le comte, le chevalier, le médecin, le paysan, le soldat, tous elle les emmenait, et des squelettes de musiciens jouaient pendant ce temps-là sur des os creux. Les yeux curieux de Goldmund buvaient goulûment l'image. Voilà qu'un confrère inconnu avait tiré la leçon du spectacle de la peste noire dont il avait été témoin et vous criait dans les oreilles son âpre sermon sur l'inévitable mort. Elle était bonne, cette image, c'était un bon sermon, il n'avait pas mal vu et pas mal rendu la chose, le camarade inconnu, ça sonnait comme des os qui se heurtent, ça faisait dresser les cheveux sur la tête. Et pourtant, ce n'était pas cela que lui, Goldmund, avait vu et vécu. C'était la fatalité de la mort, dans sa sévérité inéluctable qui s'affichait dans ce tableau. Lui, il aurait demandé autre chose ; la chanson sauvage du trépas avait, en lui, une autre résonance. Elle ne faisait point songer au bruit sec et dur des os qui se heurtent, elle était plus douce, séduisante ; une mère qui vous rappelle en son sein. Là où la mort portait la main sur la vie, ce n'était pas seulement ces sons aigres et guerriers qu'on entendait, mais aussi une musique profonde, tendre, une musique d'automne et d'abondance ; dans l'ombre de la mort, la petite lampe de la vie brûlait plus claire et plus intime. Pour d'autres : un guerrier, un juge, un bourreau, la mort pouvait bien se présenter sous l'aspect d'un père sévère, pour lui, la mort était aussi une mère et une amante, son appel était un geste de tendresse qui vous attire, sa main posée sur vous faisait passer un frisson d'amour.

Après avoir contemplé ce tableau de la danse macabre et repris sa route, Goldmund se sentit plus irrésistiblement attiré vers le maître et vers la création artistique. Mais partout il lui fallait s'arrêter devant de nouvelles images et de nouvelles expériences ; les narines frémissantes, il aspirait l'air chargé de mort, partout la pitié et la curiosité réclamaient de lui une heure, une journée. Trois jours durant il eut avec lui un petit paysan, un gamin geignard de cinq ou six ans, à demi mort de faim, qu'il porta pendant des heures sur son dos, qui lui donna bien du mal et dont il eut peine à se débarrasser. À la fin, il le passa à la femme d'un charbonnier qui avait perdu son mari et qui voulait avoir près d'elle un être vivant. Pendant des jours, un chien sans maître le suivit, il mangeait dans sa main et le réchauffait la nuit, mais un matin il était parti. Il en eut de la peine, il s'était habitué à parler au chien, pendant des demi-heures il adressait à la bête des discours profonds sur la méchanceté des humains, sur l'existence de Dieu, sur l'art, sur les seins et les hanches d'une fille du chevalier du nom de Julie, que, jadis, dans sa jeunesse, il avait connue. Car, naturellement, Goldmund était devenu un peu fou au cours de sa randonnée au pays de la mort ; tant de gens l'étaient devenus tout à fait ! Un tout petit peu folle aussi sans doute, la jeune juive Rébecca, la belle fille aux cheveux noirs et aux yeux ardents avec qui il s'attarda deux jours.

Il la rencontra devant une petite ville, dans la campagne, près d'un tas de débris noirs et calcinés, accroupie et hurlante, se frappant le visage et tirant sur sa chevelure sombre. Il s'attendrit sur ces cheveux ; ils étaient si beaux ; il attrapa ses mains furieuses et les retint tout en adressant des exhortations à la jeune fille, il se rendit compte que son visage aussi et son corps étaient d'une grande beauté. Elle se lamentait sur son père qui, sur l'ordre des autorités, avait été brûlé en même temps que quatorze autres juifs. Elle avait pu s'enfuir, mais désespérée, elle était revenue et se reprochait de ne pas s'être laissé brûler avec les autres. Patiemment, il retint ses mains qui se débattaient, essayant doucement de la persuader, et, la grondant sur un ton de pitié et de protection, il lui offrit son aide. Elle demanda qu'il l'aidât à ensevelir son père, et dans la cendre encore chaude ils rassemblèrent tous les os, les portèrent dans les champs en un lieu bien dissimulé et les recouvrirent de terre. Pendant ce temps, le soir était venu et Goldmund chercha où ils pourraient bien dormir. Il installa une couche pour la jeune fille dans un petit bois de chênes, lui promit de veiller et l'écouta qui continuait à pleurer et à sangloter une fois couchée, avant de s'endormir enfin. Alors il sommeilla un peu lui aussi, et au matin il se mit à essayer de faire sa conquête. Il lui expliqua qu'elle ne pouvait rester seule ainsi ; on la reconnaîtrait comme juive, on la massacrerait, ou bien d'ignobles chemineaux abuseraient d'elle, et puis, il y avait des loups et des tziganes dans la forêt. Mais lui, il l'emmènerait et la protégerait contre les loups et les hommes, car il avait pitié d'elle, et il avait pour elle de la tendresse ; il avait des yeux qui savaient ce que c'était que la beauté et ne souffrirait pas que ces douces paupières et ces charmantes épaules soient dévorées par les bêtes ou se consument sur un bûcher. Elle l'écouta d'un air sombre, puis se leva et s'enfuit. Il fut obligé de lui donner la chasse et de la rattraper avant de pouvoir poursuivre.

« Rébecca, dit-il, tu vois pourtant bien que je ne te veux pas de mal. Tu es désolée, tu songes à ton père, tu ne veux, pour l'instant, rien savoir de l'amour. Mais demain, après-demain ou plus tard, je te poserai à nouveau la question et, d'ici là, je te protégerai, je t'apporterai à manger et je ne te toucherai pas. Sois triste aussi longtemps que c'est nécessaire. Auprès de moi tu pourras être triste ou gaie, tu ne feras jamais que ce qui te plaira. »

Autant en emportait le vent. Elle ne voulait, disait-elle, obstinée et furieuse, rien faire de ce qui donnait de la joie ; elle voulait faire ce qui apporte de la peine, jamais plus elle ne songerait à rien qui ressemble au plaisir et plus tôt le loup la mangerait, mieux cela vaudrait pour elle. Lui, il n'avait qu'à s'en aller, rien n'y ferait, on avait déjà dit trop de vaines paroles.

« Allons, continua-t-il, ne vois-tu pas que, partout, c'est la mort, que dans toutes les maisons, dans toutes les villes on périt et que la détresse est partout ? La fureur sauvage des êtres stupides qui ont brûlé ton père n'est rien d'autre, elle aussi, que misère et détresse, elle ne provient que d'un excès de souffrance. Vois, bientôt, la mort nous prendra nous aussi et la taupe jouera avec nos os. D'ici là vivons encore et soyons bons les uns pour les autres. Ce serait dommage pour ton beau cou blanc et pour tes petits pieds ! Chère et jolie fille, viens à moi, je ne te toucherai pas, je ne veux que te regarder et prendre soin de toi. »

Il supplia longtemps encore et sentit lui-même soudain comme il était vain de vouloir la gagner par des paroles et des raisons. Il se tut, la regardant seulement avec tristesse. Son fier visage royal était figé dans son refus.

« Voilà comme vous êtes, dit-elle enfin, d'une voix chargée de haine et de mépris, voilà comme vous êtes, vous autres chrétiens ! Tu commences par aider une fille à ensevelir son père que les tiens ont tué et dont le dernier des ongles a plus de prix que toi, et à peine est-ce fini qu'il faut que la fille soit à toi et vienne coucher avec toi ! Voilà comme vous êtes ! D'abord j'avais cru que tu étais peut-être bon. Mais comment pourrais-tu être bon ? Vous êtes des porcs. »

Tandis qu'elle disait, Goldmund vit dans ses yeux, derrière la haine, briller quelque chose qui l'émut, lui alla droit au cœur et lui fit honte. Ce qu'il voyait dans ses yeux, ce n'était pas la fatalité de la mort, mais la volonté de périr, le libre devoir de mourir, la soumission silencieuse et résignée à l'appel de la Mère de la Terre.

« Rébecca, dit-il à mi-voix, tu as raison peut-être. Je ne suis pas bon, quoique j'aie voulu ton bien. Pardonne-moi ; je viens seulement de te comprendre. »

Tirant son bonnet, il la salua bien bas, comme une princesse, et s'en alla le cœur lourd. Il était contraint de la laisser périr. Longtemps il resta dans l'affliction, sans vouloir parler à personne. Si dissemblables qu'elles fussent, cette pauvre et fière enfant, cette juive, le faisait songer de quelque manière à Lydia, la fille du chevalier. L'amour de telles femmes était une source de douleurs. Mais un moment il lui sembla qu'il n'avait jamais aimé personne d'autre que ces deux-là : la pauvre Lydia tourmentée d'inquiétude et la juive dans son amertume farouche.

Bien des jours encore, il songea à cette fille passionnée aux cheveux noirs ; mainte nuit il rêva de la beauté brûlante de son corps svelte qui semblait destinée à s'épanouir dans le bonheur et se trouvait pourtant vouée à la mort. Oh ! ces lèvres et ces seins allaient-ils être la proie des « porcs » et pourrir dans les champs ? N'était-il point de force, de charme qui pût sauver ces fleurs précieuses ? Si, il existait, ce charme ; ils continuaient à vivre dans son âme, il pourrait fixer leur forme, leur donner l'éternité. Avec effroi, avec ravissement il constatait que son âme était pleine d'images, que cette longue traversée du pays de la mort y avait gravé mille figures. Elle était tendue à éclater, son âme, elle aspirait à se concentrer sur elles, à les laisser s'écouler au dehors, à les transformer en œuvres durables ! Plus ardent, plus avide, il avançait toujours, les yeux grands ouverts, les sens éveillés à la curiosité ; il lui eût fallu du papier, des crayons, du plâtre, du bois, un atelier, du travail.

L'été était écoulé. Bien des gens prétendaient qu'avec l'automne, ou tout au moins avec le début de l'hiver, l'épidémie prendrait fin. Ce fut un automne sans joie. Goldmund traversa des contrées où il n'y avait plus personne pour cueillir les fruits qui tombaient des arbres et pourrissaient dans l'herbe ; dans d'autres, des hordes sauvages venaient des villes faire de féroces razzias, pillant et saccageant tout.

Lentement Goldmund approchait de son but. En ces derniers temps, il craignit plus d'une fois d'attraper la peste avant de l'avoir atteint et de mourir dans quelque étable. Maintenant, il ne voulait plus mourir, pas avant d'avoir eu la joie d'être à nouveau dans un atelier et de se donner passionnément à l'art créateur. Pour la première fois de sa vie il jugeait le monde trop vaste et le Saint-Empire trop grand. Pas de jolie petite ville qui fût maintenant capable de le retenir pour une halte reposante, pas de jolie paysanne qui le fixât pour plus d'une nuit.

Un jour, il passa devant une église au portail de laquelle se dressaient, au fond des niches supportées par des colonnettes ornementées, beaucoup de statues de pierre d'une époque très reculée : des figures d'anges, d'apôtres et de martyrs du genre de celles qu'il avait vues souvent dans son monastère de Mariabronn. Jadis, dans sa jeunesse, il les avait regardées avec plaisir mais sans s'enthousiasmer pour elles. Elles lui semblaient belles et imposantes, mais un peu trop solennelles, un peu raides et patriarcales. Par la suite, à l'issue de sa première grande étape, quand il s'était épris de la douce et triste madone de maître Niklaus, il avait trouvé ces pompeuses figures de pierre des vieux artistes franconiens trop lourdes, figées et lointaines, trop distantes. Il les avait considérées avec dédain et voyait dans la manière de son maître un art bien plus vivant et intime, beaucoup plus émouvant. Aujourd'hui, au retour d'un second pèlerinage à travers un monde qui l'avait comblé de visions et avait imprimé à son âme les brûlantes cicatrices et les empreintes de tant d'aventures et d'expériences, dans sa soif douloureuse de recueillement et de création nouvelle, ces antiques et sévères images l'émurent tout à coup avec une irrésistible violence. Il médita devant ces vénérables statues où le cœur d'une époque depuis longtemps révolue continuait à battre et où les angoisses et les extases de générations depuis longtemps disparues, figées dans la pierre, persistaient après des siècles à braver l'instabilité de la destinée humaine. Dans son cœur devenu sauvage, le sentiment du respect se réveilla dans un frisson d'humilité, et en même temps, l'horreur de sa vie gâchée et consumée. Il fit ce qu'il n'avait plus fait depuis un temps infini, il chercha un confessionnal pour avouer ses fautes et s'en faire châtier.

Il y avait bien des confessionnaux dans l'église, mais dans aucun ne se trouvait un prêtre; tous étaient morts, ou sur un lit d'hôpital, ou bien ils avaient fui par crainte de la contagion. L'église était vide et les pas résonnaient sous les voûtes. Il se mit à genoux dans l'un des confessionnaux désertés, ferma les yeux et murmura dans la grille : « Mon Dieu ! vois ce que je suis devenu ! Me voici de retour d'un monde qui a fait de moi un être inutile et méchant. J'ai gaspillé mes jeunes années comme un prodigue et ce qui me reste est peu de chose. J'ai tué, j'ai volé, j'ai forniqué, j'ai vécu dans l'oisiveté et mangé le pain ravi aux autres. Mon Dieu, pourquoi nous as-tu créés ainsi et pourquoi nous mènes-tu par de telles voies ? Ne sommes-nous pas tes enfants ? Ton fils n'est-il pas mort pour nous ? N'y a-t-il pas des anges et des saints pour nous guider ? Ou bien ne sont-ce que de jolies histoires inventées que l'on raconte aux enfants et qui font rire les prêtres eux-mêmes ? Mon Dieu, tu me déconcertes ! Tu as raté ta création et tu ne tiens pas ton univers en ordre. J'ai vu des maisons et des rues pleines de morts; j'ai vu les riches se retrancher dans leurs demeures ou s'enfuir et les pauvres laisser leurs frères sans sépulture, se soupçonner les uns les autres et massacrer les juifs comme du bétail. J'ai vu tant d'innocents dans la peine et tant de méchants nager dans le bien-être. Nous as-tu donc tout à fait oubliés et abandonnés ? T'es-tu complètement dégoûté de ton œuvre ? Veux-tu nous laisser tous périr ? »

Après quoi, franchissant le portail et soupirant, il contempla les statues silencieuses, les anges et les saints minces et élancés, dans les plis raides de leurs draperies, impassibles, inaccessibles, surhumains et pourtant créés de la main de l'homme et de l'esprit de l'homme. Sévères et sourds, ils se dressaient là-haut, dans leurs niches étroites, inaccessibles à toute prière, à toute question, et cependant ils demeuraient dans leur dignité et leur beauté qui survivaient aux générations humaines et à leur disparition, comme une infinie consolation, un triomphe sur la mort et le désespoir. Ah ! si, du moins, la pauvre Rébecca, la belle juive, la pauvre Lene consumée dans sa hutte, et la charmante Lydia, et maître Niklaus se tenaient là, eux aussi ! Mais ils se dresseraient ainsi un jour pour l'éternité, il érigerait, lui, leurs statues; et ces formes qui, aujourd'hui, signifiaient pour lui amour et tourment, angoisse et passion, se présenteraient devant les générations futures, sans nom et sans histoire, symboles silencieux et muets de la vie humaine !

CHAPITRE XV

Enfin il était au but. Goldmund pénétra dans la ville de son désir par la même porte que jadis, il y avait tant d'années, il avait franchie pour aller à la recherche de son maître. En route, à mesure qu'il approchait de la cité épiscopale, mainte nouvelle était déjà venue à lui ; il savait que là aussi la peste était passée et sévissait peut-être encore, on lui avait parlé de troubles et d'émeutes, et raconté qu'un représentant de l'empereur était venu rétablir l'ordre, prendre des mesures de salut public, protéger les biens et la vie des bourgeois. Car dès le début de l'épidémie l'évêque avait abandonné la ville, et résidait bien loin dans un de ses châteaux à la campagne. Le voyageur s'était peu intéressé à toutes ces nouvelles. Pourvu que la ville fût encore là et l'atelier où il voulait travailler, tout le reste était pour lui sans importance. Quand il arriva, la peste s'était éteinte ; on attendait la venue de l'évêque et on se réjouissait du départ du gouvernement impérial et du retour de la vie paisible d'autrefois.

En retrouvant la ville, Goldmund sentit, au revoir des choses familières, une vague d'émotion comme il n'en avait pas connu jusque-là lui traverser le cœur, et, pour rester maître de lui-même, il se fit un visage grave qui ne lui était pas naturel. Oh ! tout était encore là : les portes de la cité, la belle fontaine, la vieille tour trapue de la cathédrale et, si légère, l'église neuve de Sainte-Marie, le clair carillon de Saint-Laurent et la grande place du marché pleine de lumière. Tout cela l'avait attendu ! Que c'était bon ! N'avait-il pas une fois, en route, rêvé qu'il arrivait et ne se heurtait qu'à des objets inconnus, transformés, dans une ville en partie détruite et en ruine, en partie défigurée par des bâtiments neufs et de bizarres et déplaisantes ornementations ? Il avait les larmes aux yeux en allant par les rues, reconnaissant chaque maison l'une après l'autre. En fin de compte, n'étaient-ils pas tout de même enviables, ces sédentaires, dans leurs jolies demeures sûres, dans leur vie bourgeoise bien enclose, dans leur sentiment apaisant et réconfortant du foyer, du chez-soi, dans leurs salles et leurs ateliers, entre leur femme et leurs enfants, leurs domestiques et leurs voisins ?

L'après-midi tirait à sa fin, et sur le côté ensoleillé de la rue, les maisons, les enseignes des auberges et des corporations, les portes sculptées et les pots de fleurs baignés de chaude lumière, rien ne faisait songer que, dans cette ville également, la mort et la folle angoisse des hommes avaient fait rage. Le fleuve s'écoulait, lumineux, bleu clair et vert clair, sous les voûtes sonores du pont. Goldmund s'assit un moment sur le parapet ; au fond, dans le cristal verdâtre, les poissons sombres glissaient toujours comme des ombres, ou restaient immobiles, le nez contre le courant ; comme jadis, dans les ténèbres des profondeurs, étincelait toujours, çà et là, ce reflet d'or si prometteur, si propice au rêve. Tout cela, on pouvait l'admirer aussi dans d'autres eaux et il était aussi d'autres ponts et d'autres villes belles à voir et, cependant, il avait l'impression que, depuis très longtemps, il n'avait rien vu de si beau, rien éprouvé de pareil.

Deux garçons bouchers entraînaient un veau, ils échangeaient des clignements d'yeux et des plaisanteries avec une servante qui, au-dessus d'eux, ramassait du linge dans une tonnelle. Comme tout passait donc si vite ! Il n'y a pas longtemps, les feux brûlaient là pour préserver de la peste, et les odieux valets des hôpitaux régnaient en maîtres ; et maintenant la vie avait repris son cours, on riait, on faisait des plaisanteries ; et pour lui-même en était-il autrement ? Il se tenait là dans le ravissement du revoir, son cœur débordant de gratitude s'ouvrait même aux sédentaires, comme s'il n'y avait eu ni mort, ni Lene, ni princesse juive. Il se leva en souriant, poursuivit sa route et ce fut seulement quand il approcha de la rue de maître Niklaus et parcourut à nouveau le chemin que jadis, pendant des années, il avait fait chaque jour pour aller à son travail que son cœur se serra et qu'il s'émut. Il pressa le pas. Il voulait, dès aujourd'hui, se présenter chez le maître et savoir à quoi s'en tenir ; cela ne pouvait pas attendre, il lui eût semblé impossible de différer jusqu'au lendemain. Le maître lui en voulait-il encore ? C'était si vieux, ça ne pouvait plus avoir d'importance, et s'il en était tout de même ainsi, il en viendrait à bout. Pourvu que le sculpteur fût encore là et l'atelier, tout allait bien ! En toute hâte, comme si, au dernier moment, il risquait encore d'arriver trop tard, il s'élança vers la porte si connue, saisissant la poignée et s'inquiéta fort en la trouvant close. Était-ce de mauvais augure ? Autrefois, il n'arrivait jamais qu'on tînt, le jour, cette porte fermée. Il laissa le heurtoir retomber bruyamment et attendit. Son cœur devint soudain très anxieux.

La même vieille servante se présenta qui l'avait reçu jadis à son arrivée dans cette maison. Elle n'était pas devenue plus laide, mais plus vieille et plus revêche. Elle ne le reconnut pas. D'une voix inquiète il s'informa du maître. Elle lui jeta un stupide regard de défiance.

« Le maître ? Il n'y a plus ici de maître. Passez votre chemin, bonhomme, on ne laisse entrer personne. »

Elle voulut le repousser. Il la saisit par le bras et lui cria :

« Mais parle donc ! Margrit, pour l'amour de Dieu ! Je suis Goldmund. Ne me reconnais-tu donc pas ! Il faut que je voie maître Niklaus ! »

Ce ne fut pas un souhait de bienvenue qui lui répondit dans ces yeux presbytes, à demi éteints.

« Il n'y a plus de maître Niklaus, dit-elle avec un geste hostile, il est mort. Tâchez de filer ; je ne peux pas rester ici à bavarder. »

Goldmund, voyant tout s'écrouler en lui, écarta la vieille qui le suivit en criant et courut à travers le couloir sombre vers l'atelier. Il était fermé. Poursuivi par les gémissements et les injures de la vieille, il grimpa l'escalier. Dans le vestibule si connu, se dressaient, dans les ténèbres, les statues rassemblées par l'artiste. Il appela Lisbeth d'une voix tonnante.

La chambre s'ouvrit, Lisbeth parut et quand il la reconnut, mais pas du premier coup, son cœur se serra. Tout dans cette maison, depuis le moment où, à son grand effroi, il avait trouvé la porte close, lui avait paru fantastique et enchanté comme dans un rêve qui vous oppresse, mais à la vue de Lisbeth, ce fut un frisson qui lui passa dans le dos. La belle et fière Lisbeth était devenue une vieille fille farouche, courbée, au teint jaune et maladif, dans un vêtement noir et vulgaire, le regard fuyant, l'attitude apeurée.

« Pardonnez, dit-il, Margrit ne voulait pas me laisser entrer. Ne me reconnaissez-vous pas ? Je suis Goldmund. Ah ! dites, est-ce vrai que votre père est mort ? »

Il vit à ses yeux qu'elle le reconnaissait maintenant et se rendit compte en même temps qu'il n'avait pas laissé ici de bons souvenirs.

« Ah ! vous êtes Goldmund », dit-elle, et dans sa voix il perçut quelque chose de son ancienne hauteur. « Vous êtes venu pour rien, mon père est mort.

– Et l'atelier ? ne put-il se retenir de demander.

– L'atelier ? Il est fermé. Si vous cherchez du travail, il vous faut aller ailleurs. »

Il essaya de se ressaisir.

« Demoiselle Lisbeth, dit-il d'un ton cordial, je ne cherche pas de travail ; je voulais seulement saluer le maître et vous-même. Ce que je viens d'entendre me fait bien de la peine. Je vois que vous avez passé de mauvais jours. Si un élève reconnaissant de votre père peut vous rendre quelque service, dites-le, ce me serait une joie. Ah ! demoiselle Lisbeth, mon cœur se brise à vous trouver ainsi – ainsi dans la peine ! »

Elle recula sur le pas de la porte.

« Merci, dit-elle, vous ne pouvez plus lui rendre service et à moi non plus. Margrit va vous reconduire. »

Sa voix était méchante, à demi irritée, à demi craintive. Si elle en avait eu le courage, elle l'aurait mis ignominieusement dehors.

Déjà il était en bas, déjà la vieille avait flanqué la porte sur lui, poussé les deux verrous. Il entendit leur claquement dur comme le couvercle d'un cercueil qu'on referme.

Lentement il revint au parapet sur la rive et s'assit de nouveau à son ancienne place au-dessus de l'eau. Le soleil était couché, un vent froid venait du fleuve, froide était la pierre sur laquelle il était assis.

Le quai était retombé dans le silence ; contre les piles du pont, le courant se brisait en grondant, les profondeurs étaient sombres, on ne voyait plus étinceler le moindre reflet d'or. Oh ! se disait-il, si seulement je tombais du parapet et disparaissais dans le fleuve !

La mort emplissait à nouveau le monde. Une heure passa ; le crépuscule avait fait place à la nuit. Il pouvait enfin pleurer. Il était là en larmes, les gouttes tombaient chaudes sur ses mains et ses genoux. Il pleurait la mort du maître, la beauté disparue de Lisbeth, il pleurait Lene, Robert, et la jeune juive, et sa jeunesse perdue et gâchée.

Plus tard, il se trouva dans une auberge, où, jadis, il avait souvent bu avec des camarades. L'hôtesse le reconnut ; il demanda un morceau de pain, elle le lui donna et eut même la gentillesse de lui offrir aussi un gobelet de vin. Ni le pain ni le vin ne pouvaient descendre. Il passa la nuit sur un banc dans l'auberge. Au matin, l'hôtesse le réveilla. Il la remercia et s'en alla, en route il mangea son pain.

Il se rendit sur le marché aux poissons ; c'est là que se trouvait autrefois sa chambre. Près de la fontaine, quelques poissonniers offraient leur marchandise vivante. Il regarda les beaux animaux nager dans les cuves. Il était souvent resté ainsi autrefois à les observer et il lui vint à l'esprit qu'il avait alors souvent eu pitié d'eux et se mettait en fureur contre les poissonniers et leurs clients. Jadis, il s'en souvenait, il s'était promené là, admirant et plaignant les poissons et il s'était senti triste; bien des jours s'étaient écoulés depuis lors et beaucoup d'eau était passée dans le fleuve. Il avait été bien désolé, il en gardait encore le souvenir, mais la cause de son affliction, il ne la savait plus. C'était ainsi, les impressions tristes passaient comme les autres, la douleur, le désespoir passaient comme la joie, ils s'atténuaient, pâlissaient, perdaient leur profondeur et leur prix et, à la fin, un jour venait où on ne pouvait plus retrouver ce que c'était qui vous avait fait, jadis, tant de peine. Les douleurs, elles aussi, s'effeuillaient et se fanaient. Sa souffrance d'aujourd'hui se fanerait-elle également? Serait-elle un jour chose vaine, son amertume de ce que le maître n'était plus, avait quitté la vie furieux contre lui? De ce qu'aucun atelier ne s'ouvrît plus à lui pour qu'il y pût jouir de la volupté de créer et décharger son âme du fardeau de toutes ces images? Oui, bien sûr, il passerait aussi, ce chagrin, cette amère détresse ne serait plus, un jour, qu'un vieux souvenir en train de s'effacer; il l'oublierait. Rien n'était stable, pas même la douleur.

Tout en regardant les poissons et en s'abandonnant à ses pensées, il entendit une voix discrète prononcer gentiment son nom.

« Goldmund! », disait-on timidement, et quand il se détourna il y avait là une jeune fille, frêle et un peu maladive, aux beaux yeux sombres, qui l'avait appelé. Il ne la connaissait pas.

« Goldmund! C'est bien toi? disait la voix hésitante. Depuis quand es-tu de retour dans la ville? Ne me reconnais-tu pas? Je suis Marie. »

Mais il ne la reconnaissait pas. Elle dut expliquer qu'elle était la fille de son hôte d'autrefois et que, jadis, au matin de son départ, elle lui avait fait chauffer du lait à la cuisine. Elle rougissait en racontant.

Oui, c'était Marie, c'était la fillette malingre à la hanche malade qui alors s'était occupée de lui avec tant de tendresse et de retenue. Il retrouvait tout maintenant : elle l'attendait dans la fraîcheur du matin, elle était toute triste de son départ, elle lui avait fait chauffer du lait et il lui avait donné un baiser qu'elle avait reçu avec dévotion et recueillement comme un sacrement. Il n'avait plus songé à elle une seule fois. Elle était encore une enfant dans ce temps-là. Aujourd'hui, elle était devenue grande, elle avait de beaux yeux, mais elle boitait toujours, et semblait chétive. Il lui tendit la main, heureux qu'il y eût tout de même quelqu'un dans la ville qui se souvînt de lui et lui gardât sa tendresse.

Marie l'emmena; il ne se défendit que faiblement. Il dut rester à déjeuner chez ses parents, dans la pièce où était encore suspendu le dessin qu'il avait fait, et où son verre rouge rubis était encore sur la corniche de la cheminée; on l'invita à rester quelques jours, on était tout heureux de le revoir enfin. Là, il apprit aussi ce qui s'était passé dans la maison de son maître. Niklaus n'avait point été emporté par l'épidémie; c'était la belle Lisbeth qui avait attrapé la peste, elle avait été à la dernière extrémité et son père s'était épuisé à la soigner; il était mort avant qu'elle fût tout à fait guérie. Elle avait été sauvée, mais avait perdu sa beauté.

« L'atelier est vide, dit l'hôte, et pour un bon sculpteur d'images il y aurait là un beau foyer tout prêt et de l'argent en quantité. Penses-y bien, Goldmund! Elle ne dirait pas non ; elle n'a plus le choix. »

Il apprit aussi les événements du temps de la peste. La populace avait tout d'abord mis le feu à un hôpital et pris d'assaut les maisons des riches pour les piller, un moment il n'y avait plus ni ordre ni sécurité dans la ville, l'évêque ayant pris la fuite. Alors l'empereur, qui se trouvait justement dans les parages, avait envoyé un gouverneur, le comte Heinrich. Ah! sûr, il avait du cran, celui-là, avec ses quelques cavaliers et ses soldats il avait mis de l'ordre dans la cité. Mais à présent il était grand temps qu'un pareil régime prît fin et on attendait le retour de l'évêque. Le comte avait eu pour les bourgeois de dures exigences et on était las aussi de sa maîtresse, Agnès, elle était bonne à rôtir en enfer. Oh! ils n'allaient pas tarder à s'en aller, le conseil de ville en avait assez depuis longtemps d'avoir à ses trousses, au lieu de son brave évêque, cet homme de cour et cet homme de guerre, favori de l'empereur, et qui recevait sans cesse des ambassades et des députations comme un prince.

Puis ce fut le tour de l'hôte de raconter ce qu'il avait vécu. « Ah! dit-il tristement, ce sont des choses dont on ne parle pas. J'ai roulé et roulé, partout c'était l'épidémie, partout des cadavres, partout des gens affolés et dégradés par l'angoisse. Je suis resté en vie. Peut-être un jour oublie-t-on tout cela. Voilà que je reviens et mon maître est mort! Laissez-moi rester quelques jours et me remettre, après je reprendrai ma route. »

Ce n'était pas pour se reposer qu'il restait. Il restait, parce qu'il était déçu et irrésolu, parce que les souvenirs des temps heureux lui rendaient la ville chère et parce que l'amour de la pauvre Marie lui faisait du bien. Il ne pouvait la payer de retour, il ne pouvait rien lui donner que de la bienveillance, de la pitié, mais son adoration silencieuse et humble le réchauffait pourtant. Mais ce qui le fixait là, plus encore, c'était le besoin ardent d'être à nouveau artiste, même sans atelier, même avec des moyens de fortune.

Pendant quelques jours, Goldmund ne fit rien d'autre que de dessiner. Marie lui avait procuré du papier et des plumes, et il restait dans sa chambre pendant des heures sur ses dessins, remplissant de grandes feuilles, de fines figures tantôt griffonnées en hâte, tantôt tracées avec amour ; faisant passer sur le papier le trop-plein de ses images intérieures. Bien des fois il dessina le visage de Lene et son sourire plein de satisfaction, d'amour et de cruauté après la mort du chemineau. Il le fixa aussi tel qu'il était devenu au cours de sa dernière nuit, déjà en train de s'évanouir et de perdre toute forme, de retourner à la terre. Il dessina un petit paysan qu'il avait trouvé mort, ses petits poings serrés, sur le seuil de ses parents. Il dessina une charrette pleine de cadavres, péniblement tirée par trois rosses, avec, derrière, les valets de la peste, de longues perches en main, les yeux louchant par les fentes de noires cagoules. Sans cesse il reprenait l'image de Rébecca, la jeune juive aux yeux sombres, la taille élancée, la bouche étroite et fière, la face ravagée par la douleur et l'indignation, sa jeune et gracieuse silhouette qui semblait si bien faite pour l'amour, sa bouche amère et hautaine. Il se dessina lui-même en vagabond, en amoureux, en fugitif qui échappe à la faux de la mort, en danseur qui prend part aux orgies des hommes affamés de vie. Penché sur son papier, il traçait avec passion la figure sûre et altière de Lisbeth telle qu'il l'avait connue jadis, la face grimaçante de la vieille servante Margrit et le visage redouté et chéri de maître Niklaus. Plusieurs fois aussi il esquissa d'un trait mince et tâtonnant une grande silhouette de femme, la Mère de la Terre, assise les mains sur son sein, et dans ses yeux mélancoliques l'ébauche d'un sourire. Sentir ainsi s'écouler ses visions, sentir sa main leur donner une forme, se rendre maître d'elles lui fit un bien infini. Il remplit en quelques jours toutes les feuilles que Marie lui avait apportées. De la dernière, il coupa un morceau et y figura en quelques traits le visage de Marie, ses beaux yeux, sa bouche où s'exprimait le renoncement. Il lui fit présent de ce croquis.

En dessinant ainsi il avait libéré et soulagé son âme du fardeau qui l'accablait, des courants auxquels elle ne pouvait plus faire barrage, et qui la tendaient à l'extrême. Tant qu'il avait dessiné, il avait ignoré où il était, son monde ne se composait que de la table, du papier blanc, et, le soir, de la chandelle. Ensuite, il se réveilla, prit conscience des récents événements, découvrit que c'était maintenant un nouveau pèlerinage par le monde qui s'imposait à lui inéluctablement, et se mit à errer par la ville, bizarrement partagé entre deux impressions : celle du revoir, celle de l'adieu.

Au cours de ses sorties, il rencontra une femme dont la vue rassembla autour d'un nouveau centre ses sentiments désaxés. Une femme à cheval, une grande femme blonde aux yeux bleus un peu froids et pleins de curiosité, les membres fermes et robustes ; sur son visage épanoui la volupté, la jouissance, la puissance et la confiance en soi avec une curiosité sexuelle aux aguets. Un peu hautaine et altière, elle s'avançait sur son cheval brun. Bien qu'habituée à commander, elle n'était pas fermée ou distante ; sous ses yeux un peu froids, les narines frémissaient, ouvertes à tous les parfums du monde, et sa grande bouche voluptueuse semblait au plus haut degré capable de recevoir et de donner. Dès l'instant où Goldmund la vit, ses yeux s'ouvrirent tout grands et il fut possédé du désir de se mesurer avec cette femme si fière. La conquérir, c'était pour lui une noble tâche et s'il se cassait le cou en allant à elle, ce n'était pas là, à son sens, une fin méprisable. Tout de suite il eut le sentiment que cette lionne blonde, dans la richesse de ses sens et de son âme, était une partenaire digne de lui, qu'elle s'offrait à tous les assauts, à la fois sauvage et tendre, et qu'une expérience héréditaire, transmise par le sang, l'avait familiarisée avec les passions.

Elle passa sur son cheval, il la suivit des yeux. Entre les boucles de ses cheveux blond clair et son col de velours bleu, il découvrit sa nuque robuste, forte et fière et pourtant tendue d'une peau délicate comme celle d'un enfant. C'était là, jugeait-il, la plus belle femme qu'il eût jamais vue. Cette nuque, il voulait la tenir sous sa main et arracher à ces yeux le secret azuré de leur froideur. Qui était-elle ? Une question suffit à le lui apprendre. Il sut tout de suite qu'elle résidait au château, que c'était Agnès, la maîtresse du gouverneur. Il n'en fut pas surpris, elle eût pu être l'impératrice elle-même.

Il s'arrêta près d'une fontaine pour y chercher sa propre image. Elle s'accordait fraternellement à celle de la femme blonde ; seulement il était devenu tout pareil à un homme des bois. Il alla trouver, sur l'heure, un barbier de sa connaissance et l'amena par de bonnes paroles à lui couper courts les cheveux et la barbe et à les peigner joliment.

La quête dura deux jours. Agnès sortait-elle du château, le blondin inconnu se tenait déjà près de la porte et fixait dans ses yeux ses regards pleins d'admiration. Agnès chevauchait-elle autour des remparts, l'inconnu émergeait des saules. Agnès allait chez l'orfèvre et à la sortie de l'atelier elle rencontrait l'inconnu. Elle le frôla d'un éclair de ses yeux altiers, tandis que les ailes du nez frémissaient. Le lendemain, à sa première chevauchée, le trouvant de nouveau à son poste, elle lui jeta son défi dans un sourire. Il aperçut aussi le gouverneur : c'était un bel homme ; plein d'assurance, on ne pouvait manquer de le prendre au sérieux ; mais il avait déjà des fils gris dans les cheveux, la trace des soucis sur ses traits : Goldmund sentit qu'il avait l'avantage.

Ces deux journées le comblèrent de joie. Il était rayonnant d'une nouvelle jeunesse. C'était beau de se montrer à cette femme et de lui proposer le combat. C'était beau de sacrifier sa liberté à une telle beauté. C'était un sentiment magnifique et exaltant de risquer sa vie sur cet unique dé.

Au matin du troisième jour, Agnès sortit à cheval du château accompagnée d'un unique valet. Tout de suite ses yeux allèrent à la recherche de son poursuivant, prêts à engager la lutte, mais un peu inquiets. Bon, il était déjà là. Elle se débarrassa du valet avec une commission ; seule elle chevaucha lentement, chevaucha vers la porte du pont, et franchit le pont. Une seule fois elle tourna la tête. Elle vit l'inconnu qui la suivait. Elle l'attendit sur le chemin de la chapelle des pèlerinages de Saint-Guy, très solitaire à cette heure-là. Il se fit désirer une demi-heure. L'inconnu marchait lentement, il ne voulait pas arriver hors d'haleine. Il vint, frais et souriant, une petite baguette avec une baie d'églantier dans la bouche. Elle était descendue de cheval, et avait attaché sa bête, elle se tenait adossée au lierre du mur de soutènement et regardait venir son poursuivant. Il s'arrêta les yeux dans ses yeux et tira son bonnet.

« Pourquoi cours-tu après moi ? demanda-t-elle, que veux-tu de moi ?

— Oh ! répondit-il, j'aimerais beaucoup mieux te faire un cadeau qu'accepter quelque chose de toi. Je voudrais m'offrir à toi en présent, belle dame, fais de moi ce que tu voudras.

– Bon, je vais voir ce qu'on peut faire de toi. Mais si tu t'es imaginé pouvoir cueillir ici, sans danger, une fleurette, tu t'es trompé. Je ne peux aimer que des hommes qui, au besoin, y risquent leur vie.

– Tu peux disposer de moi. »

Lentement elle ôta de son cou une mince chaînette d'or et la lui tendit.

« Comment t'appelles-tu ?

– Goldmund.

– Eh bien, Goldmund, Bouche d'Or, je goûterai si ta bouche est d'or. Ecoute-moi bien. Tu présenteras, vers le soir, cette chaîne au château et diras que tu l'as trouvée. Elle ne quittera pas tes mains, je veux la recevoir de toi-même. Tu viendras comme tu es là : qu'ils te prennent pour un mendiant. Si un des domestiques te rudoie, reste calme. Il faut que tu saches que je n'ai au château que deux de mes gens qui soient sûrs : le palefrenier Max et ma femme de chambre Berta. Tu devras les joindre l'un ou l'autre et te faire conduire chez moi. À l'égard de tous les autres, y compris le comte, comporte-toi avec prudence ; ce sont des ennemis. Tu es prévenu ; ça peut te coûter la vie. »

Elle lui tendit la main ; en souriant, il la prit, la baisa doucement, la frôla de sa joue. Puis il ramassa la chaîne et s'en alla en descendant la pente vers le fleuve et la cité épiscopale. Les vignobles étaient déjà dénudés ; des arbres, l'une après l'autre, les feuilles tombaient dans le vent. Goldmund branla la tête et sourit en apercevant à ses pieds la ville si jolie, si aimable. Il y a quelques jours il était tout désolé, désolé même de ce que la misère et la peine fussent si éphémères. Et voilà qu'elles étaient déjà passées, envolées comme la feuille dorée de l'arbre. Il lui semblait que jamais encore l'amour n'avait rayonné vers lui comme il rayonnait de cette femme souriante et blonde, dont la haute stature, la profusion de vie, évoquaient pour lui l'image de sa mère, telle que jadis, au monastère de Mariabronn, il la gardait dans son cœur. Avant-hier encore il n'eût pas cru possible que le monde pût sembler si riant à ses yeux, qu'il pût, une fois encore, sentir le fleuve de la vie, de la joie et de la jeunesse couler à pleins bords, impétueux, dans son sang. Quelle chance qu'il fût encore vivant, que dans tous ces mois d'horreur la mort l'eût épargné !

Le soir il était au château. La cour était pleine de mouvement. On dessellait des chevaux, des messagers se précipitaient. Une petite troupe de dignitaires ecclésiastiques et de prêtres fut introduite par la porte et l'escalier intérieurs. Goldmund voulut les suivre; le portier le retint. Il sortit la chaîne d'or et dit qu'il avait l'ordre de ne la remettre qu'à la dame elle-même ou à sa femme de chambre. On le confia à un serviteur, longtemps il dut attendre dans les couloirs. Enfin parut une femme vive et jolie qui passa devant lui en disant à voix basse : « Etes-vous Goldmund? » et lui fit signe de la suivre. Elle disparut par une porte et reparut au bout d'un moment pour lui faire signe d'entrer.

Il pénétra dans une petite pièce pleine de manteaux et de vêtements qui sentait une forte odeur de pelleteries et de doux parfums; des chapeaux de femmes s'y trouvaient sur des supports de bois, dans un coffre ouvert il y avait toutes sortes de chaussures. Il resta bien là une demi-heure à attendre, respirant le parfum des robes, passant la main sur les pelleteries et souriant avec curiosité à toutes ces belles choses pendues là autour de lui.

Enfin la porte menant à l'intérieur s'ouvrit et ce ne fut pas la chambrière, ce fut Agnès qui vint elle-même, dans une robe bleu clair avec une garniture de fourrure blanche autour du cou. Lentement, pas à pas, elle s'avança vers lui qui l'attendait, le contemplant gravement du regard froid de ses yeux bleus.

« J'ai dû te faire attendre, dit-elle à mi-voix, maintenant, je crois, nous sommes en sécurité. Le comte reçoit une députation d'ecclésiastiques; il dîne avec eux et il aura encore avec eux de longs pourparlers; les séances avec les prêtres n'en finissent point. Cette heure nous appartient à tous deux. Sois le bienvenu, Goldmund! »

Elle se pencha vers lui, ses lèvres s'approchèrent des siennes, lourdes de désir, ils se saluèrent en silence dans le premier baiser. Lentement il posa la main sur sa nuque. Elle le conduisit par la porte de sa chambre à coucher, haute et claire dans la lumière des bougies. Sur une table un repas était préparé. Ils s'assirent. Avec de délicates attentions elle lui présenta du pain et du beurre ainsi qu'un peu de viande et lui versa du vin blanc dans une belle coupe bleuâtre; ils mangèrent, ils burent tous deux dans cette même coupe; leurs mains s'essayaient à jouer ensemble.

« D'où donc t'es-tu envolé? lui demanda-t-elle, mon bel oiseau, es-tu un guerrier, ou un trouvère, ou n'es-tu qu'un pauvre vagant?

– Je suis tout ce que tu voudras, dit-il en riant doucement, je suis tout à toi ; je suis un trouvère si tu veux et tu es mon doux luth, et quand je mets les doigts autour de ton cou et joue sur toi, on entend chanter les anges. Viens, mon cœur, je ne suis pas ici pour manger tes bons gâteaux, et boire ton vin blanc, c'est seulement pour toi que je suis venu. »

D'un geste léger il lui ôta du cou sa fourrure blanche et détacha de son corps ses vêtements sous ses caresses. Dehors les courtisans et les prêtres pouvaient bien délibérer, les serviteurs aller et venir, et le mince croissant de lune plonger entièrement derrière les arbres, les amants n'en savaient rien. Pour eux s'était ouvert le paradis ; attirés l'un vers l'autre, enlacés l'un dans l'autre, ils s'abîmaient dans sa nuit embaumée, voyaient poindre les blancs secrets de ses fleurs, cueillaient de leurs mains caressantes et reconnaissantes ses fruits tant désirés. Jamais encore le trouvère n'avait joué sur un tel luth, jamais le luth n'avait sonné sous des doigts aussi vigoureux, aussi experts.

« Goldmund, lui murmura-t-elle, ardente, oh ! quel enchanteur tu fais ! De toi, doux poisson d'or, je voudrais avoir un enfant. Et plus encore, j'aimerais mourir de toi. Epuise ma coupe, bien-aimé, consume-moi, tue-moi ! »

Dans sa gorge bourdonna une note de bonheur quand il vit la dureté qui était dans ses prunelles se fondre et faire place à la faiblesse. Au fond de ses yeux passa un tendre frisson qui s'éteignit comme le frisson argenté sur la peau des poissons mourants, un or pâle comme l'un de ces reflets enchanteurs sur le lit du fleuve. Tout le bonheur que peut vivre un être humain lui sembla s'y condenser.

Tout de suite après, tandis que, tremblante, elle restait là, les yeux clos, il se leva discrètement, se glissa dans ses vêtements. Avec un soupir il lui murmura à l'oreille :

« Mon gentil trésor, je te quitte. Je n'ai pas envie de mourir ; je n'ai pas envie d'être tué par ce comte. Auparavant je veux encore une fois nous rendre aussi heureux l'un et l'autre que nous fûmes aujourd'hui. Encore une fois, encore bien des fois ! »

Elle resta couchée, silencieuse, jusqu'à ce qu'il fût habillé. Alors il rabattit doucement sur elle la couverture et lui baisa les yeux.

« Goldmund, dit-elle, pourquoi faut-il que tu partes ! Reviens demain. S'il y a danger, je te ferai avertir. Reviens, reviens demain ! »

Elle tira le cordon d'une sonnette. À la porte du vestiaire

la chambrière le reçut et le fit sortir du château. Il eût aimé lui donner une pièce d'or; un instant il eut honte de sa pauvreté.

Vers minuit, il était sur le marché aux poissons, les yeux levés vers la maison. Il était tard; personne ne serait plus debout, il allait être obligé de passer la nuit dehors. À sa grande surprise il trouva la porte ouverte. Il se glissa sans bruit à l'intérieur et ferma le portail derrière lui. Il fallait passer par la cuisine pour monter à sa chambre. Il y avait là de la lumière. Marie était assise à la table de cuisine, une petite lampe à huile près d'elle. Après deux ou trois heures d'attente, elle venait de laisser tomber sa tête et de s'assoupir. Elle sursauta quand il entra.

« Oh! dit-il, Marie, tu es encore debout!

— Je suis debout, dit-elle, sans quoi tu aurais trouvé la maison fermée.

— Je regrette que tu aies attendu. Il est si tard. Ne m'en veux pas.

— Je ne t'en veux pas, Goldmund, je suis seulement un peu triste.

— Il ne faut pas être triste. Pourquoi triste?

— Ah! Goldmund, je voudrais tant être en bonne santé, belle et forte! Alors tu n'aurais pas à aller la nuit dans d'autres maisons, à aimer d'autres femmes. Alors tu resterais bien aussi une fois près de moi et tu serais un peu gentil avec moi. »

Dans sa douce voix, pas une lueur d'espérance, pas d'amertume, rien que tristesse. Il restait près d'elle, embarrassé. Elle lui faisait peine, il ne savait que dire. Lentement il posa la main sur sa tête, caressa ses cheveux et elle restait là immobile, sentant avec un frisson ses doigts dans sa chevelure, pleurant un peu, et dit timidement :

« Va maintenant au lit, Goldmund, j'ai dit des bêtises. J'avais tant sommeil. Bonne nuit! »

CHAPITRE XVI

GOLDMUND passa sur les collines une journée d'heureuse impatience. S'il avait eu un cheval, il serait allé aujourd'hui au monastère contempler la belle madone de son maître; il sentait le besoin de la revoir une fois encore. Il lui sembla aussi qu'il avait rêvé la nuit de maître Niklaus. Bah! il rattraperait cela plus tard. Même si son bonheur amoureux avec Agnès devait être de courte durée, et peut-être même mener à la catastrophe, aujourd'hui il était dans toute sa splendeur; il n'avait pas le droit d'en laisser rien échapper. Aujourd'hui il ne voulait pas voir un être humain, il ne se laisserait distraire par rien, passerait la douce journée d'automne dehors dans la compagnie des fleurs et des nuages. Il dit à Marie qu'il projetait une promenade à la campagne et ne rentrerait sans doute que tard; il lui demanda un gros morceau de pain à emporter et lui recommanda de ne pas l'attendre. Elle ne répliqua rien, lui bourra ses poches de pain et de pommes, passa la brosse sur son vieux vêtement qu'elle avait réparé dès le premier jour et le laissa partir.

Il s'en alla au-delà du fleuve par des vignobles dépouillés et des chemins en escaliers qui escaladaient la colline, se perdit là-haut dans la forêt et ne cessa pas de monter tant qu'il n'eut pas atteint la dernière crête. Le soleil brillait tiède à travers le branchage dénudé des arbres. Des merles s'envolaient dans les buissons à son approche, y restaient craintivement blottis, regardant au-dehors de leurs yeux noirs brillants et, bien loin, en bas, le fleuve décrivait un vaste cercle et la ville s'étendait, minuscule comme un jouet. Aucun bruit n'en venait, si ce n'est, aux heures des prières, les sonneries des cloches. Là-haut il y avait des fossés et des buttes garnis d'herbe qui dataient des temps païens, peut-être des retranchements, peut-être des tombeaux. Il s'assit sur l'un de ces monticules; on y était au sec dans l'herbe d'automne qui crépitait et on embrassait du regard toute la vaste vallée, au-delà du fleuve; les collines et les montagnes se succédaient jusqu'à l'horizon où les monts et le ciel se fondaient en une bande bleuâtre et ne se pouvaient plus distinguer. Tout ce vaste pays, ses pas l'avaient parcouru et bien plus loin encore que l'œil ne pouvait atteindre; toutes ces régions, maintenant lointaines, maintenant simples souvenirs, avaient été proches et présentes. Il avait cent fois dormi dans ces forêts, il y avait mangé des baies, il y avait eu faim et froid, il avait franchi ces crêtes et ces landes, il y avait été joyeux et triste, alerte et fatigué. Quelque part dans le lointain, au-delà de l'horizon, gisaient les ossements calcinés de la brave Lene, quelque part là-bas son camarade Robert devait être encore en route si la peste ne l'avait pas emporté; là-bas quelque part reposaient les restes de Victor et là-bas aussi, bien loin, se trouvait le monastère enchanté de ses années de jeunesse, le château du chevalier aux belles filles ; là errait, pauvre et pourchassée, la pauvre Rébecca, à moins qu'elle ne fût morte. Tous ces mille points dispersés du monde, ces landes et ces forêts, ces villes et ces villages, ces châteaux et ces cloîtres, tous ces êtres morts ou vivants, il savait qu'ils étaient présents en lui, et unis les uns aux autres dans son souvenir, dans son amour, son remord ou son désir. Et si demain la mort venait le prendre, tout cela se désagrégerait, tout ce livre d'images, plein de femmes et d'amour, de matins d'été et de nuits d'hiver s'effacerait. Le temps était venu de faire œuvre qui dure, de créer quelque chose qui reste après lui et lui survive.

Cette vie, ces marches errantes, toutes ces années depuis qu'il était parti dans le monde avaient jusqu'ici porté peu de fruits. Il n'en restait que les quelques statues qu'il avait faites dans l'atelier de Niklaus, en particulier l'apôtre Jean et puis encore ce livre d'images, ces êtres irréels dans sa tête, toutes les évocations belles et douloureuses de son souvenir. Parviendrait-il à sauver quelque chose de ce trésor intérieur et à l'extérioriser ? Ou bien en serait-il toujours de même : toujours d'autres villes, d'autres paysages, d'autres femmes, d'autres expériences, d'autres sensations entassées les unes sur les autres dont il ne tirerait rien que ce sentiment inquiet, aussi douloureux que beau, d'un cœur plein à déborder ?

C'était vraiment honteux d'être ainsi berné par la vie ; c'était à en rire et à en pleurer ! Ou bien on vivait en s'abandonnant au jeu de ses sens, suçant au sein de l'Eve maternelle une riche nourriture, on connaissait alors mainte noble joie, mais on restait sans protection contre l'instabilité des choses humaines ; on était alors comme un champignon dans la forêt, tout resplendissant de ses riches couleurs, mais qui, demain, pourrira. Ou bien on se mettait en défense, on s'enfermait dans un atelier, on cherchait à dresser un monument à la vie fugitive : alors il fallait renoncer à la vie, on n'était plus qu'un instrument, on se mettait bien au service de l'éternel, mais on s'y desséchait et on y perdait sa liberté, sa plénitude, sa joie de vivre ; c'était le cas de maître Niklaus.

Et pourtant toute notre vie n'avait un sens que si on parvenait à mener à la fois ces deux existences, que si elle n'était pas brisée par ce dilemme : créer sans payer cette création du prix de sa vie ! Vivre sans pour cela renoncer au noble destin du créateur ! Était-ce donc impossible ?

Peut-être existait-il des hommes qui en étaient capables.

Peut-être existait-il des époux et des pères de famille à qui la fidélité ne faisait pas perdre le sens de la volupté. Peut-être y avait-il des sédentaires dont le cœur ne se desséchait pas faute de liberté et de danger. Il se pouvait. Il n'en avait encore vu aucun.

Tout être reposait, semblait-il, sur une dualité, sur des oppositions. On était homme ou femme, chemineau ou bourgeois, intellectuel ou sentimental ; nulle part on ne trouverait ce rythme de l'inspiration et de l'expiration, on ne pouvait être à la fois homme et femme, jouir de la liberté et de l'ordre, vivre en même temps la vie de l'instinct et de l'intelligence. Toujours il fallait payer l'un de la perte de l'autre et toujours l'un était aussi précieux et désirable que l'autre. Les femmes étaient peut-être en ce domaine plus favorisées : chez elles la nature avait ainsi fait les choses que le plaisir portait lui-même son fruit et que l'enfant naissait de la volupté d'amour. Chez l'homme c'était l'éternelle aspiration qui tenait la place de cette fécondité. Le dieu qui avait tout créé était-il méchant ou hostile ? Se moquait-il de sa propre création, se réjouissait-il de notre misère ? Non, il ne pouvait être méchant puisqu'il avait créé les chevreuils et les cerfs, les poissons et les oiseaux, la forêt, les fleurs, les saisons. Mais il y avait une fêlure dans sa création, soit qu'elle fût manquée ou imparfaite, soit qu'il eût sur l'humanité des vues particulières par le moyen de ce vide, de cette aspiration dans l'existence humaine, soit que ce fût là la semence de l'Ennemi, la faute originelle. Mais pourquoi ce désir ardent et cette imperfection seraient-ils une faute ? N'était-ce pas d'eux que naissait tout ce que l'homme faisait de beau et de saint pour le rendre à Dieu en témoignage de sa gratitude ?

Dans ces sombres réflexions il tourna son regard vers la ville, observant le marché, le marché aux poissons, les ponts, les églises, l'hôtel de ville. Et il y avait aussi le château, le fier palais de l'évêque, dans lequel maintenant régnait le comte Heinrich, sous ces tours, sous ces toits qui s'allongeaient là-bas habitait Agnès, sa belle et royale amante qui semblait si fière et qui pourtant savait si bien s'oublier et s'abandonner dans l'amour. Il songea à elle avec joie, avec joie il se souvint de la nuit écoulée. Pour réaliser le bonheur de cette nuit, pour pouvoir combler ainsi cette femme merveilleuse, il avait fallu sa vie entière, toute une éducation faite par les femmes, tout son vagabondage et sa misère, toutes les nuits de marche dans la neige, toute son amitié et son intimité avec les animaux, les fleurs, les arbres, les eaux, les poissons, les papillons. Il y avait fallu ses sens aiguisés dans la volupté et le danger, la privation des joies du foyer, tout ce monde d'images accumulé pendant des années au fond de son âme. Tant que sa vie serait un jardin dans lequel fleurissaient des fleurs magiques telles qu'Agnès, il ne devait pas se plaindre.

Il passa toute la journée sur les hauteurs colorées par l'automne, cheminant, se reposant, mangeant son pain, songeant à Agnès et au soir qui venait. À la tombée de la nuit il était de retour dans la ville et se dirigeait vers le château. La fraîcheur était venue et les maisons le fixaient en silence des yeux rouges de leurs fenêtres. Il rencontra une petite troupe de gamins qui chantaient et portaient au-dessus d'eux, à l'extrémité de bâtons, des raves qu'ils avaient vidées dans lesquelles ils avaient sculpté des figures et planté des chandelles allumées. La petite mascarade sentait l'hiver, Goldmund la suivit des yeux en souriant. Longtemps il erra devant le palais. La députation ecclésiastique était toujours là, çà et là on voyait un prêtre à une fenêtre. À la fin il réussit à se glisser à l'intérieur et à trouver la femme de chambre Berta. On le cacha à nouveau dans le vestiaire jusqu'à ce qu'Agnès apparût pour le conduire tendrement dans sa chambre. De son beau visage elle l'accueillit avec tendresse ; avec tendresse, mais pas avec joie ; elle était triste, elle avait des soucis, elle était inquiète. Il dut prendre beaucoup de peine pour l'égayer. Elle retrouva lentement, sous ses baisers et ses paroles d'amour, un peu d'assurance.

« Comme tu sais être gentil ! dit-elle avec gratitude. Quels sons profonds tu as dans ta gorge quand tu dis des tendresses, mon oiseau, quand tu roucoules, quand tu bavardes ! Je t'aime, Goldmund. Ah ! si seulement nous étions loin d'ici ! Je ne me plais plus ici, du reste la fin est proche. Le comte a été rappelé, bientôt le stupide évêque sera de retour. Le comte est de mauvaise humeur aujourd'hui. Les prêtres l'ont agacé. Qu'il ne te voie pas surtout ! Tu n'aurais plus une heure à vivre. J'ai si grand-peur pour toi ! »

Dans sa mémoire remontèrent des souvenirs à demi oubliés – n'avait-il pas entendu jadis une fois déjà cette chanson ? C'était ainsi qu'autrefois lui parlait Lydia, avec cette même tendresse, cette même inquiétude, ce même amour mélancolique. Ainsi elle était venue, la nuit, dans sa chambre, pleine d'amour, d'angoisse, de soucis, de terribles visions d'épouvante. Il aimait à l'entendre, la chanson inquiète d'amour. Que serait l'amour sans le mystère? Que serait l'amour sans le danger?

Doucement il attira à lui Agnès, la caressa, lui prit la main, lui murmura à voix basse son désir à l'oreille, baisa ses cils. Il était ému et ravi de la voir si anxieuse et soucieuse à cause de lui. Elle recevait ses caresses avec gratitude, presque avec humilité, elle se serrait amoureusement contre lui, mais elle ne retrouvait pas sa gaieté.

Et soudain elle sursauta: on entendit une porte se fermer dans le voisinage et des pas rapides s'approcher de la chambre.

« Dieu! c'est lui! s'écria-t-elle désespérée, c'est le comte! Tu peux t'échapper vite par le vestiaire. Vite, ne me trahis pas! »

Elle l'avait déjà poussé dans le vestiaire, il y était seul et tâtonnait dans l'obscurité. Il entendait, de l'autre côté, Agnès parler au comte. Il cherchait son chemin vers la sortie, posant sans bruit un pied devant l'autre. Il était près de la porte qui menait au couloir, tâchait à l'ouvrir sans bruit, et à ce moment-là seulement, en trouvant la porte fermée à l'extérieur, il eut peur lui aussi et son cœur se mit à battre, sauvage et douloureux. Ce pouvait être un malheureux hasard que quelqu'un ait fermé cette porte depuis son arrivée. Mais il n'en croyait rien. Il s'était engagé dans un piège, il était perdu, quelqu'un devait l'avoir vu se glisser dans la pièce. Cela lui coûterait la tête. Tremblant, il se tenait dans les ténèbres et les mots d'adieu d'Agnès lui revinrent en mémoire: « Ne me trahis pas! » Non, il ne la trahirait pas. Son cœur martelait sa poitrine, mais la résolution prise lui donnait de l'assurance; il serra les dents dans un défi.

Tout cela s'était passé dans l'espace de quelques instants. Voici que, de l'autre côté, la porte s'ouvrit et le comte sortit de la chambre d'Agnès avec un flambeau à la main gauche et son épée nue dans la droite. Au même instant Goldmund saisit d'un geste rapide quelques vêtements et quelques manteaux qui pendaient autour de lui et les mit sur son bras. Il fallait qu'on le prenne pour un voleur, c'était là peut-être un expédient.

Le comte l'avait découvert tout de suite; il s'approcha lentement.

« Qui es-tu? Que fais-tu ici? Réponds ou je te transperce!
– Pardon, murmura Goldmund, je suis un pauvre homme et vous êtes si riche! Je rends tout ce que j'ai pris, voyez! »

Et il posa les manteaux sur le sol.

« Ah ! ainsi tu as volé. Ce n'était pas malin de ta part de risquer ta vie pour un vieux manteau. Es-tu bourgeois de la ville ?

– Non, seigneur, je suis sans feu ni lieu. Je suis un pauvre homme, vous serez indulgent !

– Assez ! Je voudrais bien savoir si tu fus assez effronté pour aller jusqu'à déranger Madame ? Mais puisque de toute manière tu seras pendu, nous n'avons pas besoin de le rechercher. Le vol suffit. »

Il frappa violemment à la porte close et cria : « Y a-t-il quelqu'un ? Ouvrez ! »

On ouvrit la porte de l'extérieur, trois hommes d'armes étaient là, l'épée nue.

« Liez-le bien, cria le comte d'une voix où grinçaient le mépris et l'orgueil. C'est un vagabond qui est venu ici pour voler. Arrêtez-le et, demain matin, pendez le gredin au gibet. »

On lui lia les mains sans qu'il fît de résistance. On l'emmena ainsi à travers le long couloir et l'escalier par la cour intérieure ; un serviteur marchait devant avec un flambeau. Ils s'arrêtèrent devant une porte de cave, ronde et garnie de fer ; on discuta, on se querella : on ne trouvait pas la clef de la porte. Un valet d'armes prit la torche, le serviteur retourna chercher la clef. Ils étaient là, les trois hommes armés et le prisonnier ligoté, attendant devant la porte. Curieux, l'homme qui portait la torche éclaira le visage du captif. À ce moment passèrent deux des prêtres ; il y en avait tant au château en ce moment ; ils revenaient de la chapelle et s'arrêtèrent devant le groupe. Tous deux considérèrent avec intérêt cette scène nocturne : les trois hommes d'armes, l'individu ligoté, qui attendaient là debout.

Goldmund ne remarqua pas les prêtres et ne regardait pas ses gardes. Il ne voyait rien que la lumière qui dansait un peu tout près de son visage et l'aveuglait. Et derrière la lumière, dans des ténèbres pleines d'épouvante, il découvrait encore autre chose, quelque chose d'informe, d'immense, de sinistre : l'abîme, la fin, la mort. Il était là, le regard fixe, sans rien voir ni entendre. Un des prêtres s'entretenait à voix basse, mais avec animation, avec les gardes. Quand on lui dit que l'homme était un voleur et allait mourir, il demanda s'il avait eu un confesseur. Non, lui répondit-on, il venait d'être pris sur le fait et arrêté.

« Je viendrai donc, dit le prêtre, demain matin, avant la première messe, lui apporter les saints sacrements et entendre sa confession. Vous me garantissez qu'il ne sera pas exécuté auparavant. J'en parlerai ce soir à M. le Comte. L'homme a beau être un voleur, il n'en a pas moins le droit, comme tout chrétien, à un confesseur et aux sacrements. »

Les gardes n'osèrent rien répondre. Ils connaissaient l'ecclésiastique ; il faisait partie de la députation et ils l'avaient vu plusieurs fois à la table du comte. Et pourquoi ne laisserait-on pas le pauvre vagabond se confesser ?

Les prêtres s'en allèrent. Goldmund restait les yeux perdus dans sa vision. À la fin le serviteur vint avec la clef et ouvrit. Le prisonnier fut emmené dans une cave voûtée, il descendit en trébuchant et en chancelant les quelques marches. Il y avait là plusieurs tabourets à trois pattes et une table, c'était l'entrée d'une cave au vin. On lui approcha une chaise de la table et on le fit asseoir.

« Demain, de bonne heure, un curé viendra et tu pourras te confesser », lui dit un des hommes d'armes. Après quoi ils s'en allèrent en fermant soigneusement la lourde porte.

« Laisse-moi la lumière, camarade, demanda Goldmund.

– Non, petit frère, tu pourrais faire des bêtises avec. Ça ira bien sans cela. Sois raisonnable et résigne-toi. Et combien de temps durerait la lumière ? Il n'y en aurait plus dans une heure. Bonne nuit. »

Il restait dans les ténèbres assis sur son petit banc et mit la tête sur la table. Il était mal dans cette position et les liens à ses poignets le faisaient souffrir ; cependant ce ne fut que plus tard qu'il en eut conscience. Au début, la tête posée sur la table comme sur un billot, il se sentit disposé à faire matériellement ce qui maintenant se trouvait imposé à son cœur : se résoudre à l'inévitable, se résigner à la nécessité de la mort.

Il demeura ainsi une éternité, lamentablement courbé, cherchant à se plier à sa destinée, à l'accepter en lui-même, à en prendre conscience, à s'en pénétrer. C'était le soir, la nuit commençait, la fin de cette nuit allait lui apporter aussi sa fin. Il fallait qu'il s'efforce de le comprendre. Demain il ne vivrait plus. Il serait un pendu, une chose sur laquelle viendraient se poser les oiseaux, qu'ils piqueraient de leurs becs ; et il allait passer à l'état où se trouvait maître Niklaus, où se trouvait Lene dans la hutte consumée, où ils se trouvaient, tous ceux qu'il avait vus gisant dans les maisons dépeuplées et sur les chars bondés de cadavres. Ce n'était pas facile de se faire à cette idée et de s'en laisser pénétrer. Impossible vraiment. Il y avait trop de choses dont il ne s'était pas séparé, dont il n'avait pas pris congé. Les heures de cette nuit lui étaient données pour le faire.

Il lui fallait prendre congé de la belle Agnès, il ne verrait plus sa haute silhouette, ses cheveux pleins de soleil, ses yeux bleus si froids, l'effacement, le tremblement de l'orgueil dans ces yeux, jamais plus le tendre duvet d'or sur sa peau parfumée. Adieu, yeux bleus, adieu, bouche humide et frémissante ! Il avait espéré la baiser encore bien des fois. Ce soir encore sur les collines, dans le soleil d'arrière-saison, comme il avait pensé à elle, comme il lui avait appartenu, comme il l'avait désirée ! Mais il fallait aussi prendre congé des collines, du soleil, du ciel bleu et de ses blancs nuages, des arbres et des forêts, du vagabondage, de la succession des jours et des saisons. Peut-être à cette heure Marie était-elle encore debout, la pauvre Marie aux bons yeux pleins de tendresse, à la démarche boitillante ; ou assise à attendre, s'endormant dans sa cuisine, se réveillant, et point de Goldmund qui rentre à la maison.

Et le papier, et le crayon, et les espérances qu'il mettait dans toutes les figures qu'il voulait encore tracer ! évanouies, évanouies, comme l'espoir de revoir Narcisse, son cher apôtre Jean ; il fallait aussi en faire le sacrifice.

Il lui fallait aussi dire adieu à ses mains, à ses yeux, à la faim, à la soif, aux nourritures et aux boissons, à l'amour, au jeu du luth, au sommeil, au réveil, à tout ! Demain un oiseau volerait dans l'air que Goldmund ne verrait pas, une fille chanterait à sa fenêtre et il ne l'entendrait plus chanter, le fleuve coulerait avec ses poissons nageant en silence, le vent passerait balayant au sol les feuilles jaunes, un soleil, un ciel étoilé brilleraient, des jeunes gens s'en iraient à la danse, la première neige couvrirait les monts lointains, et tout continuerait, les arbres jetteraient autour d'eux leur ombre, dans les yeux vivants des hommes se liraient encore la joie et la tristesse, les chiens aboieraient, les vaches meugleraient dans les étables des villages, et tout cela sans lui, rien ne lui appartiendrait plus, de tout cela il était maintenant exclu.

Il sentit l'odeur de la lande au matin, le goût sucré du vin nouveau, des noix fraîches et fermes, un souvenir, un reflet fugitif de tout l'univers dans l'éclat de ses couleurs passa dans son cœur serré, tout le splendide pêle-mêle de la vie flamboya dans un crépuscule d'adieu à travers ses sens, se condensa dans une explosion de douleur et il sentit les larmes couler de ses yeux, l'une après l'autre. Il s'abandonna en sanglotant à cette vague de désespoir, ses pleurs ruisselaient à flots, il cédait à son immense douleur. Vallées, montagnes ombreuses, ruisseaux dans la verdure des bois d'aulnes, jeunes filles, soirées sur les ponts au clair de lune, visions du monde rayonnant de beauté, comment, comment pourrais-je vous quitter ! Il se laissait aller, pleurant sur la table comme un enfant inconsolable. De la détresse de son cœur monta un soupir, une plainte suppliante : « Mère, ô mère ! »

Et comme il prononçait ce mot magique, une vision lui répondit des profondeurs de sa mémoire, la figure de la Mère. Ce n'était pas la silhouette maternelle de ses pensées et de ses rêves d'artiste, c'était celle de sa propre mère, vivante et belle comme il ne l'avait plus revue depuis le jour du monastère. À elle il adressa sa plainte, devant elle il répandit ses larmes d'intolérable douleur en présence de l'inévitable mort, il se remit à elle, il lui offrit la forêt, le soleil, ses yeux, ses mains ; tout son être et sa vie, il les déposa dans les mains maternelles.

Dans ce flot de larmes il s'endormit. Le sommeil et l'épuisement le reçurent tendrement dans leurs bras. Il dormit une heure ou deux, arraché à sa misère.

À son réveil, il sentit de violentes douleurs, ses poignets ligotés lui causaient une terrible sensation de brûlure, la souffrance passait, cuisante, dans son dos et sa nuque, il se redressa péniblement, revint à lui, et prit conscience de sa situation. Autour de lui c'était l'obscurité totale, il ne savait pas combien il avait dormi, il ne savait pas combien de temps il lui restait encore à vivre. Peut-être allaient-ils venir à l'instant et l'emmener à la mort. Alors il se souvint qu'on lui avait promis un prêtre. Il ne pensait pas que ses sacrements pussent lui être d'un grand secours. Il ne savait pas si l'absolution la plus entière, le pardon de ses péchés pourraient lui assurer le ciel. Il ne savait si le ciel existait, ni Dieu le Père, ni le jugement, ni l'éternité. Il y avait longtemps qu'il avait perdu ces certitudes.

Mais qu'il y eût ou non une éternité, il ne la désirait point ; il n'aspirait qu'à cette vie fragile et fugitive, qu'à respirer, qu'à demeurer dans sa peau, il ne voulait que vivre. Fou de détresse il se leva, alla en tâtonnant jusqu'au mur, s'y adossa et se mit à réfléchir. Il devait bien y avoir tout de même une chance de salut ! Peut-être cette chance était-elle dans le prêtre qu'il parviendrait sans doute à convaincre de son innocence, et qui intercéderait pour lui ou l'aiderait à obtenir un sursis ou à s'enfuir ? Sans cesse il revenait se perdre dans ces pensées. Et même s'il n'en était rien, il ne voulait pourtant pas désespérer, la partie ne devait pas être encore perdue. Il commencerait donc par essayer de gagner le prêtre à sa cause; il se donnerait toute la peine imaginable pour l'envoûter, pour l'échauffer en sa faveur, pour le convaincre, pour le flatter. Le prêtre, c'était la seule bonne carte de son jeu, tout le reste n'était que rêve. Pourtant il était des hasard, des fatalités, le bourreau pouvait avoir la colique, la potence se briser, une possibilité de fuite pouvait se présenter, imprévisible. En tout cas, Goldmund se refusait à mourir; il avait vainement essayé de se pénétrer de ce destin, de lui faire bon accueil, il n'avait pas réussi. Il allait se mettre en défense, lutter jusqu'à la dernière extrémité. Il ferait un croc-en-jambe au gardien, se précipiterait sur le bourreau pour le jeter à terre, il défendrait sa vie jusqu'à la dernière seconde, jusqu'à la dernière goutte de son sang. Oh! s'il pouvait amener le prêtre à lui délier les mains! Ce serait un gain immense.

En même temps il essaya, sans se soucier de la douleur, de desserrer ses liens avec les dents. Dans un effort furieux il parvint, au bout d'un temps cruellement long, à se donner l'impression qu'ils étaient un peu plus lâches. Il haletait dans la nuit de sa prison, ses bras et ses mains enflés lui faisaient un mal extrême. Quand il eut repris son souffle, il se glissa en tâtonnant le long du mur, avançant toujours pas à pas, explorant la paroi humide de la cave dans l'espoir d'y découvrir une arête saillante. Alors il songea aux marches sur lesquelles il avait trébuché en entrant dans ce cachot. Il les chercha, les trouva. Il s'agenouilla et tenta d'user la corde à l'un des bords de pierre des marches. Travail difficile, toujours ses poignets frottaient sur la pierre à la place de la corde et cela le brûlait comme du feu. Il sentait le sang qui coulait; pourtant il ne céda pas. Lorsque, entre la porte et le seuil, un pauvre mince rai de grise lumière matinale se glissa, c'était fini. La corde était usée; il pouvait la détacher, ses bras étaient libres! Mais ensuite, à peine lui était-il possible de remuer un doigt, les mains étaient enflées et sans vie, les bras crispés et raides jusqu'aux épaules. Il lui fallut leur donner de l'exercice. Il se contraignit à exécuter des mouvements pour faire circuler le sang. Car il avait maintenant un plan qui lui semblait bon.

S'il ne parvenait pas à obtenir que le prêtre lui vînt en aide, alors, au cas où on le laisserait seul avec lui, si peu que ce fût, il fallait qu'il le tue. Avec un des sièges il y parviendrait. L'étrangler? Il ne le pouvait, il n'avait pas assez de force dans les mains et dans les bras. Donc, l'assommer, revêtir bien vite son costume religieux et s'échapper ainsi. Avant que les autres aient découvert le cadavre assommé il devait être hors du château, et, après, courir, courir; Marie le laisserait entrer et le cacherait. Il fallait qu'il essaie; c'était possible.

Jamais dans sa vie Goldmund n'avait observé, attendu, désiré passionnément et pourtant redouté l'aube comme à cette heure. Tremblant d'impatience et de décision il suivait avec des yeux de chasseur la mince fente lumineuse qui, lentement, lentement, s'éclairait de plus en plus. Il revint à la table et s'exerça à rester assis sur l'escabeau les mains entre les genoux pour qu'on ne s'aperçoive pas tout de suite qu'il n'avait plus ses liens. Depuis que ses mains étaient libres il ne croyait plus sa mort prochaine. Il était décidé à échapper, le monde entier dût-il voler en pièces. Il était décidé à vivre à tout prix. Son nez frémissait de son désir de liberté et de vie. Et qui sait, peut-être, de l'extérieur, lui viendrait-on en aide. Agnès était une femme et sa puissance n'allait pas loin; son courage non plus sans doute, il se pouvait qu'elle l'abandonnât. Mais elle l'aimait; peut-être pouvait-elle tout de même faire quelque chose. Peut-être la chambrière Berta rôdait-elle dehors, et n'y avait-il pas aussi un palefrenier auquel elle croyait pouvoir se fier? Et si personne ne se présentait, si personne ne lui faisait signe, il exécuterait son plan. S'il échouait, alors il abattrait avec la chaise ses gardiens, deux, trois, tant qu'ils seraient. Il avait un avantage et il le savait : ses yeux s'étaient habitués à l'obscurité dans la cave ténébreuse, maintenant, à la faible lueur du jour, il devinait les formes et les proportions alors que les autres seraient ici au début tout à fait aveugles.

Blotti devant la table, fiévreux, il réfléchissait à ce qu'il allait dire au prêtre pour le gagner à sa cause, car il fallait commencer par là. En même temps il observait de tout son désir la lente croissance de la lumière dans la fente. L'instant que, quelques heures plus tôt, il redoutait tant, il l'appelait maintenant passionnément de tous ses vœux, c'est à peine s'il pouvait l'attendre; cette tension terrible de tout son être, il ne pourrait plus la supporter longtemps. Du reste ses forces, son attention, sa décision et sa vigilance ne pouvaient que diminuer peu à peu. Il fallait qu'ils viennent bientôt, le gardien et le prêtre, pendant que ces dispositions heureuses, cette volonté toute tendue vers le salut étaient encore dans leur plénitude.

Enfin le monde au-dehors s'éveilla ; enfin l'ennemi s'approchait. Des pas sonnèrent sur le pavé de la cour, la clef entra dans le trou de la serrure, tourna ; chacun de ces bruits, après le long silence de mort, grondait comme le tonnerre.

Et voici que le lourd battant s'ouvrit un peu et grinça dans ses gonds. Sans personne qui l'accompagnât, sans gardes, un prêtre entra. Seul, il s'approchait, portant un chandelier avec deux lumières. Voilà que tout se présentait autrement que le prisonnier n'avait imaginé.

Oh ! comme c'était étrange et émouvant ! Le prêtre qui était là, derrière lequel des mains invisibles refermaient la porte, portait l'habit de l'ordre des moines de Mariabronn, l'habit si connu, si familier, celui que jadis portaient l'abbé Daniel, le père Anselme, le père Martin.

À cette vue il sentit au cœur un coup étrange, il lui fallut détourner les yeux. L'apparition de ce vêtement pouvait être d'heureux augure, ce pouvait être bon signe. Mais peut-être n'y avait-il tout de même pas d'autre issue que le meurtre. Il serra les dents. Ce lui serait bien dur de tuer ce frère.

CHAPITRE XVII

« LOUÉ soit Jésus-Christ », dit le père en posant le chandelier sur la table. Goldmund prononça le répons dans un murmure, les yeux fixés à terre.

Le prêtre garda le silence. Il attendait sans mot dire. Goldmund s'inquiétant, dirigea sur l'homme qui se tenait devant lui un regard interrogateur.

Cet homme, il le constata à sa grande confusion, ne portait pas seulement le costume des pères de Mariabronn, il portait aussi les insignes de l'abbé.

Il regarda alors l'abbé au visage. C'était une figure décharnée, aux lignes nettes et claires, aux lèvres très minces. Une figure qu'il connaissait. Goldmund, comme sous l'effet d'un charme, regardait ce visage qui semblait fait d'intelligence et de volonté. D'une main incertaine il saisit le chandelier, l'éleva et le rapprocha de la figure de son visiteur pour y pouvoir distinguer les yeux. Il les vit et le chandelier tremblait dans sa main quand il le reposa.

« Narcisse ! » murmura-t-il, d'une voix qui se pouvait à peine entendre. Tout se mit à tourner autour de lui.

« Oui, Goldmund, j'ai été jadis Narcisse. Mais il y a déjà très longtemps que je ne porte plus ce nom, tu l'as sans doute oublié. Depuis que je suis moine, je m'appelle Jean. »

Goldmund était ému jusqu'au cœur ; le monde s'était soudain transformé et l'effondrement subit de sa tension surhumaine menaçait de l'étouffer, il tremblait, un sentiment de vertige lui faisait sentir sa tête comme une bulle vide, son estomac se contractait. Derrière les yeux il éprouvait une brûlure, comme un sanglot qui veut se faire jour. Sangloter, s'effondrer dans les larmes, dans l'évanouissement, c'était là l'aspiration de tout son être en ce moment.

Mais des profondeurs des souvenirs de jeunesse évoqués par la présence de Narcisse monta en lui une exhortation : une fois, quand il était enfant, il avait pleuré, il s'était effondré devant ce beau visage sévère, devant ces yeux sombres à qui rien n'échappait. Cela ne devait pas se renouveler. Voilà qu'au moment le plus étrange de son existence il réapparaissait comme un fantôme, ce Narcisse, probablement pour lui sauver la vie – et il allait, encore une fois, éclater devant lui en sanglots, tomber sans connaissance ! Non, non, et non. Il se domina. Il dompta son cœur, il se rendit maître de son estomac, il chassa le vertige de sa tête. Il n'avait pas le droit de manifester maintenant la moindre faiblesse.

D'une voix qu'il parvint à maîtriser, il réussit à dire :

« Il faut que tu me permettes de continuer à t'appeler Narcisse.

– Appelle-moi, ainsi, mon cher, et ne veux-tu pas me donner la main ? »

De nouveau Goldmund se fit violence. Sur un ton de bravade enfantine et de légère raillerie, comme il faisait parfois au temps de l'école, il donna sa réponse :

« Excuse-moi, Narcisse, dit-il froidement et d'un air un peu blasé. Je le vois, tu es devenu abbé. Mais moi, je suis resté un vagabond. Et, en outre, notre entretien, si ardemment que je le désire, ne pourra malheureusement pas durer longtemps. Car, vois donc, Narcisse, je suis condamné à la potence et dans une heure ou moins, je serai sans doute déjà pendu. Je ne dis cela que pour te mettre au courant de la situation. »

Narcisse ne broncha pas. Le peu de puérilité et de vantardise qui se manifestait dans l'attitude de son ami l'amusait fort et le touchait en même temps. Mais la fierté qu'il y avait derrière et qui interdisait à Goldmund de se jeter en pleurant sur son cœur, il la comprenait et l'approuvait au fond de son âme. Bien sûr, il s'était lui-même imaginé autrement le revoir, mais il était, au fond, d'accord pour jouer cette petite comédie.

Rien n'eût pu faire retrouver plus vite à Goldmund sa place dans son cœur.

« En effet, dit-il, affectant lui aussi l'indifférence, au reste, pour ce qui est de la potence, je puis te tranquilliser. On te fait grâce. J'ai mission de t'en informer et de t'emmener. Car il ne t'est pas permis de rester ici en ville. Nous aurons donc le temps de nous raconter l'un et l'autre bien des choses. Mais qu'en dis-tu? Veux-tu maintenant me donner la main? »

Ils se donnèrent la main, ils les tinrent longuement l'une dans l'autre et les serrèrent, se sentant tout émus, mais dans leurs paroles la comédie se poursuivit encore un bon moment avec une certaine raideur.

« Bon, Narcisse, ainsi je vais donc quitter cet asile qui n'a rien de très honorable, et je vais me joindre à ta suite. Retournes-tu à Mariabronn? Oui? Fort bien. Et comment? À cheval? Parfait. Il va donc s'agir de trouver un cheval pour moi aussi.

– Nous allons le trouver, *amice*, et dans deux heures, sans plus tarder, nous partirons. Oh! mais qu'as-tu donc aux mains? Par Dieu, toutes déchirées et enflées! pleines de sang! Oh! Goldmund, comme on t'a traité!

– N'en parlons plus, Narcisse, c'est moi qui me suis mis les mains en cet état. J'étais ligoté, il me fallait bien me délivrer. Ce ne fut pas aisé, je peux te le dire. Au reste, c'était fort courageux de ta part de venir à moi ainsi sans être accompagné.

– Pourquoi courageux? Il n'y avait pas le moindre danger.

– Oh! il n'y avait que le léger risque d'être assommé par moi. C'est comme cela en effet que j'avais réglé la chose. On m'avait dit qu'un prêtre viendrait. Je l'aurais tué et me serais enfui dans ses vêtements. Le plan n'était pas mauvais.

– Tu ne voulais donc pas mourir, tu voulais te défendre?

– Bien sûr, je le voulais. Que ce serait justement toi le prêtre, je ne pouvais tout de même pas le supposer.

– Naturellement, dit Narcisse avec quelque hésitation, c'était un projet tout à fait affreux. Aurais-tu vraiment pu tuer un prêtre venu à toi en confesseur?

– Pas toi, Narcisse, naturellement non, et peut-être

n'aurais-je pas assommé un de tes pères s'il avait porté l'habit de Mariabronn. Mais tout autre, assurément, tu peux y compter. »

Soudain sa voix devint sombre et triste.

« Ce n'aurait pas été le premier homme que j'aurais tué ! »

Ils se turent. Tous deux avaient le cœur serré.

« Nous parlerons de cela plus tard, dit Narcisse, sans laisser sa voix trahir son émotion. Tu pourras te confesser à moi quand tu en auras le désir. Ou bien tu pourras me faire le récit de ta vie, simplement. Moi aussi, j'ai bien des choses à te raconter. Je m'en réjouis. Partons-nous ?

— Encore un instant, Narcisse, il me vient à l'esprit que je t'ai déjà une fois donné le nom de Jean.

— Je ne te comprends pas.

— Naturellement. Tu n'es pas encore au courant. Il y a déjà bien des années, je t'ai donné une fois le nom de l'apôtre Jean, et il te restera pour toujours. J'ai été, en effet, autrefois, statuaire et sculpteur et je songe à le redevenir. Et la plus belle statue que j'aie faite alors, un jeune homme en bois, grandeur nature, c'était ton portrait, seulement il ne s'appelle pas Narcisse, mais Jean. C'est un apôtre Jean sous la croix. »

« Ainsi, tu pensais encore à moi », dit Narcisse à voix basse.

Egalement à voix basse, Goldmund lui répondit : « Oh ! oui, Narcisse, j'ai pensé à toi ; toujours, toujours. »

Avec force il poussa la lourde porte ; le matin pâle laissa pénétrer sa lumière. Ils ne dirent plus rien. Narcisse le prit avec lui dans la chambre où il recevait l'hospitalité. Son compagnon, un jeune moine, y était occupé à préparer les bagages. On donna à manger à Goldmund, on lava ses mains et on les pansa un peu. On ne tarda pas à amener les chevaux.

En montant en selle, Goldmund dit : « J'ai encore quelque chose à te demander : Prenons la route qui passe par le marché aux poissons. J'ai quelque chose à y faire. »

Ils se mirent en route et Goldmund leva les yeux vers toutes les fenêtres du château pour voir si Agnès n'était pas à l'une d'elles. Leurs chevaux arrivèrent au marché aux poissons ; Marie avait été fort inquiète à son sujet. Il prit congé d'elle et de ses parents, les remercia beaucoup, promit de revenir un jour et partit à cheval. Marie resta sous la porte jusqu'à ce que les cavaliers fussent disparus. Lentement elle rentra en boitant dans la maison.

Ils chevauchaient tous quatre : Narcisse, Goldmund, le jeune moine et un palefrenier en armes.

« Te souviens-tu encore de mon cheval Bless, qui se trouvait dans l'écurie de votre couvent ? demanda Goldmund.

– Certainement. Tu ne le retrouveras plus, et tu ne t'attendais certes pas à le retrouver. Il y a bien sept ou huit ans que nous avons dû l'abattre.

– Et tu t'en souviens !

– Oh ! oui, je m'en souviens. »

Goldmund ne s'affligeait pas de la mort de son petit Bless ; il se réjouissait de ce que Narcisse fût si au courant de ce qui concernait Bless, lui qui ne s'était jamais soucié des bêtes et ne connaissait sûrement pas le nom d'un autre cheval du monastère.

« Tu vas rire de moi, reprit-il, parce que le premier être de votre couvent dont je m'informe est le pauvre bidet. Ce n'était pas bien de ma part. J'aurais dû poser de tout autres questions, tout d'abord au sujet de notre abbé Daniel. Mais je pouvais bien imaginer qu'il est mort, n'es-tu pas son successeur ? Et je voulais éviter qu'il ne soit question pour commencer que de décès. Je ne peux pas pour l'instant entendre parler de la mort, à cause de la nuit que je viens de passer et aussi à cause de la peste dont les horreurs me sont bien trop familières. Mais nous y voici venus pourtant et il fallait bien qu'on y arrive. Dis-moi quand et comment est mort l'abbé Daniel. J'ai eu pour lui de la vénération. Et dis-moi aussi si le père Anselme et le père Martin sont encore de ce monde. Je m'attends à toutes les mauvaises nouvelles. Mais puisque, toi du moins, la peste t'a épargné, je me déclare satisfait. Jamais je n'ai pensé que tu pouvais être mort, j'ai toujours cru que nous nous reverrions, mais le sentiment peut vous induire en erreur ; mon maître le sculpteur d'images Niklaus, je ne pouvais pas non plus me le représenter mort ; je comptais absolument le retrouver et travailler de nouveau chez lui, et pourtant il était mort quand je suis arrivé.

– Il n'y a pas grand-chose à raconter, dit Narcisse, l'abbé Daniel est mort il y a déjà huit ans sans maladie, sans douleur. Je ne suis pas son successeur ; je ne suis abbé que depuis un an. C'est le père Martin, notre ancien préfet des études, qui lui a succédé. Il est mort l'an passé à peine âgé de soixante-dix ans. Et le père Anselme n'est plus là, lui non plus. Il t'aimait bien. Il parlait de toi souvent encore. Dans les derniers temps, il ne pouvait plus du tout marcher et c'était pour lui un supplice de rester couché. Il est mort d'hydropisie. Et la peste est aussi passée chez nous, bien sûr, elle en a emporté beaucoup. N'en parlons plus. As-tu encore des questions à me poser ?

– Beaucoup, certainement. Avant tout, comment se fait-il que tu viennes ici dans la ville épiscopale et chez le gouverneur ?

– C'est une longue histoire et elle t'ennuierait : il s'agit de politique. Le comte est un favori de l'empereur et il a pleins pouvoirs en beaucoup de questions. Or, il y a pour le moment, entre l'empereur et notre ordre, bien des difficultés à aplanir. L'ordre m'a affecté à une délégation qui devait négocier avec lui. Le succès a été mince. »

Il se tut et Goldmund n'en demanda pas plus. Il n'avait pas besoin de savoir que la veille au soir, quand Narcisse avait imploré sa grâce, celle-ci avait dû être payée au comte de quelques concessions, car il était dur.

En chevauchant, Goldmund ne tarda pas à se sentir fatigué ; il avait peine à se tenir en selle.

Au bout d'un moment, Narcisse demanda : « Est-ce donc vrai, que tu as été arrêté pour vol ? Le comte a prétendu que tu t'étais introduit dans le château, puis dans les pièces privées et que tu y avais commis un larcin. »

Goldmund rit : « J'avais tout l'air, en effet, d'être un voleur. Mais c'était un rendez-vous que j'avais avec l'amante du comte ; il le savait bien lui-même sans aucun doute. Je suis fort surpris qu'il m'ait tout de même laissé courir.

– Bah ! Il n'a pas été intraitable. »

Ils ne parvinrent pas à faire l'étape prévue pour ce jour-là ; Goldmund était trop épuisé, ses mains ne pouvaient plus tenir les rênes. Ils s'arrêtèrent dans un village, on le mit au lit un peu fiévreux et il y resta encore le lendemain. Alors il put poursuivre sa route. Et quand, peu après, ses mains furent guéries, il jouit beaucoup de ce voyage à cheval. Depuis bien longtemps il n'avait pas été en selle. Il renaissait à la vie, il retrouvait sa jeunesse et sa vivacité ; de temps en temps, pendant un bout de chemin, il faisait la course avec le palefrenier et, aux heures où son cœur s'épanchait, il pressait son ami Narcisse de mille questions impatientes. Celui-ci y répondait avec calme mais pourtant avec joie ; il était à nouveau entièrement sous le charme, il aimait ses questions si directes, si enfantines, pleines d'une confiance illimitée dans l'intelligence et la sagesse de son ami.

« Dis-moi, Narcisse, avez-vous, vous aussi, quelquefois brûlé des juifs ?

– Brûlé des juifs ? Comment le ferions-nous ? Il n'y a, du reste, pas de juifs chez nous.

– En effet. Mais réponds-moi, serais-tu capable de brûler des juifs ? Peux-tu t'imaginer la chose comme possible ?

– Non, pourquoi le ferais-je ? Me prends-tu pour un fanatique ?

– Comprends bien, Narcisse, ce que je veux dire, peux-tu imaginer que, dans un cas quelconque, tu donnerais l'ordre de tuer des juifs, ou que du moins tu y consentirais ? Tant de ducs, de bourgmestres, d'évêques et d'autres autorités ont déjà donné des ordres pareils.

– Je ne donnerais pas un ordre de ce genre. Par contre, on peut imaginer le cas où je serais forcé d'assister à de telles atrocités et de les supporter.

– Alors tu les supporterais ?

– Certainement, si je ne disposais pas du pouvoir de les empêcher. Tu as sans doute vu un jour brûler des juifs, Goldmund ?

– Oh ! oui !

– Eh bien, l'as-tu empêché ? Non ? Vois-tu. »

Goldmund raconta tout au long l'histoire de Rébecca. Il s'échauffa et se passionna à ce récit.

« Eh bien, conclut-il avec emportement, que penses-tu de ce monde dans lequel il nous faut vivre ? N'est-ce pas un enfer ? n'est-ce pas révoltant et odieux ?

– En effet. C'est bien ainsi qu'est le monde.

– N'est-ce pas ! s'écria Goldmund en colère. Et combien de fois ne m'as-tu pas soutenu jadis que le monde était divin, que c'était une immense harmonie de sphères au centre desquelles trônait le Créateur, et que tout ce qui est était bon, etc. Tu prétendais que c'était dans Aristote ou dans saint Thomas. Je suis curieux d'entendre comment tu expliques cette contradiction. »

Narcisse sourit :

« Ta mémoire est admirable, et pourtant elle t'a un peu abusé. J'ai toujours proclamé avec vénération la perfection du Créateur, jamais celle de la création. Jamais je n'ai nié le mal dans le monde. Jamais encore, mon cher, un vrai penseur n'a prétendu que la vie sur terre se déroulait dans l'harmonie et la justice, ni que l'homme était bon. Au contraire, il est formellement écrit dans la Sainte Écriture que le cœur humain, dans ses rêves et ses aspirations, est mauvais et nous en avons chaque jour la preuve.

– Fort bien. Je finis par comprendre comment vous l'entendez. Donc l'homme est méchant et la vie sur terre une infamie, une cochonnerie, vous en convenez. Mais derrière tout cela il y a dans vos traités quelque part une justice, une perfection. Elles existent, on peut prouver leur réalité, seulement on ne les voit jamais à l'œuvre !

– Tu nous gardes, à nous théologiens, une solide rancune, mon cher ami ! Mais tu n'es toujours pas devenu un penseur, tu brouilles tout. Tu as encore quelques petites choses à apprendre. Pourquoi donc dis-tu que nous ne faisons aucun usage de l'idée de Justice ? Pas de jour, pas d'heure où nous ne la mettions en pratique. Moi-même, par exemple, je suis abbé, j'ai à diriger un monastère, et dans ce monastère, la vie est aussi peu parfaite et sans péché que dans le monde extérieur. Nous n'en dressons pas moins sans cesse et toujours l'idée de Justice contre la faute originelle ; c'est à sa mesure que nous cherchons à juger notre existence imparfaite, à corriger le mal et à juger notre existence imparfaite, à corriger le mal et à établir dans notre vie un constant rapport avec Dieu.

– Bien sûr, Narcisse ; ce n'est pas toi que j'accuse et je ne veux pas dire que tu ne sois pas un bon abbé. Mais je songe à Rébecca, aux juifs que l'on brûle, aux fosses communes, à tous ces morts qui trépassent en masse, aux rues et aux maisons pleines et puantes de cadavres de pestiférés, à toute cette immense et horrible désolation, aux enfants restés seuls à l'abandon, aux chiens morts à la chaîne – et quand je pense à tout cela, quand j'évoque toutes ces images, mon cœur me fait mal et il me semble que nos mères nous ont enfantés dans un univers désespérément cruel et diabolique et qu'il vaudrait mieux qu'elles ne l'eussent pas fait, que Dieu n'ait pas créé ce monde d'épouvante et que le Sauveur ne se fût pas laissé clouer pour lui sur la croix. »

Narcisse approuva son ami avec bienveillance.

« Tu as absolument raison, dit-il avec chaleur, va jusqu'au bout de ta pensée, ne me tais rien. Mais il y a un point sur lequel tu te trompes fort : ce que tu exprimes là, tu prends cela pour des idées. Ce sont des sentiments ! Ce sont les sentiments d'un homme que tourmente l'horreur de l'existence. Seulement n'oublie pas qu'à ces sentiments de tristesse et de désespoir d'autres sentiments s'opposent. Quand tu te sens à l'aise sur ton cheval et quand tu chevauches à travers un beau paysage ou quand – avec une légèreté incontestable – tu te faufiles dans le château pour faire la cour à la maîtresse du comte, alors l'univers t'apparaît sous un tout autre aspect, et tous les juifs et tous les bûchers du monde ne peuvent t'empêcher de chercher ton plaisir. N'en est-il pas ainsi ?

– Certes, c'est ainsi. C'est parce que le monde est plein de mort et d'épouvante que je cherche sans cesse à consoler mon cœur et à cueillir les belles fleurs qui poussent au milieu de l'enfer. Je jouis de la volupté et j'oublie l'horreur pour une heure. Elle n'en est pas moins là.

– Tu as trouvé là une excellente formule. Ainsi tu te sens entouré d'horreurs dans la réalité et tu te réfugies dans le plaisir. Mais le plaisir est fugitif, il te laisse ensuite dans la désolation.

– Oui, c'est cela.

– C'est ce qui se passe pour la plupart des hommes; toutefois, il en est peu qui sentent cela avec la même force et la même intensité que toi et peu qui éprouvent le besoin d'en prendre conscience. Mais dis-moi, en dehors de ce jeu de bascule entre la joie de vivre et le sentiment de la mort – n'as-tu pas essayé de trouver encore quelque autre voie?

– Si, naturellement; j'ai fait l'expérience de l'art. Je te l'ai dit déjà, entre autres choses je suis devenu artiste. Un jour, il y avait peut-être trois ans que je vous avais quittés pour aller dans le monde, trois ans passés presque entièrement sur les chemins, j'ai rencontré, dans l'église d'un monastère, une madone de bois. Elle était si belle et je fus si ému à son aspect que je demandai le nom du sculpteur et recherchai celui qui l'avait faite. Je le trouvai, c'était un maître célèbre, je devins son élève et j'ai travaillé quelques années auprès de lui.

– Tu me raconteras tout cela plus en détail. Mais qu'est-ce que l'art t'a apporté, que signifie-t-il pour toi?

– Le triomphe sur la vie fugitive; je me suis rendu compte que, de la farce et de la danse macabre de la vie humaine, il y avait une chose qui demeurait, qui survivait, l'œuvre d'art. Elle aussi périt bien un jour, elle est consumée, gâtée, brisée. Mais tout de même elle survit à bien des vies humaines et constitue, au-delà de l'instant qui passe, un domaine paisible d'images et de choses saintes. Il me semble bon et consolant d'y travailler, car c'est presque conférer aux choses éphémères l'éternité.

– J'en suis bien heureux, Goldmund, j'espère que tu feras encore beaucoup de belles statues, j'ai pleine confiance en ton talent et j'espère que tu seras longtemps mon hôte à Mariabronn et que tu me permettras de t'installer un atelier; depuis bien longtemps notre monastère n'a pas eu d'artiste. Mais je crois que ta définition n'a pas épuisé ce qu'il y a de merveilleux dans l'art. Je crois que le rôle de l'art n'est pas uniquement d'arracher à la mort, par le moyen de la pierre, du bois ou des couleurs, des êtres réels et de leur conférer une plus longue durée. J'ai vu bien des œuvres d'art : des saints, des madones, qui ne me semblaient pas de simples reproductions de quelque individu ayant un jour vécu et dont les formes ou les couleurs ont été sauvées par l'artiste.

– Tu as raison ! s'écria Goldmund avec chaleur. Je n'aurais pas cru que tu étais si bien renseigné sur l'art ; la vision première qui prend forme dans une belle œuvre d'art, ce n'est pas une personne réelle, vivante, bien qu'elle en puisse être le sujet. La vision première n'est pas chair et sang, elle est esprit ; elle réside dans l'âme de l'artiste. Moi aussi, Narcisse, je porte en mon âme de telles visions, j'espère les manifester et te les montrer un jour.

– Splendide ! Et maintenant, mon cher, voilà que, sans le savoir, tu te trouves en plein milieu de la philosophie et que tu exprimes un de ses secrets.

– Tu te moques de moi !

– Mais non. Tu as parlé de visions premières, donc d'images qui n'existent nulle part que dans l'esprit créateur, mais qui peuvent être réalisées dans la matière et rendues visibles. Longtemps avant qu'une image artistique soit visible et prenne une réalité, elle existe dans l'âme de l'artiste. Cette image première, c'est précisément ce que les Anciens appellent une « idée ».

– Je n'en doute nullement.

– Et en reconnaissant les idées et les visions premières, te voilà dans le monde de l'esprit, dans notre monde à nous philosophes et théologiens, et tu confesses la présence de l'esprit créateur au milieu du champ de bataille déconcertant et douloureux de la vie, au milieu de cette danse macabre sans objet et sans signification de l'existence pratique. Vois donc, c'est à cet esprit qui est en toi que toujours j'ai fait appel depuis que, encore enfant, tu es venu à moi. Chez toi, cet esprit-là n'est pas celui d'un penseur, c'est celui d'un artiste. Mais il est esprit et te montrera la voie qui te mènera hors de la morne confusion du monde des sens, hors de cette éternelle succession du plaisir et du désespoir. Oh ! que je suis heureux d'avoir entendu de toi cet aveu ! Je l'attendais depuis les jours lointains où tu as quitté ton maître Narcisse et trouvé le courage d'être toi-même. Maintenant, nous pouvons de nouveau être des amis. »

À ce moment, il sembla à Goldmund que sa vie avait pris un sens, comme si, la considérant de haut, il en distinguait nettement les trois grandes étapes : sa soumission à Narcisse

et son affranchissement – l'époque de la liberté et du vagabondage – le retour au gîte, le retour sur soi-même et
jusqu'aux profondeurs de l'âme, le commencement de la
maturité et de la moisson.

Cette vision s'évanouit, mais il avait maintenant trouvé le
ton qui convenait à ses rapports avec Narcisse, qui s'établissaient maintenant dans la liberté, la réciprocité, non plus
dans l'infériorité. Désormais, il pouvait sans humiliation
accepter l'hospitalité de cet esprit supérieur puisque l'autre
avait reconnu en lui son égal, un créateur. Au cours de ce
voyage, il se réjouissait avec une impatience croissante de se
révéler à lui, de lui manifester dans des images le monde qui
vivait en lui. Mais parfois aussi il avait des scrupules et il le
mettait en garde.

« Narcisse, j'ai peur que tu ne saches pas exactement qui
tu introduis dans ton monastère. Je ne suis pas un moine et
ne veux pas le devenir. Je connais vos trois grands vœux et
pour ce qui est de la pauvreté, je suis parfaitement d'accord,
mais je n'aime ni la chasteté ni l'obéissance. Ce sont des vertus qui ne me paraissent pas viriles. En moi, il ne reste plus
trace de piété ; il y a des années que je ne me suis confessé,
que je n'ai prié ni communié. »

Cela ne fit à Narcisse aucune impression. « Tu m'as l'air
d'être devenu un païen. Mais cela ne nous fait pas peur. Tu
n'as nullement besoin d'être fier de tes péchés. Tu as vécu
dans le monde comme tous les autres. Tu as, comme l'enfant
prodigue, gardé les porcs ; tu ne sais plus ce que c'est que la
règle et l'ordre. Certes, tu ferais un très mauvais moine. Mais
je ne t'invite nullement à entrer dans notre ordre ; je t'invite
seulement à être notre hôte et à t'installer un atelier chez
nous. Encore une chose : n'oublie pas que c'est moi qui,
dans nos années de jeunesse, t'ai éveillé et t'ai fait partir
pour mener la vie du monde. C'est moi qui, en même temps
que toi-même, porte la responsabilité de ce que tu es devenu,
en bien comme en mal. Je veux voir ce qu'il est advenu de
toi ; tu me le montreras dans tes paroles, dans ta vie, dans tes
œuvres. Quand tu l'auras montré, si je trouvais que tu n'es
pas à ta place dans notre maison, je serais le premier à te
prier de la quitter. »

Goldmund était toujours plein d'admiration quand son ami
parlait ainsi, quand il tenait son rôle d'abbé avec une tranquille assurance, avec un soupçon de dédain pour les gens du
monde et la vie du monde, car il se rendait alors compte de
ce qu'était devenu Narcisse : un homme. Un homme de pen-

sée et d'église certes, aux mains tendres, à la figure de savant, mais un homme plein d'assurance et de courage, un chef chargé de responsabilités. Cet homme n'était plus l'adolescent d'autrefois, il n'était plus le doux apôtre Jean uniquement orienté vers la vie intérieure. Ce nouveau Narcisse, si viril, ce chevalier, il voulait le modeler de ses mains. Que de figures attendaient son effort : Narcisse, l'abbé Daniel, le père Anselme, Niklaus, la belle Rébecca, la belle Agnès, et tant d'autres encore, amies ou hostiles, vivantes ou mortes ! Non, il ne voulait pas entrer dans l'ordre, il ne souhaitait pas plus de devenir un moine pieux qu'un moine savant. Il voulait accomplir sa tâche de créateur et se réjouissait de ce que l'ancien foyer de sa jeunesse dût être aussi le foyer de son œuvre.

Ils chevauchaient dans la fraîcheur de l'automne déjà avancé et, un jour où, au matin, les arbres étaient couverts de gelée blanche, ils se trouvèrent dans un pays aux vastes horizons, mollement ondulé, semé de marécages incultes et rougeâtres, et de longues croupes de collines depuis longtemps connues firent lever d'étranges souvenirs.

Voici que se présente une haute forêt de frênes, un ruisseau, une vieille grange, à la vue desquels le cœur de Goldmund se met à souffrir de joyeuse impatience. Il reconnaît les collines sur lesquelles il chevauchait jadis avec Lydia, la fille du chevalier, et la lande sur laquelle jadis, le cœur lourd, il avait cheminé après son expulsion dans les flocons de neige épars. Voici que surgissent les bosquets d'aulnes, et le moulin et le château ; avec un drôle de pincement au cœur il découvre la fenêtre de la salle de travail, dans laquelle, autrefois, aux temps légendaires de sa jeunesse, il lui a fallu écouter le récit des pèlerinages du chevalier et corriger son latin. Leurs chevaux pénétrèrent dans la cour : c'était une des étapes prévues du voyage. Goldmund pria l'abbé de ne pas prononcer son nom et de le laisser prendre son repas en compagnie du palefrenier avec les domestiques. Ainsi fut fait. Plus de vieux chevalier, plus de Lydia, mais il restait quelques chasseurs, quelques valets, et dans la maison vivait et régnait, aux côtés de son époux, une jolie châtelaine, fière et altière, Julie. Elle était toujours merveilleusement belle, très belle et un peu méchante ; ni elle ni les domestiques ne reconnurent Goldmund. Après le repas, dans le demi-jour du soir, il se glissa vers le jardin, jeta un regard par-dessus la haie aux parterres qui déjà sentaient l'hiver, alla à la porte de l'écurie jeter sur les chevaux un

coup d'œil furtif. Il dormit sur la paille avec le palefrenier.
Sur son cœur pesait le fardeau des souvenirs ; il se réveilla
bien des fois. Quelle vie dissipée et inféconde s'étendait derrière lui, pleine de splendides images, mais brisée en tant
d'éclats, d'une valeur si infime, si pauvre en amour ! Le
matin, au départ, il leva les yeux vers les fenêtres, se deman-
dant anxieusement s'il apercevrait encore une fois Julie.
Ainsi déjà il avait cherché à voir dans la cour du palais épis-
copal si Agnès n'apparaîtrait pas une fois encore. Elle n'était
pas venue et Julie, elle non plus, ne vint pas. Il en était ainsi,
lui sembla-t-il, de sa vie entière : adieux, fuites, oubli, il restait là les mains vides, le cœur glacé. Toute la journée il fut
obsédé, il ne dit pas un mot, s'abandonnant sur sa selle, le
visage sombre. Narcisse le laissa faire.

Mais maintenant ils approchaient du but ; au bout de
quelques jours ils l'atteignirent. Peu avant qu'apparussent la
tour et les toits, ils chevauchèrent sur ces friches pierreuses
dans lesquelles – oh ! qu'il y avait longtemps de cela ! – le
père Anselme l'avait envoyé cueillir du millepertuis et où la
tzigane Lise avait fait de lui un homme. Et voici qu'ils franchirent le portail de Mariabronn et mirent pied à terre sous le
châtaignier welche. Goldmund porta avec tendresse la main
sur le tronc et se pencha sur une des écorces éclatées et
piquantes répandues sur le sol.

CHAPITRE XVIII

Les premiers jours, Goldmund habita au cloître même,
dans une des cellules des hôtes. Puis, à sa prière, on l'installa
en face de la forge, dans une des dépendances qui entou-
raient la grande cour comme la place d'un marché.

Ce retour eut pour lui un charme si violent qu'il s'en étonnait parfois lui-même. Personne ici ne le connaissait en
dehors de l'abbé, personne ne savait qui il était. Ici les gens,
aussi bien les frères que les laïcs, vivaient une vie toute
réglée, ils étaient pris par leurs tâches, ils le laissèrent en
paix. Mais les arbres de la cour, les portails et les fenêtres, le
moulin et sa roue, les dalles des couloirs, les buissons de
roses fanées dans le promenoir, les nids de cigognes sur le
grenier à blé et le réfectoire le connaissaient, eux. À tous les

détours le parfum du passé, sa première jeunesse se présentaient à lui avec une émouvante douceur. Le cœur plein de tendresse, il voulait tout revoir, tendre l'oreille à tous les sons, à la cloche du soir comme au carillon du dimanche, au tic-tac du sombre moulin dans ses murs étroits couverts de mousse, au glissement des sandales sur les dalles de pierre, au cliquetis du trousseau de clefs quand, le soir, le frère portier allait fermer. Près des conduits de pierre où l'eau de pluie se déversait du toit du réfectoire des laïcs les mêmes petites herbes, géraniums et plantin, pullulaient encore, et le vieux pommier, dans le jardin de la forge, tendait toujours au loin ses branches tordues. Mais ce qui, chaque fois, le remuait plus que tout le reste, c'était d'entendre la petite cloche de l'école aux heures de récréation, quand tous les élèves du monastère dégringolaient les escaliers pour venir dans la cour. Quelles jolies figures enfantines jeunes et bêtes ! Etait-ce possible ? avait-il été jadis si jeune, si gauche, si joli, si puéril ?

Mais à côté de ce cloître familier il en retrouva un autre qu'il ignorait presque. Dès les premiers jours il s'imposa à son regard, prit sans cesse de l'importance et ne se confondit que peu à peu avec celui qui lui était connu. Car si rien de nouveau ne s'était surajouté à ce qui existait ici en ses années d'école, si tout était resté immuable ici depuis cent ans et plus, il ne voyait pourtant plus les choses avec ses yeux d'écolier. Il découvrait, il sentait les proportions des bâtiments, les voûtes de l'église, les vieilles peintures, les figures de pierre et de bois aux autels, dans les porches, et bien qu'il ne vît rien qui n'eût été déjà autrefois à cette place, il percevait maintenant seulement la beauté de ces choses et l'esprit qui les avait créées. La vieille madone de pierre dans la chapelle haute, il l'aimait déjà étant enfant et il l'avait dessinée, mais c'était aujourd'hui seulement que ses yeux s'éveillaient à sa beauté et qu'il constatait que son travail le plus heureux et le mieux réussi n'eût pu surpasser pareille merveille. Et il y en avait tant de ces merveilles, aucune n'était là pour elle-même, aucune n'était le fruit du hasard, mais toutes étaient la manifestation d'une même âme et se trouvaient parmi les vieux murs, les colonnes et les voûtes comme dans leur foyer normal. Ce que, au cours de plusieurs siècles, on avait ici bâti, ciselé, peint, vécu, pensé, enseigné avait un air de famille, provenait d'un même esprit, et s'accordait ensemble comme s'accordent les branches d'un même arbre.

Au milieu de la puissante et tranquille unité de ce monde,

Goldmund se sentait tout petit et jamais il ne se sentait plus petit que quand il voyait l'abbé Jean, son ami Narcisse, remplir son office de direction dans ce monde ordonné où se manifestait tant de force, mais en même temps tant de grâce calme. Si grande que fût la différence entre la personne du savant abbé Jean, aux lèvres minces et celle de l'abbé Daniel, si bon, si simple dans sa droiture, chacun d'eux était au service du même ensemble, de la même pensée, du même ordre, recevait d'eux sa dignité, leur sacrifiait sa personne. C'est là ce qui, tout autant que l'habit monacal, les rendait si semblables l'un à l'autre.

Ici, au milieu de ce cloître qui était le sien, Narcisse devint aux yeux de Goldmund immensément grand sans qu'il se fût comporté à son égard autrement qu'en camarade et en hôte bienveillant. Bientôt il osa à peine l'appeler Narcisse et le tutoyer.

« Ecoute, abbé Jean, dit-il un jour, il va bien falloir que peu à peu je m'habitue à ton nouveau nom. Il me faut te dire que je me plais beaucoup chez vous. J'aurais presque envie de te faire une confession générale et, une fois ma pénitence accomplie, de solliciter mon admission comme frère lai. Mais vois, ce serait la fin de notre amitié, tu serais l'abbé et moi le frère lai. Pourtant, vivre ainsi à tes côtés et voir ton travail sans rien faire et rien produire moi-même, je ne le supporterai pas plus longtemps. Moi aussi, je voudrais travailler et te montrer ce que je suis et ce que je sais faire, afin que tu puisses te rendre compte si ça valait la peine de m'arracher à la potence.

– J'en suis fort heureux », répondit Narcisse en donnant à ses paroles un ton plus précis et plus formel encore qu'à l'ordinaire. « Tu peux à tout instant commencer à installer ton atelier, je vais immédiatement mettre à ta disposition le forgeron et le charpentier. Tu disposes pour ton travail du matériel qui se trouve ici sur place. Dresse la liste de ce qu'il faut commander à l'extérieur par des voituriers. Et maintenant, écoute ce que je pense de toi et de tes desseins. Il faut me laisser un peu de temps pour m'exprimer : je suis un intellectuel et je voudrais essayer de t'exposer la chose à ma façon, je n'ai pas d'autre langue que celle-là. Ainsi suis-moi encore avec la même patience que tu as si souvent montrée dans le temps.

– J'essaie de te suivre. Parle.

– Souviens-toi que je t'ai dit parfois, dès le temps où nous étions écoliers, que je te tiens pour un artiste. Dans ce temps-là il me semblait que tu pouvais devenir un poète, dans ce que tu lisais et écrivais tu montrais une certaine répugnance pour ce qui était abstrait, tu aimais tout particulièrement dans la langue les mots et les sons qui avaient un caractère sensible, poétique, les mots qui faisaient image. »

Goldmund l'interrompit.

« Excuse-moi, mais les concepts et les abstractions que, toi, tu préfères, ne sont-ils pas aussi des représentations, des images ? Ou bien les mots dont tu te sers en parlant ne permettent-ils vraiment de rien imaginer ? Peut-on penser sans se représenter en même temps quelque chose ?

– Tu fais bien de poser la question. Mais certainement, on peut penser sans rien se représenter. La pensée n'a absolument rien à voir avec les représentations. Elle ne se réalise pas en images, mais en concepts et en formules. C'est exactement là où les images prennent fin que commence la philosophie. C'est là-dessus que nous avons si souvent discuté étant jeunes gens. Pour toi, le monde consistait en images, pour moi en concepts. Je te disais toujours que tu n'étais bon à rien comme penseur et j'ajoutais que ce n'était pas une tare, puisque tu étais par contre souverain dans le domaine des images. Attention ! Je vais t'expliquer cela. Si, au lieu de courir le monde comme tu fis alors, tu étais devenu un intellectuel, tu aurais pu faire du mal ; tu aurais été en effet un mystique. Les mystiques, pour m'exprimer brièvement et un peu grossièrement, sont des penseurs qui ne peuvent se libérer des représentations, en somme, qui ne sont pas des penseurs. Ce sont des artistes manqués : des poètes sans vers, des peintres sans pinceaux, des musiciens sans sons. Il y a parmi eux des esprits bien doués, de nobles esprits, mais ils sont tous, sans exception, des gens malheureux. Il eût pu en être ainsi de toi. Au lieu de cela, tu es, Dieu merci, devenu un artiste et tu t'es soumis un monde d'images où tu peux être un créateur et un maître au lieu de rester comme penseur, empêtré dans la médiocrité.

– J'ai peur, dit Goldmund, de ne jamais réussir à me faire une idée de ton monde de la pensée où l'on pense sans images.

– Oh ! si, tout de suite tu vas y réussir. Ecoute : l'intellectuel essaie de connaître et de représenter au moyen de la logique l'essence du monde. Il sait que notre intelligence et son instrument, la logique, sont des outils imparfaits – tout comme un artiste sensé n'ignore pas que son pinceau ou son ciseau ne pourront jamais exprimer parfaitement la splendeur d'un ange ou d'un saint. Pourtant tous deux essaient, le penseur comme l'artiste, chacun à sa manière. Ils ne peuvent pas faire autrement, ils n'en ont pas le droit. Car un être humain s'acquitte de sa tâche la plus haute, la plus normale, en cherchant à mettre en valeur les dons qu'il a reçus de la nature. C'est pour cela que je t'ai dit si souvent jadis : n'essaie pas de singer le penseur ou l'ascète, sois plutôt toi-même, cherche à te réaliser toi-même.

— Je te comprends à demi, mais qu'est-ce que ça veut dire, se réaliser ?

— C'est une formule des philosophes, je ne sais pas exprimer cela autrement. Pour nous, disciples d'Aristote et de saint Thomas, l'idée la plus haute, c'est l'être parfait. L'être parfait, c'est Dieu. Toutes les autres choses qui sont, sont seulement à demi, sont fragmentaires, sont en devenir, sont mêlées, ne consistent qu'en possibilités. Mais Dieu n'est pas mêlé, il est un ; il n'y a pas en lui de possibles, mais il est tout entier réalité. Nous autres, nous sommes changeants, en devenir, nous sommes un ensemble de possibles, il n'y a pas pour nous de perfection, pas d'être absolu. Mais là où nous passons de la puissance à l'acte, de la possibilité à la réalisation, nous avons part à l'être véritable, nous nous rapprochons d'un pas du divin et de la perfection. Se réaliser, c'est cela. Tu dois connaître par ta propre expérience ce processus. Tu es artiste, tu as exécuté mainte statue. Quand tu as vraiment réussi une statue, quand tu as dégagé des contingences le portrait d'un homme et l'as amené à sa forme pure, alors tu as, comme l'artiste, réalisé cette figure humaine.

— J'ai compris.

— Tu me vois, ami Goldmund, dans un lieu et dans une fonction où ma nature ne rencontre relativement que peu de difficultés à se réaliser. Tu me vois vivre dans un milieu et dans une tradition qui me conviennent et m'aident. Un monastère n'est pas un paradis ; il est plein d'imperfections ; et pourtant, pour des hommes de mon genre, la vie monacale, menée comme il convient, est infiniment plus favorable que la vie du monde. Je ne veux pas parler de la morale, mais déjà, dans le simple domaine pratique, la pensée pure, que j'ai mission de cultiver et d'enseigner, réclame une certaine protection contre le monde. J'ai donc pu ici, dans notre maison, me réaliser beaucoup plus facilement que toi. Que tu n'en sois pas moins parvenu à trouver ta voie et à faire un artiste, je juge cela admirable. Car tu étais placé dans des conditions bien plus difficiles. »

Goldmund rougit de confusion sous cette louange et aussi de joie. Pour donner à l'entretien un autre cours, il interrompit son ami :

« Je suis arrivé à comprendre la plupart des choses que tu voulais me dire. Il y en a tout de même une qui ne veut pas m'entrer dans la tête : c'est ce que tu appelles la pensée pure, c'est-à-dire ta prétendue pensée sans images et qui opère avec des mots sous lesquels on ne peut rien se représenter ?

– Eh bien, un exemple va te montrer cela clairement. Pense aux mathématiques. Quelle représentation évoquent les nombres ? Ou les signes plus et moins ? Quelles images y a-t-il dans une équation ? Aucune ! Quand tu résous un problème arithmétique ou algébrique aucune représentation ne vient à ton aide, mais tu exécutes au moyen de formules apprises un exercice formel.

– C'est cela, Narcisse. Si tu me donnes une série de chiffres et de signes, je peux me débrouiller avec eux sans qu'ils évoquent la moindre image, je n'ai qu'à me laisser conduire par les plus et les moins, les carrés et les parenthèses, etc., et je puis résoudre le problème. Ou plutôt, je pouvais le résoudre, autrefois, car je ne le puis plus aujourd'hui et depuis longtemps. Mais il m'est impossible d'admettre que la résolution de ces exercices formels ait d'autre intérêt que celui d'un dressage de l'esprit à l'usage des écoliers. Je trouverais puéril et stupide qu'un homme se tienne sa vie entière sur des calculs et couvre éternellement du papier avec des rangées de chiffres.

– Tu te trompes, Goldmund ; tu supposes qu'un calculateur comme celui-là ne cesserait de résoudre de nouveaux exercices scolaires qu'un maître lui poserait. Mais il peut aussi se poser les questions lui-même ; elles peuvent se poser en lui avec une force irrésistible. Il faut avoir calculé et mesuré bien des espaces réels et fictifs avant de s'attaquer, comme penseur, au problème de l'espace.

– Sans doute. Mais le problème de l'espace, comme simple exercice intellectuel, ne me paraît pas non plus un sujet sur lequel un homme devrait gaspiller son effort et ses années. Le mot espace n'est rien pour moi et ne mérite pas une pensée tant que je n'imagine pas en l'entendant un espace réel : l'univers étoilé par exemple, car c'est là un espace qu'il ne me semble pas vain de contempler et de mesurer. »

Narcisse l'interrompit en souriant : « Tu veux dire exactement que tu ne fais aucun cas de la pensée, mais bien au contraire des applications de la pensée au monde pratique et visible. Je puis te répondre : Les occasions et la volonté d'appliquer notre pensée ne manquent nullement. Par exemple, le penseur Narcisse a cent fois appliqué des résultats de ses réflexions à son ami Goldmund et à chacun de ses moines et il le fait à toute heure. Mais comment pourrait-il « appliquer » quelque chose qu'il n'aurait pas appris et pratiqué auparavant? L'artiste, lui aussi, ne cesse d'exercer son œil et son imagination et nous apprécions cet entraînement, même s'il ne se manifeste que dans quelques œuvres véritables. La contradiction est manifeste. Laisse-moi donc « penser » et juge ma pensée sur ses effets comme je jugerai ta qualité d'artiste sur tes œuvres. Tu es maintenant inquiet parce qu'entre toi et ta production se dressent des obstacles. Ecarte-les, cherche ou bâtis-toi un atelier et mets-toi au travail. Bien des questions se résoudront alors d'elles-mêmes. »

Goldmund ne demandait pas mieux. Il découvrit près du portail de la cour une salle qui, pour l'instant, était vide et convenait comme atelier. Il commanda au charpentier une table à dessin et d'autres objets qu'il lui dessina avec précision. Il établit une liste des choses que les voituriers du monastère devraient lui amener peu à peu des villes voisines, et elle était longue. Il examina chez le charpentier et dans la forêt tous les stocks de bois abattu, en choisit un bon nombre et les fit amener dans la prairie derrière son atelier, où il les mit à sécher, les couvrant d'un toit construit de ses mains. Il avait beaucoup à faire chez le forgeron, dont le fils, un jeune homme à l'imagination vive, était sous le charme, ne jurait que par lui. Il restait avec lui des demi-journées devant le foyer, à l'enclume, près de l'auge où il trempait ses fers rouges, et de la pierre à aiguiser. Ils fabriquèrent là tous les ciseaux droits et courbes, les burins, les vrilles, les racloirs dont il avait besoin pour travailler ses bois. Erich, le fils du forgeron, devint l'ami de Goldmund, l'aidant en toutes choses avec un vif intérêt et une curiosité ardente. Goldmund lui promit de lui apprendre à jouer du luth, ce qu'il désirait de toute son âme, et aussi de lui permettre de s'essayer à sculpter. Quand, par moments, Goldmund se sentait inutile et déprimé au cloître et auprès de Narcisse, il se retrempait auprès d'Erich, dans son amour timide et sa vénération sans bornes. Celui-ci lui demandait souvent de lui parler de maître Niklaus et de la vie épiscopale; Goldmund le faisait parfois avec plaisir et se trouvait alors tout surpris de rester là à raconter ses voyages et ses aventures passées, comme un vieillard, alors que sa vie ne faisait vraiment que commencer.

Personne ne pouvait s'apercevoir de la profonde transformation qui s'était produite en lui ces derniers temps et le rendait bien plus vieux que son âge, car personne ne l'avait connu autrefois. Les misères de la vie errante et incertaine l'avaient sans doute déjà miné auparavant, mais la peste avec toutes ses affres, et en dernier lieu la captivité chez le comte et la nuit d'épouvante passée dans la cave du château l'avaient ébranlé jusqu'en ses moelles. Il en restait mainte trace : des poils blancs dans sa barbe, de fines rides sur son visage, des périodes de mauvais sommeil et, parfois, au fond du cœur, une certaine lassitude, une détente de son entrain et de sa curiosité, un sentiment morne et fade de satiété et d'indifférence. À préparer ainsi son travail, dans le commerce d'Erich, à œuvrer avec le forgeron et le charpentier, et il se dégelait, s'animait, retrouvait sa jeunesse ; tous l'admiraient et l'aimaient ; mais dans l'intervalle, il n'en restait pas moins des demi-heures, des heures entières déprimé, souriant dans un rêve, livré à l'apathie et à l'indifférence.

Une question très importante se posait à lui : par où commencer son travail ? Il fallait que la première œuvre qu'il entreprît ici et par laquelle il voulait payer l'hospitalité du monastère ne fût pas une de ces productions quelconques que l'on offre n'importe où à la curiosité des hommes, mais elle devait, comme les antiques ouvrages du couvent, faire intimement partie de la vie de la maison, et s'y intégrer. Sa préférence aurait été à un autel ou à une chaire, ni pour l'un ni pour l'autre il n'y avait de place ni de besoin. Il imagina autre chose. Dans le réfectoire des pères se trouvait une niche élevée d'où, pendant tous les repas, un jeune frère lisait la vie des saints. Cette tribune était toute nue. Goldmund résolut de plaquer sur l'escalier qui y menait et sur le pupitre lui-même une décoration analogue à celle d'une chaire, avec des figures en demi-relief et quelques autres qui s'en détacheraient presque entièrement. Il s'ouvrit de son projet à l'abbé qui l'approuva et l'accueillit avec joie.

Quand l'exécution put enfin commencer – il y avait de la neige et Noël était déjà passé – la vie de Goldmund prit un nouvel aspect. Pour les hôtes du monastère ce fut comme s'il était disparu, personne ne le rencontrait plus, il n'attendait plus à la fin des classes la troupe des élèves, ne courait plus les bois, ne faisait plus les cent pas dans le promenoir. Il prenait ses repas chez le meunier qui n'était plus celui qu'il avait beaucoup fréquenté pendant les années d'école. Il ne laissait entrer personne dans son atelier que son aide, Erich, et il était des jours où celui-ci n'entendait pas de lui une seule parole.

Voici le plan qu'il avait établi après de longues réflexions pour la tribune du réfectoire. Des deux parties dont se composait l'ouvrage, l'une devait figurer le monde, l'autre la parole divine. En bas, entourant l'escalier, formant relief dans de gros troncs de chêne, la création, des tableaux de la nature et de la vie simple des patriarches. En haut, l'appui porterait les figures des quatre évangélistes : l'un d'eux devait évoquer feu l'abbé Daniel, un autre feu le père Martin, son successeur, et dans la statue de saint Luc il voulait fixer la silhouette de son maître Niklaus.

Il rencontra de grandes difficultés, plus grandes qu'il n'avait imaginé : Elles lui causèrent des soucis, mais c'étaient de doux soucis. Dans le ravissement et le désespoir il se donnait à son œuvre comme à la conquête d'une femme rebelle à l'amour, il luttait avec elle, souple et obstiné comme un pêcheur lutte avec un gros brochet, chaque résistance était pour lui un enseignement et rendait sa sensibilité plus fine. Il oublia tout le reste, il en oublia le cloître et presque Narcisse. Ce dernier vint une ou deux fois, mais il ne lui montra que des dessins.

Par contre, un jour, à sa grande surprise, Goldmund le pria d'entendre sa confession.

« Je ne pouvais pas m'y décider, avoua-t-il, je me jugeais trop insignifiant ; je me sentais déjà bien assez humilié devant toi. À présent, je me trouve mieux, j'ai désormais mon travail, cela m'élève au-dessus du néant, et puisque je vis dans un monastère, je voudrais me soumettre à la règle. »

Il se sentait maintenant à la hauteur d'un tel acte et ne voulait pas le différer plus longtemps. Dans la vie contemplative des premières semaines, dans le tourbillon de tous ces souvenirs d'enfance retrouvés, et aussi dans les récits qu'implorait de lui Erich, il lui avait été possible de mettre dans ce retour sur sa vie quelque ordre et quelque clarté.

Narcisse reçut sa confession sans aucune solennité. Elle dura près de deux heures. L'abbé écouta, impassible, les aventures, les souffrances et les péchés de son ami, posa quelques questions, sans jamais l'interrompre et l'entendit également sans broncher confesser la disparition de sa croyance à la bonté de Dieu et à sa justice. Certains des aveux du pénitent éveillèrent en lui une émotion profonde. Il vit comme il avait été secoué, épouvanté et combien il avait été parfois près de la catastrophe. Et puis il se sentit touché de la naïveté enfantine et de la candeur qui persistaient en son ami et ne put se défendre d'en sourire, car il le trouvait inquiet et repentant pour des fautes contre la piété qui, comparées avec ses propres doutes et les abîmes où l'entraînaient parfois ses pensées, étaient tout à fait anodines.

À la grande surprise de Goldmund, à sa déception même, le confesseur ne prit pas trop au tragique ses fautes manifestes, mais il le réprimanda et le punit sans ménagements pour avoir négligé la prière, la confession, la communion. Il lui imposa comme pénitence de vivre pendant quatre semaines dans la tempérance et la chasteté, d'entendre chaque jour la messe matinale, et de réciter chaque soir un Notre Père et un cantique à Marie.

Après quoi il lui dit : « Ne prends pas cette pénitence à la légère ; je te le recommande et je t'en prie. Je ne sais si tu connais encore exactement le texte de la messe. Il faut que tu le suives mot pour mot et te pénètres de son sens. Je vais aujourd'hui même dire avec toi le Notre Père et quelques hymnes et t'indiquer les mots et les pensées auxquels tu dois donner particulièrement ton attention. Il ne faut pas que tu prononces et écoutes les formules sacrées comme on dit et écoute des paroles humaines. Chaque fois que tu te surprendras à les débiter mécaniquement – et cela arrivera plus souvent que tu ne crois – tu devras te souvenir de cette heure et de mes recommandations, recommencer par le commencement et les dire, les laisser pénétrer dans ton cœur comme je vais te le montrer. »

Fut-ce un heureux hasard, ou l'expérience des âmes de l'abbé allait-elle si loin ? Cette confession et cette pénitence marquèrent pour Goldmund le début d'une période de fécondité et de paix qui le rendit heureux. Au milieu de son travail plein de tension, de soucis et de joies, il se trouva, grâce à ces exercices spirituels, accomplis sans peine, mais avec conscience chaque matin et chaque soir, soulagé des agitations de la journée. Tout son être fut transporté dans un ordre supérieur où il échappait au dangereux isolement du créateur, se trouvait admis, comme l'enfant, dans le royaume de Dieu. S'il lui fallait inévitablement soutenir dans la solitude la lutte pour son œuvre et lui donner toute la passion de ses sens et de son âme, l'heure de la prière le ramenait néanmoins toujours à l'innocence. Pendant le travail il était souvent tout fumant de fureur et d'impatience ou bien ravi dans l'extase de la volupté ; mais les exercices de piété le plongeaient comme dans une eau fraîche et profonde qui le lavait de l'orgueil de l'enthousiasme comme de l'orgueil du désespoir.

Il connut des échecs. Parfois, le soir, après les heures ardentes de travail, il ne trouvait point le calme ni le recueillement ; il arrivait qu'il oubliât ses oraisons et plus d'une fois, comme il s'efforçait à la méditation, il fut arrêté et tourmenté par l'idée que la récitation des prières n'était, en fin de compte, qu'un effort vers un Dieu qui n'existait pas ou ne pouvait lui venir en aide. Il s'en ouvrit à son ami.

« Persévère, dit Narcisse, tu l'as promis, tu dois tenir parole. Tu n'as pas à te demander si Dieu entend ton appel ou si le Dieu que tu te représentes existe réellement. Tu n'as pas non plus à te demander si tes prières sont puériles. À la mesure de celui à qui nos prières s'adressent toute notre activité est puérile. Il faut que tu t'interdises complètement pendant les exercices spirituels ces idées de petit gamin. Il faut que tu récites ton Notre Père et ton cantique à Marie en te pénétrant des paroles et du sens tout comme, par exemple, quand tu joues du luth ou que tu chantes, tu ne te mets pas en quête d'idées ou de spéculations ingénieuses, mais exécutes l'un après l'autre les mouvements de tes doigts et les notes de façon aussi pure et parfaite que possible. Quand on chante, on ne se demande pas si le chant a son utilité ou non, mais on chante. C'est comme cela que tu dois prier. »

Et de nouveau le résultat fut atteint. De nouveau son moi tendu et avide s'éteignit sous l'immense voûte d'un ordre universel, de nouveau les paroles vénérables passèrent sur lui, pénétrèrent en lui comme des étoiles.

L'abbé constata avec une grande satisfaction qu'une fois achevée la période de pénitence, après qu'il eut reçu les sacrements, il continuait pendant des semaines et des mois à accomplir ses exercices quotidiens. Cependant son œuvre avançait. Des gros poteaux de l'escalier sortit un petit monde de figures ; des plantes, des animaux, des hommes, et au milieu, le père Noé parmi les feuillages et les grappes ; un livre d'images, un hymne à la création et à sa beauté, s'écoulant, se jouant dans la liberté, mais sous la loi d'un ordre, d'une discipline secrète. Pendant des mois personne ne fut admis à voir son travail, si ce n'est Erich à qui il avait permis de lui donner la main et qui n'avait plus d'autre pensée que de devenir un artiste. Et à certains jours, Erich lui-même n'avait pas le droit de mettre le pied dans l'atelier. À d'autres moments, Goldmund s'occupait de lui, l'enseignait, lui faisait faire des essais, heureux d'avoir à ses côtés un croyant, un élève. Une fois l'œuvre terminée il comptait demander à son père de le lui confier et en faire son compagnon permanent.

Il travaillait aux figures des évangélistes dans ses meilleurs jours quand tout son être n'était qu'harmonie et quand aucun doute ne projetait sur lui son ombre. La meilleure de ses statues était, jugeait-il, celle à qui il donna les traits de l'abbé Daniel. Il avait pour elle une profonde tendresse. L'innocence et la bonté rayonnaient de son visage. Il était moins satisfait de la figure de maître Niklaus, bien que ce fût celle qu'Erich admirait le plus. Il s'y manifestait un défaut d'harmonie, une certaine tristesse, comme si le personnage était à la fois tout plein de projets créateurs et de la conscience désespérée de la vanité de la création, tout affligé de son unité et de son innocence perdues.

Quand il eut terminé l'abbé Daniel, il fit nettoyer l'atelier par Erich, voila de toiles le reste de son ouvrage et présenta dans la lumière cette seule statue. Puis il alla chez Narcisse, et, comme celui-ci était occupé, attendit le lendemain avec patience. Alors, à midi, il amena l'ami dans l'atelier, devant la statue.

Narcisse resta en contemplation. Il prenait son temps; avec l'attention, la précision du savant il étudiait cette figure. Derrière lui, en silence, Goldmund s'efforçait de dominer le tumulte de son cœur. « Oh! se disait-il, si l'un de nous deux ne soutient pas cette épreuve, ça va mal. Si mon œuvre n'est pas assez forte ou si c'est lui qui ne peut la comprendre, tout mon travail est devenu vain. J'aurais dû attendre encore. »

Les minutes étaient pour lui des heures; il songeait à l'instant où maître Niklaus tenait en main son premier dessin et, dans son attente, il serrait l'une contre l'autre ses mains moites.

Narcisse se tourna vers lui et ce fut tout de suite la délivrance. Il vit s'épanouir sur le mince visage de l'ami quelque chose qui ne s'y était plus épanoui depuis les années de jeunesse : un sourire, un sourire presque timide dans cette face pleine d'intelligence et de volonté, un sourire de tendresse où son âme faisait don d'elle-même, une expression fugitive dans laquelle la solitude et la fierté de ce visage semblaient pour un instant évanouies pour ne laisser place qu'à un cœur plein d'amour.

« Goldmund », dit Narcisse à mi-voix, sans que l'émotion l'empêchât de peser ses mots, « tu n'attends pas de moi que je devienne tout à coup un connaisseur. Je n'entends rien à l'art, tu le sais bien. Je ne puis rien t'en dire qui ne soit pour toi ridicule. Mais laisse-moi t'exprimer une chose : au premier coup d'œil j'ai reconnu dans cet apôtre notre abbé Daniel, et pas seulement son portrait, mais aussi tout ce qu'il symbolisait jadis pour nous : la dignité, la bonté, la simplicité. Tout comme feu le père Daniel se dressait devant notre vénération juvénile, il se dresse à nouveau ici devant moi, et avec lui, tout ce qui nous était alors sacré et nous laisse un souvenir inoubliable de cette période de notre vie. En me rendant cette vision, ami, tu m'as fait un riche présent ; ce n'est pas seulement l'abbé Daniel que tu me rends, c'est toi-même que tu me révèles entièrement pour la première fois. Je sais maintenant qui tu es. Plus de paroles là-dessus, veux-tu ? cela ne convient pas. Oh ! Goldmund, quelle heure merveilleuse nous vivons là ! »

Le silence se fit dans la grande pièce. Goldmund vit que son ami était ému jusqu'au fond du cœur. Il était si confus qu'il avait peine à respirer.

« Oui, dit-il, j'en suis bien heureux ; mais il est temps que tu ailles à table. »

CHAPITRE XIX

DEUX années durant Goldmund travailla à cette œuvre, et à partir de la seconde année Erich lui fut entièrement confié comme élève. Dans l'ornementation de l'escalier, il figura un petit paradis ; il prit une joie extrême à sculpter un gracieux fouillis d'arbustes, de feuillages, de tiges avec des oiseaux dans les arbres et des têtes et des corps d'animaux émergeant çà et là. Au milieu de la végétation de ce jardin sauvage et paisible il représenta quelques scènes de la vie des patriarches. Il était rare qu'il interrompît sa vie laborieuse ; rare qu'un jour vînt auquel le travail lui fût impossible, où l'inquiétude ou la lassitude lui gâtât son ouvrage. Ces jour-là, il donnait une besogne à son élève, s'en allait à pied ou à cheval par la campagne, respirait, dans le parfum de la forêt, les souvenirs de la liberté et de la vie vagabonde, cherchait n'importe où une fille de paysans, allait à la chasse ou restait des heures entières étendu dans la verdure, les yeux fixés sur les voûtes des cimes ou dans la profusion exubérante des fougères et des genêts. Jamais son absence ne durait plus d'un jour ou deux. Ensuite il se remettait à l'œuvre avec une passion nouvelle, ciselant avec délices les plantes dans leur foisonnement, dégageant du bois, avec des gestes lents et tendres, les têtes humaines, traçant d'un ciseau vigoureux une bouche, un œil, une barbe ondoyante. En dehors d'Erich, seul Narcisse était admis à voir son ouvrage; il venait souvent, l'atelier était pour lui, par moments, la salle la plus familière du monastère. Il regardait avec joie, avec étonnement. Voici que s'épanouissait ce que son ami portait dans son cœur enfantin, inquiet et rebelle; voici qu'elle fleurissait, sa création, que son monde intérieur jaillissait comme une source : ce n'était qu'un jeu peut-être, mais un jeu qui sans aucun doute valait bien celui de la logique, de la grammaire, de la théologie.

Un jour il dit d'un ton pensif : « J'apprends beaucoup de toi, Goldmund, je commence à comprendre ce que c'est que l'art. Autrefois je ne pensais pas qu'on dût le prendre bien au sérieux en comparaison de la science et de la pensée. Voici à peu près ce que je me disais : puisque l'homme est un composé suspect d'esprit et de matière, puisque l'esprit lui ouvre la connaissance de l'éternel, alors que la matière l'entraîne dans les bas-fonds et l'attache aux choses éphémères, il devrait se dégager des sens et s'efforcer vers la vie de l'esprit pour exalter son existence et lui donner une signification. J'affectais bien par habitude d'honorer l'art, mais, au fond, je le regardais de haut dans un sentiment d'orgueil. C'est maintenant seulement que je constate que bien des chemins mènent à la connaissance et que la voie de la pensée abstraite n'est pas la seule, ni peut-être la meilleure. C'est là ma voie, certes, et je m'y tiendrai. Mais je te vois, par la voie opposée, saisir aussi profondément le secret de l'être et l'exprimer de façon bien plus vivante que ne le peuvent faire la plupart des penseurs.

— Tu t'expliques maintenant que je ne puisse comprendre ce que c'est que de penser sans images.

— Il y a longtemps que je l'ai saisi. Notre pensée est une constante abstraction, elle se détourne du sensible, elle essaie de construire un monde purement spirituel. Mais toi, tu prends justement à cœur ce qui est inconstant et mortel et tu proclames le sens du monde précisément dans ce qui est fugitif. Tu ne t'en détournes pas, tu t'y abandonnes corps et âme et par ton amour passionné, tu lui donnes une valeur suprême, tu en fais le symbole de l'éternel. Nous, penseurs, nous essayons de nous approcher de Dieu en excluant de lui le monde. Toi, tu te rapproches de lui en aimant sa création et en la recréant. Les deux méthodes sont humaines, par suite imparfaites ; mais il y a plus d'innocence dans l'art.

– Je ne sais, dit Goldmund. Mais vous autres penseurs et théologiens, vous avez l'air de mieux venir à bout de la vie, de mieux vous défendre du désespoir. Il y a longtemps que je n'envie plus ta science, mon cher ami, mais j'envie ton calme, ton équilibre, ta paix.

– Tu ne devrais pas m'envier, Goldmund. Il n'y a pas de paix au sens où tu l'entends. La paix est une réalité, bien sûr, mais pas la paix qui demeurerait en nous de façon permanente pour ne nous abandonner jamais. La seule paix qui soit est celle qu'il faut conquérir toujours et toujours par un incessant combat et reconquérir sans cesse. Tu ne vois pas ma lutte, tu ne connais ni mes combats dans mes études, ni mes combats dans ma cellule quand je suis en prière. C'est heureux que tu ne les connaisses pas. Tu constates seulement que moins que toi je suis soumis à mes humeurs ; c'est cela que tu prends pour ma paix. Mais c'est une lutte, une lutte et un sacrifice comme toute vie véritable, comme aussi ta propre vie.

– Ne discutons pas là-dessus. Toi non plus, tu ne vois pas tous mes combats. Et je ne sais pas si tu peux te représenter l'état de mon âme quand je songe que bientôt cette œuvre va être finie. Alors on l'emportera, on la dressera, on me fera quelques compliments, après quoi je reviendrai dans un atelier nu et vide, souffrant de tout ce qui dans mon œuvre est imparfait et que, vous autres, vous ne pouvez pas voir, et je serai dans mon âme aussi vide, aussi dépouillé que le sera mon atelier.

– Il se peut, dit Narcisse, et aucun de nous deux n'est capable en cela de comprendre tout à fait l'autre. Mais il y a une chose commune à tous les hommes de bonne volonté. C'est que toutes nos œuvres, en fin de compte, nous font honte, qu'il nous faut toujours recommencer par le commencement et que le sacrifice doit toujours se renouveler. »

Quelques semaines plus tard le grand œuvre de Goldmund était achevé et construit. Ce fut à nouveau ce qu'il avait déjà vécu. Son œuvre devenait la propriété des autres, on la regardait, on la jugeait, on la louait, on faisait l'éloge de l'artiste, on le traitait avec honneur ; mais son cœur et son atelier restaient vides et il se demandait si l'ouvrage était digne des sacrifices consentis. Au jour de l'inauguration, il fut invité à la table des pères. Il y eut un festin; on servit le plus vieux vin du couvent; Goldmund savoura le bon poisson et le gibier, et, plus encore que par le bon vin, il se sentit réchauffé par la sympathie et par la joie avec lesquelles Narcisse salua son œuvre et les honneurs qu'on lui rendait.

Déjà il faisait le projet d'un nouvel ouvrage désiré et commandé par l'abbé : un autel pour la chapelle de la Sainte Vierge, à Neuzell, qui appartenait au monastère et dans laquelle un père de Mariabronn célébrait les offices. Pour cet autel, Goldmund voulait faire une madone et éterniser en elle une des plus inoubliables figures de sa jeunesse, la fille du chevalier, la belle Lydia toujours inquiète. Pour le reste, cette commande ne lui tenait pas beaucoup au cœur, mais elle lui semblait de nature à fournir à Erich l'occasion de faire son chef-d'œuvre. Si Erich donnait sa mesure, il aurait en lui, pour toujours, un bon compagnon de travail qui pourrait le suppléer et le libérer pour les seules besognes qu'il eût à cœur. Il se mit à choisir avec Erich les bois pour l'autel et le chargea de les dégrossir. Souvent Goldmund le laissait seul; il s'était remis aux randonnées et aux longues courses dans la forêt et, une fois qu'il était resté plusieurs jours absent, Erich en ayant fait part à l'abbé, celui-ci craignit un peu qu'il ne fût disparu pour toujours. Mais il revint, travailla une semaine à la statue de Lydia, puis se remit à vaguer.

Il avait des soucis. Depuis l'achèvement de son grand travail, le désordre était entré dans sa vie. Il manquait la messe du matin, il avait perdu la paix du cœur et la joie de vivre. Il songeait beaucoup à maître Niklaus et se demandait s'il n'allait pas lui-même bientôt devenir pareil à lui, laborieux, probe, habile dans son art; mais aux dépens de sa liberté et de sa jeunesse. Peu avant, un petit incident l'avait fait réfléchir. Au cours de ses promenades il avait rencontré une jeune paysanne nommée Franziska qui lui plaisait beaucoup, en sorte qu'il se donna de la peine pour faire sa conquête et mit en œuvre toutes ses séductions d'autrefois. La jeune fille écoutait volontiers ses bavardages, riait de bon cœur à ses plaisanteries, mais rejeta toutes ses propositions : pour la première fois il s'aperçut qu'il paraissait vieux à une jeune femme. Il avait cessé d'aller la voir mais il n'avait rien oublié. Franziska avait raison, il avait changé; il s'en rendait compte lui-même et ce n'étaient pas les quelques cheveux déjà grisonnants, ni les quelques rides autour des yeux, c'était plutôt quelque chose au fond de son être, dans son cœur; il se sentait vieux, il se sentait affreusement semblable à maître Niklaus. Il s'observait lui-même avec répugnance en levant les épaules; il n'était plus libre, il était devenu un sédentaire, il n'était plus un aigle ou un lièvre, il était maintenant un animal domestique. S'il errait hors du cloître, c'était pour découvrir le parfum du passé, les souvenirs de ses vagabondages d'autrefois, plutôt que pour de nouveaux vagabondages dans une nouvelle liberté; il les cherchait dans une ardeur inquiète, comme un chien une trace qu'il a perdue. Et quand il avait été dehors un jour ou deux, quand il avait un peu traîné et fait la fête, alors une force irrésistible le ramenait au monastère. Il avait une mauvaise conscience, il savait que l'atelier l'attendait, il se sentait responsable de l'autel commencé, des bois préparés, de son compagnon Erich. Il prit la ferme résolution, quand la statue de Lydia-Marie serait achevée, d'entreprendre un voyage et d'essayer encore une fois la vie vagabonde. Ça ne valait rien de rester ainsi longtemps dans un couvent et exclusivement parmi des hommes. C'était bon pour des moines; pas pour lui. Avec les hommes on pouvait avoir de belles et sages conversations, et ils s'entendaient à apprécier le travail d'un artiste, mais tout le reste, les bavardages, les tendresses, le jeu, l'amour, la simple joie de vivre sans pensées, cela ne leur réussissait point, il fallait pour cela des femmes, le vagabondage errant, des images toujours nouvelles. Ici, autour de lui, tout était gris et sévère, un peu lourd, masculin, quoi; et il s'était laissé contaminer, cela lui était passé dans le sang.

L'idée de ce voyage le consola. Il se tint sagement au travail pour être libre plus tôt. Et tandis que peu à peu la silhouette de Lydia, se dégageant du bois, se présentait à lui, tandis que de ses nobles genoux les plis sévères du vêtement glissaient à terre sous sa main, il fut saisi d'une joie profonde et douloureuse, d'un amour mélancolique pour cette image, pour cette belle figure farouche de jeune fille, pour les aventures de cette époque, pour ses premières amours, ses premiers vagabondages, pour sa jeunesse. Il travailla religieusement à la délicate silhouette, en perçut l'identité avec ce qu'il y avait de meilleur en lui, avec son adolescence, avec ses plus tendres souvenirs. C'était une jouissance de former son cou qui se penche, sa bouche aimable et triste, ses mains fines, les longs doigts, les belles courbes de leurs ongles. Erich lui aussi, chaque fois qu'il pouvait, regardait la statue avec admiration et respectueuse tendresse.

Quand elle fut presque achevée, il la montra à l'abbé.

Narcisse déclara : « C'est ta plus belle œuvre, mon cher, nous n'avons rien dans tout le monastère qui l'égale. Je dois t'avouer que, ces derniers mois, j'ai été plus d'une fois inquiet à ton sujet. Je te voyais soucieux et souffrant et quand tu disparaissais et restais plus d'un jour absent, je me disais parfois avec angoisse : « Peut-être ne reviendra-t-il plus. » Et voilà que tu as fait cette merveilleuse statue ! Quel bonheur tu me donnes là ; je suis fier de toi !

– Oui, dit Goldmund, la statue est tout à fait réussie, mais écoute, Narcisse : pour qu'elle atteigne à cette beauté, il a fallu toute ma jeunesse, mes courses vagabondes, mes amours, ma quête de tant de femmes. C'est là la source où j'ai puisé. Bientôt la fontaine sera vide. Mon cœur se dessèche. J'achèverai cette madone et puis je prendrai congé pour un long temps, je ne sais pas pour combien, et j'irai à la recherche de ma jeunesse et de tout ce qui m'était jadis si cher. Peux-tu me comprendre ? – Oui. Tu le sais, j'étais ici ton hôte et je n'ai jamais accepté de salaire pour mon travail.

– Je te l'ai souvent offert, interrompit Narcisse.

– Et maintenant je l'accepte. Je vais faire faire des vêtements neufs et, quand ils seront prêts, je te demanderai quelques thalers, et puis je m'en irai dans le monde. Ne fais pas d'objections, Narcisse, et ne sois pas triste. Ce n'est pas que je ne me plaise plus ici : je ne pourrais nulle part être mieux. C'est autre chose qui est en jeu. M'accorderas-tu ce que je te demande ? »

On n'en parla pas beaucoup plus. Goldmund se fit faire un costume de cheval et des bottes et, tandis que l'été approchait, il acheva la madone comme si c'était son dernier travail, avec de tendres précautions, il donna aux mains, au visage, à la chevelure le dernier poli. On eût pu même penser qu'il différait le départ comme s'il avait plaisir à se laisser retenir toujours un peu plus longtemps par les derniers soins délicats donnés à cette figure. Les jours et les jours passaient et il avait toujours ceci ou cela à mettre en ordre. Narcisse, tout en ressentant douloureusement la proximité du départ, souriait parfois un peu de l'attachement de Goldmund à sa statue et de son incapacité de s'en détacher.

Pourtant Goldmund le surprit un jour en venant soudain lui dire adieu. Il avait pris sa résolution au cours de la nuit. Dans son vêtement neuf, un bonnet neuf en tête, il venait chez Narcisse prendre congé. Il s'était déjà confessé peu avant et avait communié. Maintenant, à l'heure du départ, il venait lui demander de bénir son voyage. La séparation leur fut pénible à tous deux et Goldmund affectait plus de crânerie et d'indifférence qu'il n'en avait au cœur.

« Te reverrai-je seulement? demanda Narcisse.

– Oh! bien sûr, si ton petit bidet ne me rompt pas le cou, tu me reverras. Autrement il n'y aurait plus personne qui t'appelle encore Narcisse et te donne des soucis. Tu peux y compter. N'oublie pas d'avoir l'œil sur Erich. Et que personne ne touche à ma statue! Elle restera, comme j'ai dit, dans ma chambre et tu ne te sépareras jamais de la clef.

– Te réjouis-tu de partir? »

Goldmund cligna des yeux.

« Bah! je m'en suis réjoui, c'est un fait. Mais maintenant, au moment de me mettre en selle, ça me paraît tout de même moins gai qu'on ne pourrait le croire. Tu vas te moquer de moi, mais la séparation ne m'est pas facile du tout, et cela me déplaît d'être ainsi attaché quelque part. C'est comme une maladie, les jeunes et les gens sains ne connaissent pas ça. Maître Niklaus était comme ça, lui aussi. Bah! pas de vains bavardages! Bénis-moi, cher, je veux partir. »

Et son cheval l'emporta.

Narcisse s'occupa fort en pensée de son ami; il était inquiet pour lui, il lui manquait beaucoup. Rentrerait-il jamais, l'oiseau envolé, le cher écervelé? Voilà qu'il reprenait, ce garçon bizarre et si cher, sa route tortueuse au gré des événements, voici qu'il errait encore avide et curieux par le monde, sous l'impulsion de ses instincts obscurs et puissants, passionné et insatiable, un grand enfant. Que Dieu soit avec lui! qu'il revienne sain et sauf! Voilà qu'il voletait à nouveau en tous sens, le papillon, qu'il péchait de nouveau, séduisait les femmes, cédait à ses caprices, se trouvait peut-être à nouveau dans le cas de tuer quelqu'un, se faisait mettre en prison, et y périssait. Quels soucis il vous donnait, ce blondin aux yeux si enfantins, qui se plaignait de devenir vieux! Comme on ne pouvait se défendre d'être inquiet pour lui! Et pourtant, Narcisse était profondément heureux en pensant à son ami. Au fond, il lui plaisait beaucoup que cet enfant terrible fût si difficile à dompter, qu'il eût de telles humeurs, qu'il se fût de nouveau échappé pour jeter sa gourme.

À toute heure du jour les pensées de l'abbé revenaient à l'absent, pensées de tendresse, de nostalgie, de gratitude, soucis, parfois aussi scrupules et reproches qu'il s'adressait à lui-même. N'aurait-il pas dû manifester davantage à son ami combien il l'aimait, combien peu il désirait qu'il devienne autre, combien lui et son art l'avaient enrichi? Il lui en avait peu parlé, trop peu peut-être, qui sait s'il n'aurait pas pu le retenir?

Goldmund ne l'avait pas seulement rendu plus riche. Par lui, il était aussi devenu plus pauvre, plus pauvre et plus faible, et cela il était sûrement bon qu'il ne l'eût pas montré à l'autre. Le monde dans lequel il vivait et où il se sentait chez lui, son monde, sa vie monacale, son ministère, sa science, la belle architecture de ses pensées, avaient été souvent violemment ébranlés et mis en question par l'artiste. Aucun doute, dans la perspective du cloître, de la raison et de la morale sa vie à lui était meilleure, mieux fondée en raison, plus stable, plus ordonnée, plus digne d'être donnée en exemple; c'était une existence passée dans l'ordre, l'austère service, un sacrifice constant, un effort sans cesse renouvelé vers la clarté, la justice, une vie bien plus pure et meilleure que celle d'un artiste, d'un vagabond, d'un séducteur. Mais vue d'en haut, du point de vue de Dieu – une vie exemplaire dans l'ordre et la discipline, dans le renoncement au monde et à la volupté sensuelle, exempte de toute souillure et de toute tache de sang, retranchée dans la philosophie et la méditation, était-elle meilleure que la vie de Goldmund? L'homme avait-il été vraiment créé pour mener une existence réglée dont la cloche et la prière scandaient les heures et les occupations? L'homme avait-il été créé pour étudier Aristote et saint Thomas d'Aquin, pour tuer ses sens et fuir le monde? Dieu ne l'avait-il pas mis sur terre avec des sens et des instincts, avec un obscur besoin de sang, une tendance au péché, au plaisir, au désespoir? C'était autour de ces questions que tournait la méditation de Narcisse quand il songeait à son ami.

Oui, ce n'était pas seulement plus enfantin et plus humain de vivre à la Goldmund, c'était bien au fond plus courageux et plus noble de s'abandonner au flot et au désordre cruel, de commettre des fautes et d'accepter leurs amères conséquences, que de mener, en marge du monde, les mains bien propres, une existence de pureté, de cultiver un beau jardin d'harmonieuses pensées et de se promener en toute innocence parmi ses plates-bandes bien protégées. C'était peut-être plus difficile, plus vaillant et plus noble de parcourir les forêts et les routes dans des souliers percés, d'endurer le soleil, la pluie et la misère, de jouer avec les plaisirs des sens et de les payer ensuite de douleurs.

En tout cas, Goldmund lui avait montré qu'un homme appelé à de hautes destinées pouvait plonger très bas dans l'ivresse et la confusion sanglante de la vie et se couvrir d'une couche de poussière et de sang sans pourtant devenir mesquin et vulgaire, sans tuer en lui le sens du divin, qu'il pouvait errer dans des ténèbres profondes sans que s'éteignent au sanctuaire de son âme la lumière divine et la force créatrice. Narcisse avait plongé ses regards jusqu'au fond de la vie irrégulière de son ami, et ni son amour ni son estime pour lui ne s'en étaient trouvés affaiblis. Et depuis que des mains souillées de Goldmund il avait vu surgir ces merveilleuses images qui menaient leur silencieuse existence, transfigurées par une vision et un ordre tout intimes, ces visages où se reflétait une vie intérieure, où resplendissait l'âme, ces plantes et ces fleurs innocentes, ces mains qui exprimaient la prière ou la grâce de Dieu, tous ces gestes hardis et tendres, fiers ou pieux, depuis lors il n'ignorait plus que dans ce cœur capricieux d'artiste et de séducteur Dieu avait déposé les plus riches trésors de sa lumière et de sa grâce.

Au cours de leurs conversations, il n'avait point eu de peine à prendre, en apparence, l'avantage sur l'ami, à opposer sa discipline et sa logique à la passion de Goldmund. Mais le plus petit mouvement d'une figure de Goldmund, un œil, une bouche, la vrille d'une plante, le pli d'un vêtement, n'étaient-ils pas choses plus réelles, plus vivantes, plus indispensables que tout ce que pouvait produire un intellectuel ? Cet artiste au cœur tourmenté de conflits et de détresse n'avait-il pas dressé pour d'innombrables générations présentes et futures les symboles de leur misère et de leur effort, des formes auxquelles le recueillement et la vénération, l'angoisse et l'aspiration d'innombrables humains pouvaient s'adresser pour trouver en elles consécration et réconfort ?

Narcisse se souvenait en souriant tristement de toutes les scènes de sa jeunesse au cours desquelles il avait guidé et enseigné son ami. Lui, il avait tout accueilli avec gratitude, n'avait cessé d'admettre la supériorité de son aîné et de se laisser diriger ; après quoi il avait érigé sans mot dire les œuvres nées des tempêtes et des douleurs de sa vie tourmentée. Pas de verbiage, pas de doctrine, pas de commentaires, d'exhortations : rien que de la vie à l'état pur, sublimée. Qu'il se sentait pauvre auprès de lui, avec sa science, sa discipline claustrale, sa dialectique !

C'étaient là les problèmes autour desquels tournaient ses pensées. Tout comme jadis, il y avait bien des années, il était intervenu dans la jeunesse de Goldmund pour orienter son existence vers de nouveaux horizons, de même depuis son retour, l'ami l'avait placé devant de nouveaux problèmes, l'avait ébranlé, contraint au doute et à un examen de conscience approfondi. Il était son égal, Narcisse ne lui avait rien donné qu'il ne lui eût rendu au centuple.

Et maintenant, l'ami était parti, chevauchant par le monde. Il laissait à l'abbé tout le temps de se livrer à ses réflexions. Les semaines passèrent. Il y avait longtemps que le châtaignier avait fleuri, longtemps que le feuillage vert laiteux du hêtre avait pris une teinte foncée, devenant ferme et dur, longtemps que, sur la tour du portail, les cigognes avaient couvé et appris à voler à leurs petits. Plus se prolongeait l'absence, plus Narcisse se rendait compte de ce qu'il avait possédé en lui. Il avait dans sa maison quelques savants parmi les pères : un spécialiste de Platon, un excellent grammairien, un ou deux subtils théologiens. Il avait parmi les moines des âmes loyales et droites qui prenaient la vie religieuse avec un extrême sérieux ; mais il n'avait autour de lui personne de sa taille, personne avec qui il se pût mesurer. Seul Goldmund lui avait fourni cette occasion que rien ne peut remplacer. Il lui était dur d'en être à nouveau privé. De toute son âme il appelait l'absent.

Souvent il allait à l'atelier, encourageait le compagnon Erich qui continuait de travailler à l'autel et souhaitait anxieusement le retour du maître. Parfois l'abbé ouvrait la chambre de Goldmund où se dressait la statue de Marie, écartait avec précaution le voile de son visage et s'attardait devant elle. Il ne savait rien de son origine : Goldmund ne lui avait jamais raconté l'histoire de Lydia. Mais il avait l'intuition de tout, il sentait que cette silhouette féminine avait longtemps vécu dans le cœur de son ami. Peut-être l'avait-il séduite, peut-être trompée et abandonnée. Mais il l'avait emportée et conservée dans son âme plus fidèlement que le meilleur des époux, et à la fin, après de nombreuses années peut-être, au cours desquelles il ne l'avait plus revue, il avait fait cette belle et touchante figure de jeune fille et mis dans ses traits, son attitude, ses mains, toute la tendresse, l'admiration, le désir d'un amant. Dans les personnages de la chaire au réfectoire, il lisait également des épisodes de la vie de son ami. C'était celle d'un chemineau, d'un homme mené par ses instincts, d'un sans-foyer, d'un infidèle, mais tout ce qui en avait survécu était bon et loyal, plein d'active tendresse. Quelle vie mystérieuse, aux flots troubles et torrentueux, mais comme les résultats s'en présentaient là, sublimes et lumineux !

Narcisse menait son combat. Il le mena jusqu'au triomphe. Il n'abandonna pas la voie qui était sienne ; il ne négligea rien de ses austères devoirs. Mais il souffrait de la perte qu'il avait faite et il souffrait de constater que son cœur, qui ne devait appartenir qu'à Dieu et à son service, était si attaché à cet ami.

CHAPITRE XX

L'ÉTÉ passa, le pavot et le bleuet, la nielle et l'aster se fanèrent et disparurent, les grenouilles se turent dans l'étang et les cigognes s'élevèrent dans les airs pour se préparer au départ. Goldmund alors revint !

Il revint par un après-midi de bruine et n'entra pas dans le monastère, mais se rendit directement du portail à son atelier. Il était arrivé à pied, sans son cheval.

Erich prit peur en le voyant entrer. Il le reconnut bien au premier regard, son cœur vola à sa rencontre et pourtant il semblait que ce fût un tout autre homme qui rentrait là : un faux Goldmund, vieilli de bien des années, le visage à demi éteint, poussiéreux, fané, les traits tirés, malade, souffrant, où pourtant ne se lisait point la douleur mais plutôt un sourire, un vieux sourire bonasse et patient. Il se traînait péniblement et semblait dolent et las.

Ce Goldmund transformé et inconnu fixa dans les yeux de son jeune compagnon un regard étrange. Son retour était bien discret ; il se comportait comme s'il venait de la chambre à côté, comme s'il était encore là l'instant d'avant. Il donna la main à l'autre sans rien dire, sans salut, sans poser de questions, sans rien raconter. « Il faut que je dorme », dit-il simplement ; il avait l'air terriblement las. Il renvoya Erich et passa dans sa chambre auprès de l'atelier. Là il tira son bonnet, qu'il laissa tomber à terre, quitta ses souliers et s'approcha du lit. Au fond, sous les toiles qui la recouvraient, il aperçut sa madone ; il lui fit un signe d'amitié, mais n'alla pas la découvrir et la saluer. Par contre, il parut à la petite fenêtre, vit dehors Erich qui attendait tout décontenancé, et lui cria : « Erich, tu n'as besoin de dire à personne que je suis de retour. Je suis très fatigué. Cela a le temps d'ici demain. »

Après quoi il se coucha tout habillé. Au bout d'un certain

temps, ne parvenant pas à dormir, il se leva, alla d'un pas lourd vers le mur où pendait un petit miroir et y jeta les yeux. Il examina attentivement le Goldmund qui, du miroir, le regardait; un visage connu, mais devenu étranger, qui ne lui parut pas vraiment présent, avec lequel il ne se sentait guère de rapports. Il évoquait simplement tel ou tel visage de connaissance : un peu maître Niklaus, un peu le vieux chevalier qui lui avait fait faire jadis un costume de page, un peu aussi le saint Jacques de l'église, le vieux saint Jacques barbu qui, sous son chapeau de pèlerin, avait l'air si vieux, si vieux et si gris, et qui, pourtant, donnait une impression de gaieté et de bonté.

Il déchiffra soigneusement ce que lui disait ce visage dans la glace comme s'il avait tout lieu de se renseigner sur cet étranger. Voici que, le reconnaissant, il lui fit un signe d'amitié : oui, c'était bien lui-même; ça correspondait à l'idée qu'il se faisait de sa personne. Il y avait là un vieux bonhomme très las et un peu abruti, de retour de voyage, un personnage falot; il n'y avait pas lieu d'en faire grand cas et pourtant il n'avait rien contre lui, il lui plaisait même; il découvrait dans ses traits quelque chose que n'avait pas le joli Goldmund d'autrefois : dans toute sa lassitude et sa déchéance un air de contentement ou plutôt d'impassibilité. Cela le fit légèrement sourire et l'image dans la glace lui rendit son sourire; le brave type qu'il avait ramené là de voyage avec lui ! De sa petite chevauchée il rentrait bien fourbu et fauché. Ça ne lui avait pas coûté seulement sa monture et son sac de voyage et ses thalers, il y avait laissé encore autre chose : sa jeunesse, sa santé, sa confiance en lui-même, le rouge de ses joues et le feu de son regard. Tout de même la tête lui plaisait : ce vieux bougre faiblard était mieux de son goût que le Goldmund qu'il avait longtemps été. Il était plus âgé, plus faible, plus minable, mais il était plus ingénu, plus content de son sort, on aurait moins de peine à s'arranger avec lui. Il rit et abaissa une de ses paupières maintenant toutes ridées. Après quoi il se remit au lit et s'endormit.

Le lendemain, il était assis penché sur sa table et essayait de dessiner un peu quand Narcisse vint le voir. Celui-ci s'arrêta sur le pas de la porte et dit : « On m'a raconté que tu étais de retour. Dieu soit loué. J'en suis bien heureux. Comme tu n'es pas venu me trouver, je viens te voir. Est-ce que je te dérange dans ton travail ? »

Il s'approcha. Goldmund se redressa de sur son papier et lui tendit la main. Bien qu'Erich l'eût préparé, l'abbé fut glacé jusqu'au cœur à l'aspect de son ami. Celui-ci lui adressa un bon sourire.

« Oui, je suis revenu. Je te salue, Narcisse. Voilà un bon moment que nous ne nous sommes vus. Excuse-moi de n'avoir pas encore été chez toi. »

Narcisse le regarda dans les yeux. Lui aussi ne découvrit pas seulement l'abrutissement et la lamentable décrépitude de ce visage, il discerna aussi le reste : ce trait étrangement sympathique d'impassibilité et même d'indifférence, de résignation, de bonhomie sénile. Habitué à lire sur la face des hommes il vit aussi que ce Goldmund si transformé, si étranger à lui-même, n'était plus tout à fait présent, que son âme ou bien était partie sur les chemins du rêve, bien loin de la réalité, ou bien qu'elle était déjà sur le seuil de la porte qui mène à l'au-delà.

« Es-tu malade ? demanda-t-il avec prudence.

– Oui, je suis malade en effet. Dès le début de mon voyage je suis tombé malade, dès les premiers jours. Mais tu comprends bien que je n'ai pas voulu rentrer tout de suite. Vous vous seriez moqués de moi si j'étais reparu si vite pour retirer mes bottes de cavalier. Non, je ne voulais pas de ça. J'ai poursuivi ma route et je me suis encore baladé un peu, j'avais honte de mon voyage raté. J'avais eu les yeux plus grands que le ventre. Bon, j'étais honteux donc. Tu comprends bien, n'est-ce pas ? tu es si perspicace. Pardon, m'as-tu demandé quelque chose ? C'est comme une fatalité, j'oublie toujours ce dont il s'agit. Mais avec ma mère, là, tu as eu vraiment bien raison. Ça m'a fait grand mal, mais… »

Son murmure s'éteignit dans un sourire.

« Nous te guérirons, Goldmund, tu ne manqueras de rien. Mais pourquoi n'as-tu pas fait tout de suite demi-tour quand tu as commencé à te sentir mal ? Tu n'as vraiment pas à te gêner avec nous. Tu aurais dû revenir tout de suite !

– Oui, je m'en rends compte maintenant. Je n'osais pas rentrer comme ça, tout simplement. Ç'aurait été un scandale. Mais me voilà revenu. Maintenant je suis remis.

– As-tu beaucoup souffert ?

– Souffert ? Oui, j'ai assez souffert. Mais vois, la douleur a été tout à fait bonne ; elle m'a ramené à la raison. À présent, je n'ai plus honte, pas même en ta présence. Autrefois, quand tu es venu me trouver dans la prison pour me sauver la vie, il m'a fallu serrer les dents, et dur, parce que j'avais honte devant toi. Maintenant, c'est tout à fait passé. »

Narcisse lui posa la main sur le bras, aussitôt il se tut et ferma les yeux en souriant. Il s'endormit paisiblement. Bouleversé, l'abbé courut chercher le médecin de la maison, le père Antoine, pour qu'il examine le malade. Quand ils revinrent, Goldmund était assis, endormi à sa table de travail. Ils le mirent au lit; le médecin resta près de lui.

Il le jugea dans un état désespéré. On le porta dans une chambre de malade. Erich fut chargé de le garder constamment.

On ne sut jamais toute l'histoire de son dernier voyage. Il raconta certains détails, il en laissa deviner d'autres. Souvent il était dans son lit indifférent à tout, parfois il avait la fièvre et prononçait des mots sans suite, parfois il était lucide et alors on appelait toujours Narcisse pour qui ces derniers entretiens avec Goldmund avaient la plus haute importance.

Quelques fragments de ses récits et de ses confessions ont été connus par Narcisse, d'autres par son compagnon.

« Quand les douleurs ont commencé? C'était au début de mon voyage. Je chevauchais dans la forêt, je suis tombé avec mon cheval dans un ruisseau et je suis resté toute la nuit dans l'eau froide. Là, où je me suis rompu les côtes, c'est là qu'a été depuis ce moment, le siège du mal. Je n'étais alors pas bien loin d'ici, mais je n'ai pas voulu revenir. C'était de l'enfantillage, mais je me disais que ça ferait comique. J'ai donc poursuivi mon chemin à cheval. Quand il n'y eut plus moyen d'aller à cheval parce que ça faisait trop mal, j'ai vendu la bête et puis je suis resté longtemps dans un hôpital.

« Je resterai ici désormais, Narcisse, je ne veux plus entendre parler d'aller à cheval; c'en est fini du vagabondage, c'en est fini de la danse et des femmes. Ah! sans cela je serais resté longtemps parti; des années. Mais en voyant qu'il n'y a plus de joie pour moi dehors, je me suis dit: avant d'être obligé de descendre sous terre, je veux encore dessiner un peu et faire quelques figures; on veut tout de même avoir une joie quelconque. »

Narcisse lui dit: « Je suis si heureux que tu sois de retour! Tu m'as tant manqué! J'ai chaque jour pensé à toi et souvent j'ai eu peur que tu ne veuilles plus revenir. »

Goldmund branla la tête: « Eh bien, la perte n'aurait pas été grande! »

Narcisse, le cœur brûlant de peine et d'amour, se pencha lentement sur lui et fit alors ce qu'il n'avait jamais fait au cours de tant d'années d'amitié: il effleura de ses lèvres le front et les cheveux de Goldmund. Celui-ci fut d'abord surpris, puis saisi, en s'apercevant de ce qui venait de se passer.

« Goldmund, lui murmura-t-il à l'oreille, pardonne-moi de n'avoir pas pu te dire cela plus tôt. J'aurais dû le faire lorsque je suis venu à toi dans ta prison, dans la cité épiscopale, ou quand j'ai vu tes premières statues, ou bien n'importe quand. Laisse-moi te dire aujourd'hui combien je t'aime, ce que tu as toujours été pour moi, combien tu as enrichi ma vie. Ça te paraîtra bien insignifiant ! Tu es habitué à l'amour ; il n'est pas pour toi chose rare ; tu as été aimé et gâté par tant de femmes. Pour moi, il en est autrement. Ma vie fut pauvre en amour ; c'est le meilleur qui m'a manqué. Notre abbé Daniel m'a dit jadis qu'il me jugeait orgueilleux. Il a probablement eu raison. Je ne suis pas injuste envers les hommes ; je m'efforce d'être équitable et patient avec eux, mais je ne les ai jamais aimés. De deux savants dans le monastère, c'est le plus savant qui m'est le plus cher ; jamais, par exemple, je n'ai aimé un esprit médiocre malgré sa faiblesse. Si je sais tout de même ce que c'est que l'amour, c'est grâce à toi. Toi, j'ai pu t'aimer, toi seul entre tous les hommes. Tu ne peux pas mesurer ce que cela représente. C'est la source dans le désert, l'arbre en fleur dans la brousse. C'est à toi seul que je dois de n'avoir pas un cœur desséché, d'avoir gardé en moi une place accessible à la grâce. »

Goldmund, dans sa confusion, fit un gai sourire. De la voix discrète et paisible qu'il avait dans ses heures lucides il dit : « Quand jadis tu m'as arraché à la potence et que nous chevauchions ensemble je t'ai demandé ce qu'était devenu mon cheval Bless et tu m'as renseigné. Alors j'ai vu que toi, qui autrement sais à peine reconnaître un cheval d'un autre, tu t'étais préoccupé du petit Bless. J'ai compris que tu l'avais fait à cause de moi et j'en ai été tout heureux. Je vois maintenant que c'était bien cela et que tu m'aimes vraiment. Moi aussi, je t'ai toujours aimé, Narcisse, la moitié de ma vie a été un effort pour faire ta conquête. Je savais bien que, toi aussi, tu m'aimais, mais jamais je n'aurais espéré que, dans ta fierté, tu me le dirais un jour. Voilà que tu me l'as dit, à l'instant où je ne possède plus rien d'autre, où vagabondage et liberté, monde et femmes, m'ont planté là. J'accepte ce don et je t'en remercie. »

Lydia la madone se dressait au fond de la pièce et regardait.

« Tu penses toujours à la mort ? demanda Narcisse.

– Oui, j'y pense et aussi au cours qu'a pris ma vie. Comme adolescent, quand j'étais ton élève, j'avais l'ambition de devenir un homme aussi intelligent que toi. Tu m'as fait voir que ce n'était pas ma destinée. Alors je me suis jeté dans la voie opposée, celle des sens et, grâce aux femmes, ce ne fut qu'un jeu pour moi de trouver là mon plaisir, tant elles s'y prêtent, tant elles sont sensuelles. Je ne voudrais pas en parler avec mépris, pas plus que de la sensualité, j'ai été souvent très heureux. Et j'ai aussi eu le bonheur de constater, par une expérience personnelle, que la vie de l'âme peut pénétrer la sensualité. Et c'est là ce qui donne naissance à l'art. Deux flammes qui maintenant en moi sont éteintes. Je ne ressens plus les jouissances animales de la volupté et je ne les ressentirais pas davantage si les femmes couraient encore après moi. La création de l'œuvre d'art, d'autre part, ne répond plus à mon désir; j'ai fait assez de statues, ce n'est pas le nombre qui importe. Ainsi, il est temps pour moi de mourir, je consens à la mort et je l'attends avec curiosité.

– Pourquoi cette curiosité?

– Oh! c'est sans doute un peu bête de ma part, mais c'est vraiment de la curiosité. Il ne s'agit pas de l'Au-delà, Narcisse, je ne m'en préoccupe guère et, pour te parler franchement, je n'y crois plus. Il n'y a pas d'Au-delà. L'arbre desséché est mort à jamais; l'oiseau glacé ne revient plus à la vie et l'homme pas davantage quand il est mort. Il se peut qu'on pense encore un peu à lui après qu'il est parti, mais ça ne dure pas longtemps, ça non plus. Non, si je suis curieux de mourir, c'est que c'est toujours ma conviction ou mon rêve que je suis en route vers ma mère. J'espère que la mort sera une grande volupté, aussi grande que celle du premier acte d'amour. Je ne peux pas me défendre de penser qu'au lieu de l'homme à la faux ce sera ma mère qui me reprendra avec elle pour me ramener dans le néant et dans l'innocence. »

À l'une de ses dernières visites, après que Goldmund fut resté plusieurs jours sans rien dire, Narcisse le retrouva, l'esprit en éveil et communicatif.

« Le père Antoine pense que tu dois souffrir beaucoup. Comment fais-tu pour supporter la douleur avec tant de calme? Il me semble que tu as maintenant trouvé la paix.

– Veux-tu dire la paix avec Dieu? Non, je ne l'ai pas trouvée. Je ne veux nullement être en paix avec lui. Il a mal fait le monde; nous n'avons pas lieu de le célébrer. Mais avec la douleur dans ma poitrine j'ai fait la paix, c'est vrai. Autrefois, j'avais peine à supporter la douleur et bien qu'il me semblât parfois qu'il ne me serait pas pénible de mourir, c'était pourtant une erreur. Quand ce fut pour de bon, la nuit passée dans la prison du comte Heinrich, ça s'est bien vu : je ne pouvais pas mourir, tout simplement, j'étais encore trop fort et trop violent. Ils auraient été obligés de tuer deux fois chacun de mes membres. Mais maintenant c'est autre chose. »

Il se fatiguait à parler, sa voix devenait plus faible. Narcisse le pria de se ménager.

« Non, dit-il, il faut que je te raconte ça ; auparavant j'aurais eu honte de te le dire. Tu vas bien rire. L'autre fois, quand je suis monté en selle et parti d'ici, je ne m'en allais pas tout à fait au hasard. Le bruit circulait que le comte Heinrich était à nouveau dans le pays et que sa maîtresse, Agnès, était avec lui. Bon, ça te laisse indifférent et moi aussi ça me laisse froid aujourd'hui. Mais à ce moment-là, une pareille nouvelle a mis le feu en moi ; je ne songeais plus qu'à Agnès, c'était la plus belle femme que j'aie connue et aimée, je voulais la revoir, je voulais être encore une fois heureux avec elle. Après une chevauchée d'une semaine, je la trouvai. C'est là, c'est à cette heure que la transformation s'est produite en moi. Je rencontrai donc Agnès, elle était toujours aussi belle. Je la rencontrai et trouvai l'occasion de me montrer à elle, de lui parler. Et songe un peu, Narcisse, elle ne voulait plus rien savoir de moi ! J'étais trop vieux pour elle, je n'étais plus assez joli, assez gai pour elle, elle n'attendait plus rien de moi. En fait, mon voyage était ainsi terminé. Mais je le poursuivis ; je ne voulais pas revenir avec vous si déçu, si ridicule. Et comme je m'en allais ainsi, je devais avoir perdu toute force, toute jeunesse et toute prudence, car je dégringolai avec mon cheval au fond d'un ravin et dans un fossé et me brisai les côtes et je restai dans l'eau. C'est à ce moment que j'ai, pour la première fois, fait vraiment connaissance avec la douleur. J'ai senti en tombant quelque chose se briser, en dedans, dans ma poitrine, et cette cassure m'a fait plaisir, je l'ai entendue avec joie, j'en étais heureux. J'étais là couché dans l'eau et je voyais bien que j'allais mourir, mais ce n'était pas du tout comme l'autre fois dans la prison. Je n'avais rien là contre ; mourir ne me semblait plus une mauvaise chose. Je ressentais ces violentes douleurs que, depuis lors, j'ai souvent éprouvées et, en même temps, j'eus un rêve, ou une vision, comme tu voudras. J'étais allongé ; dans ma poitrine, le mal me brûlait, et je me débattais et je criais, mais voilà que j'entendis une voix qui riait – une voix que je n'avais plus perçue depuis mon enfance. C'était la voix de ma mère, une voix grave de femme, pleine de volupté et de tendresse. Et alors je vis que c'était elle, que ma mère était près de moi et me tenait sur ses genoux et qu'elle avait ouvert ma poitrine et enfoncé profondément ses doigts entre mes côtes pour détacher mon cœur. Et après que j'eus vu et compris cela, je n'eus plus mal. Maintenant encore, quand ces souffrances reviennent, ce ne sont plus des souffrances, ce ne sont plus des ennemies, ce sont les doigts de ma mère qui enlèvent mon cœur. Elle travaille dur. Quelquefois elle serre et soupire comme si elle jouissait. Quelquefois elle rit et gronde des mots de tendresse. Quelquefois elle me quitte ; elle est au ciel là-haut, entre les nuées, j'aperçois son visage, immense comme un nuage ; elle plane et sourit d'un sourire triste, et son triste sourire m'aspire le cœur et me le tire de la poitrine. »

Sans cesse il parlait d'elle, de sa mère.

« Te souviens-tu encore ? demanda-t-il un des derniers jours, une fois, j'avais oublié ma mère, mais tu l'as conjurée et tu me l'as rendue. Cette fois-là aussi ça m'a fait grand mal, comme si des gueules de bêtes me dévoraient les entrailles. Nous étions encore des jeunes gens ; de jolis jeunes garçons que nous étions alors. Mais déjà à ce moment-là ma mère m'a appelé et il a bien fallu que je la suive. Elle est partout ; elle était la tzigane Lise, elle était la belle madone de maître Niklaus, elle était la vie, l'amour, la volupté, elle était aussi l'angoisse, la faim, le désir. Maintenant elle est la mort, elle a ses doigts dans ma poitrine.

– Ne parle pas tant, cher, pria Narcisse, attends à demain. »

Goldmund le regarda de ses yeux rieurs, avec ce sourire qu'il avait rapporté de son voyage et qui semblait si vieux, si cassé, un peu idiot par moments, et qui, parfois, rayonnait la pure bonté et la sagesse.

« Mon cher, murmura-t-il, je ne veux pas attendre à demain. Il faut que je prenne congé de toi et, pour l'adieu, il faut encore que je te dise tout. Ecoute-moi encore un instant. Je voulais te parler de ma mère, te raconter qu'elle tient ses doigts serrés autour de mon cœur. Depuis bien des années, c'était mon plus cher désir et mon rêve le plus mystérieux de faire son image ; c'était la plus sacrée de toutes les figures ; sans cesse je la portais en moi : une mystérieuse vision d'amour. Il y a peu de temps encore il m'eût été tout à fait insupportable de songer que je pourrais mourir sans avoir fixé ses traits, ma vie entière m'eût semblé inutile. Et maintenant, vois la tournure bizarre qu'ont prise les choses : au lieu que ce soient mes mains qui la sculptent et la forment, c'est elle qui me pétrit et qui me façonne. Elle a ses mains autour de mon cœur et elle le dégage et elle me vide ; elle m'a séduit et entraîné vers la mort ; avec moi meurt aussi mon rêve ; la belle statue de la grande Eve maternelle. Je la vois encore, et, si j'avais de la force dans mes mains, je pourrais lui donner une forme. Mais elle ne le veut pas ; elle ne veut pas que je révèle son secret ; elle aime mieux que je meure. Et je meurs sans regret, cela m'est aisé grâce à elle. »

Narcisse écoutait tout bouleversé. Il lui fallut se pencher jusque sur le visage de son ami pour percevoir encore ses paroles. Il en était qu'il n'entendait qu'indistinctement, d'autres qu'il entendait bien, mais dont le sens lui restait caché.

Et puis le malade souleva encore une fois ses paupières et regarda longuement le visage de son ami. Ses yeux prenaient congé de lui. Et dans un mouvement qui semblait un essai pour faire un signe de dénégation, il chuchota : « Mais comment veux-tu mourir un jour, Narcisse, puisque tu n'as point de mère ? Sans mère on ne peut pas aimer, sans mère on ne peut pas mourir. »

Ce qu'il murmura encore resta incompréhensible. Narcisse passa à son chevet les deux dernières journées, nuit et jour, le regardant s'éteindre. Les dernières paroles de Goldmund brûlaient dans son cœur comme une flamme.

Composition réalisée par INFOPRINT à l'île Maurice

Achevé d'imprimer en septembre 2011 par
Black Print CPI Iberica, S.L.
Sant Andreu de la Barca (08740)
Dépôt légal 1re publication : décembre 1965
Édition 17 – septembre 2011
LIBRAIRIE GÉNÉRALE FRANÇAISE – 31, rue de Fleurus – 75278 Paris Cedex 06

30/1583/1